D1006662

Uni-Taschenbücher 327

UTB

Eine Arbeitsgemeinschaft der Verlage

Birkhäuser Verlag Basel und Stuttgart
Wilhelm Fink Verlag München
Gustav Fischer Verlag Stuttgart
Francke Verlag München
Paul Haupt Verlag Bern und Stuttgart
Dr. Alfred Hüthig Verlag Heidelberg
J. C. B. Mohr (Paul Siebeck) Tübingen
Quelle & Meyer Heidelberg
Ernst Reinhardt Verlag München und Basel
F. K. Schattauer Verlag Stuttgart-New York
Ferdinand Schöningh Verlag Paderborn
Dr. Dietrich Steinkopff Verlag Darmstadt
Eugen Ulmer Verlag Stuttgart
Vandenhoeck & Ruprecht in Göttingen und Zürich
Verlag Dokumentation München-Pullach

Bernhard Greiner

Von der Allegorie zur Idylle: Die Literatur der Arbeitswelt in der DDR

Quelle & Meyer Heidelberg

„Frage: ‚Soll das vielleicht heißen, keinen sozialistischen Realismus mehr?' ‚Ganz im Gegenteil: Bisher gibt es nämlich nur rare Beispiele des sozialistischen Realismus ...'"

(Aus einem Interview mit Stefan Heym in: Kultúrny zivot Nr. 51, 1965.)

ISBN 3-494-02033-7

Printed in Germany.
Satz und Druck: K. Triltsch, Würzburg
Einbandgestaltung: Alfred Krugmann, Stuttgart
Gebunden bei der Großbuchbinderei Sigloch, Stuttgart

Inhalt

Einführung: Literatur der Arbeitswelt im Brennpunkt der DDR-Literatur

In der DDR „blieb die Arbeitswelt ... beherrschendes Lebensklima und vornehmster literarischer Gegenstand“: H. P. Anderle bestimmte hierin 1965 einen signifikanten Unterschied der Literatur der DDR zu jener Westdeutschlands [1]; seine Feststellung gilt heute noch gleichermaßen, wenn auch in der DDR selbst inzwischen weniger apodiktisch formuliert. K. H. Jacobs, Autor zweier Erfolgsromane über das Thema „Arbeitswelt“, mit dem er sich gleichzeitig auch in vielbeachteten Reportagen auseinandergesetzt hat [2], erläutert beispielsweise 1972:

„Im sozialistischen Arbeiter- und Bauernstaat ist eines der Themen, das sozialistischen Schriftstellern gemäß ist, Arbeit unter unseren Produktionsverhältnissen zu beschreiben, Arbeiter darzustellen, die Eigentümer ihrer Produktionsmittel sind, die das Land, in dem sie leben, selbst geschaffen haben und es selbst regieren.“ [3]

Anspruchsvoll führt der Dramatiker H. Müller zu diesem Thema aus:

Inzwischen ist ... im Sozialismus ... die Produktion, als Selbstverwirklichung der Menschen, Gegenstand der Kunst [geworden], statt Milieu oder Hintergrund für ‚Ewig-Menschliches‘.“ [3a]

In der seit wenigen Jahren sich verstärkenden Auseinandersetzung mit der Literatur der DDR wurde die methodische Relevanz dieses Blickpunktes noch nicht beachtet [4], obwohl damit eine Fragestellung eröffnet wird, die geeignet scheint, spezifische Schwierigkeiten einer nicht-immanenten Darstellung der DDR-Literatur zu überwinden. Wenn das Thema „Arbeitswelt“ jetzt in den Mittelpunkt gerückt wird, so ist dies zweifellos auch durch die gewandelte literarische Situation der BRD bedingt, in der Literatur der Arbeitswelt seit Mitte der Sechziger-Jahre an Bedeutung gewonnen hat [5]. Die Perspektive der Betrachtung wird damit nicht nur von der innerliterarischen Diskussion in der DDR vorgegeben und begrenzt, sie orientiert sich auch nicht ausschließlich an Kriterien, die nur von westdeutschen Mustern abgeleitet wären und die DDR-Literatur damit notwendig verfehlen müßten. In der Übernahme und selbständigen Fortbildung der Ansätze einer Literatur der Arbeitswelt in der Zeit der Weimarer Republik kommt der Literatur der DDR die Führungsrolle zu. In der BRD wird diese literarische Bewegung bedeutend später und unter Voraussetzungen aufgenommen, die sich gegenüber der DDR wesentlich unterscheiden. Nur in begrenztem Umfang können derart Beziehungen zwischen der literarischen Auseinandersetzung mit dem Thema „Arbeitswelt" in den beiden Staaten angenommen werden. Diese Beziehungen helfen dem westdeutschen Betrachter aber, Perspektiven der Betrachtung zu finden, die weder völliges Absehen von seiner bisherigen literarischen Erfahrung noch bewußtloses Einebnen tiefgreifender Unterschiede zwischen der literarischen Entwicklung beider Staaten verlangt.

Die hier vorgelegte Untersuchung dient nicht einem primär soziologischen Erkenntnisinteresse. Dieses stünde im Vordergrund, wenn die Literatur der Arbeitswelt mit dem Ziel untersucht würde, die wenig bekannte soziale Realität der DDR durch Betrachten ihrer literarischen Widerspiegelung zu überprüfen. Literatur würde damit in vulgärmaterialistischer Weise nur als soziologisches Dokument, d. h. nur als Reflex der gesellschaftlichen Entwicklung aufgefaßt. Das Thema „Arbeitswelt" wird hier vielmehr wegen seiner besonderen heuristischen Bedeutung zur Bestimmung der literarischen Situation in der DDR gewählt. Schon angedeutet wurde die Möglichkeit, auf der Basis dieses Themas eine rein immanente Perspektive der Betrachtung zu überwinden und doch in einem der DDR-Literatur angemessenen Fragehorizont zu verbleiben. In vierfacher Hinsicht ist darüber hinaus Literatur der Arbeitswelt Schlüsselcharakter für die Literatur der DDR zuzusprechen: als Indikator thematischer Umorientierung, als bevorzugter Bezugspunkt theoretischer Diskussion, als Begründung des historischen Anspruchs und als Probe formaler Wandlungsmöglichkeiten der Literatur in der DDR.

a) Thematischer Aspekt

Mit „Arbeitswelt" wird kein gesellschaftlich peripherer Bereich angesprochen, sondern der entscheidende Bereich der industriellen Produktion, mithin in einer sozialistischen Gesellschaft der zentrale Bereich der gewandelten gesellschaftlichen Wirklichkeit. Ihren besonderen Anspruch, die Rechtfertigung ihres eigenen Daseins, leitet die DDR aus der in ihrem Umkreis vollzogenen grundlegenden Umwandlung der Produktionsverhältnisse ab. Der geschichtliche Umbruch muß notwendig auf die literarische Entwicklung zurückwirken, besonders sinnfällig dann auf die Gestaltung jener Literatur, die sich wie Literatur der Arbeitswelt ausdrücklich mit diesem Umbruch auseinandersetzt. Wie Literatur insgesamt, wird diese literarische Strömung dabei von solchem gesellschaftlichem Wandlungsprozeß nicht nur geprägt, sondern ist auch als bestimmendes Moment in ihm aufzufassen.

Mit der ausdrücklichen Thematisierung der äußeren, gesellschaftlichen Realität wird Literatur der Arbeitswelt zugleich zum Exemplum des qualitativ Anderen der sozialistischen Literatur. Sie betont damit auch den Abstand zu dem Betrachter, dessen literarische Erfahrung von einer anderen Tradition bestimmt wird. Seit dem deutschen Idealismus und der Romantik, das heißt aber auch mit wachsender Prägung der geschichtlich-sozialen Welt durch Technik und industrielle Produktion wird die Entwicklung der Literatur durch eine Tendenz zur „Verinnerlichung" charakterisiert, durch eine Tendenz zum Rückzug auf die Individualsphäre, auf die innere Realität des singulären Bewußtseins, auf Abenteuer des Bewußtseins, auf „Denkerschütterungen" [6]. Zeit, als Form des „inneren Sinnes" [7] wird entsprechend zur grundlegenden Kategorie [8].

Mit dieser Entwicklung fallen Kunst und konkrete geschichtliche Welt immer stärker auseinander, die eine Wirklichkeit wird zerspalten in eine äußere, von Geist verlassene und eine innere, rein seelische Realität [9]. Begleitet wird dies von einem wachsenden Bewußtsein der „Ohnmacht der Literatur", einem zunehmenden „Kompetenzzweifel der Schriftsteller" [10]. Solcher Entwicklung tritt in sozialistischen Staaten der Anspruch entgegen, Kunst und Leben miteinander zu verbinden [11], womit Literatur nicht mehr genötigt sei, von der gegebenen, gesellschaftlich-geschichtlichen Welt abzusehen, sich nun vielmehr ausdrücklich auf diese beziehe. An die Stelle von „Verinnerlichung" als Verwandlung der Außenwelt im Bewußtsein tritt so „Veräußerlichung": Verwandlung von Bewußtsein, von Geschichts- und Gesellschaftstheorien in „Außenwelt", in historische Realität, die durch bewußte politische und soziale Praxis bestimmt wird, an der auch literarische Produktion Anteil hat. Zentrale Kategorie der Literatur ist entsprechend nicht mehr Zeit als Form des „inneren Sinnes", sondern, ausgehend vom Raum, nicht als „reine Form der Anschauung“ [12], vielmehr konkretisiert als Feld der Arbeit, Parteilichkeit [13]. Mit ihr wird die erkenntnistheoretische Voraussetzung zur literarischen Gestaltung gesellschaftlicher Realität auf dem Boden marxistischer Geschichtsauffassung formuliert. Utopie und Idylle werden als entgegengesetzte, extreme Möglichkeiten solcher „Verräumlichung“ zu bestimmen sein: als Überbetonen wie als Fehlen des Momentes der Entwicklung im jeweiligen Entwurf der Realität. Die skizzierte Gegenüberstellung weist auf die Unmöglichkeit, Kategorien der Literaturbetrachtung, die an der Entwicklung der modernen bürgerlichen Literatur ausgebildet worden sind, für eine Betrachtung der Literatur einer sozialistischen Gesellschaft unbefragt zu übernehmen [14].

Aber nicht nur gegenüber der in der BRD fortgesetzten bürgerlichen literarischen Tradition, sondern auch für die literarische Situation der DDR selbst wird mit der Literatur der Arbeitswelt eine thematische Umorientierung angezeigt. Für lange Zeit war die Auseinandersetzung mit der bürgerlichen oder faschistischen Vergangenheit das beherrschende Thema der DDR-Literatur; demgegenüber bezieht sich Literatur der Arbeitswelt — reagierend und agierend — ausdrücklich auf die sozialistische Gegenwart und Zukunft, damit auf das gesellschaftlich Neue und weiterhin Neuzuschaffende. Die Auseinandersetzung mit der eigenen, sozialistischen Wirklichkeit stellte und stellt sich unter den spezifischen historischen und politischen Voraussetzungen der DDR nicht selbstverständlich und nicht unbefangen ein, untrügliches Anzeichen hierfür sind die von politischer Seite kontinuierlich erhobenen Klagen über das „Nachhinken“ der Literatur gegenüber der gesellschaftlichen Entwicklung [15].

Die Auseinandersetzung mit dem grundlegenden Bereich der gesellschaftlichen Gegenwart, die der Literatur der Arbeitswelt aufgegeben ist, impliziert in der DDR Auseinandersetzung mit der sozialistischen Gesellschaftsform als einem Übergangsstadium zum Kommunismus. Zwei Faktoren kennzeichnen diese Übergangsperiode vor allem [16]:

1. das Klassenbewußtsein ist noch vom traditionellen Denken beeinflußt, vordringliche Aufgabe wird es entsprechend, dieses zu ändern,
2. der Staat bleibt als Kontrollmacht nach innen und außen noch bestehen, Staat und Partei üben noch Repression aus.

Der nicht mehr autonom verstandenen Literatur wird in diesem Zusammenhang eine bedeutende Mitwirkungsfunktion zugesprochen.

Im jeweiligen Prozeß der Aneignung der neuen Realität im Bewußtsein übt sie eine wichtige Erziehungsfunktion gegenüber dem Einzelnen aus; im Anzeigen des Abstandes zu den noch nicht verwirklichten Versprechungen des Kommunismus, im Aufweisen der doch nicht gelösten — wenn auch lösbaren — Widersprüche greift sie in die gesellschaftliche Entwicklung ein. Literatur der Arbeitswelt, die dies in unmittelbarem thematischen Zugriff leistet, wird damit aber auch nächstliegendes Objekt kontrollierenden und gängelnden Eingreifens von seiten des Staates und der Partei; denn ihr Wirklichkeitsentwurf setzt sich am unvermittelsten mit dem Anspruch des sozialistischen Staates auseinander, was hinsichtlich der gesellschaftlichen Entwicklung als erreicht zu gelten habe. Offiziell zugestandene Mitwirkungsfunktion und repressive Lenkungsversuche von staatlicher Seite antworten einander. Eine direkte wechselseitige Einwirkung von literarischer und gesellschaftlicher Produktion zeichnet sich ab: Die literarische Auseinandersetzung mit der Arbeitswelt fungiert als „Prüfstein“ der sozialistischen Realität, von der neuen Wirklichkeit des Sozialismus werden zugleich Forderungen und Maßstäbe abgeleitet, auf deren Grundlage die Literatur einer unablässigen Prüfung unterzogen wird.

Die ständig erhobene Forderung nach Auseinandersetzung mit der sozialistischen Gegenwart und mit der Arbeitswelt als deren vornehmster Bereich zeigt somit zwiespältigen Charakter. Sie kann als Forderung nach kritischem Entwurf ausgelegt werden, der im Wirklichen das noch nicht Verwirklichte reflektiert, ebenso aber auch als Forderung, das offizielle Bild der Arbeit in der sozialistischen Gesellschaft zu bestätigen. Das Problem möglicher Entfremdung auch im Sozialismus wird sich als wichtigste Perspektive einer inhaltlichen Bestimmung dieses Spannungsfeldes erweisen.

b) Literaturtheoretischer Aspekt

Mit der Frage nach der gesellschaftlichen Funktion der Literatur der Arbeitswelt in der DDR wurde schon auf den Fragehorizont der Literaturtheorie verwiesen.

Die Literatur der Arbeitswelt führt ein offiziell propagiertes Thema, ein Leitprogramm der Kulturpolitik der DDR aus. Eine Auseinandersetzung mit dieser Literatur stellt damit besondere

Voraussetzungen bereit, Funktion und Tragweite kulturpolitischer Konzeptionen in der DDR zu untersuchen. Kulturpolitik wird dabei nicht als letztlich gegebene Größe betrachtet, sondern als bedingte, gründend in der jeweiligen politischen und ökonomischen Situation der DDR und in einem ideologischen Zusammenhang stehend mit der herrschenden Gesellschaftstheorie. (Zum Beispiel marxistisches Gesellschaftsbild, Bestimmung des Proletariats als Träger und Motor der sozialen Entwicklung, dies wiederum konkretisiert in einem Verständnis von „Parteilichkeit" nicht nur als erkenntnistheoretischem, sondern auch als praktisch-politischem Begriff, marxistisches Verständnis von Arbeit als Selbstverwirklichung des Menschen, wobei der jeweilige Stand der gesellschaftlichen Entwicklung darüber entscheidet, wieweit diese einzulösen ist, Bestimmung von Entfremdung und der Voraussetzung ihrer Aufhebung.)

Einer so verstandenen kulturpolitischen Konzeption kommt bei der Frage nach dem gegenseitigen Einwirken vorgegebener kultureller und materieller Momente im jeweiligen Prozeß der literarischen Produktion erhebliche methodische Bedeutung zu. Mit der explizit formulierten Kulturpolitik scheint eine jener „Zwischeninstanzen" bestimmbar, durch deren Nachweis seit Plechanow [17] versucht wird, das Modell einer gradlinigen Ursächlichkeit zwischen Literatur und Gesellschaft zu überwinden und statt dessen die Einflüsse der ökonomischen Entwicklung auf den ideologischen und damit auch literarischen Bereich von einer Widerspiegelungstheorie aus zu fassen, die die ästhetische Eigengesetzlichkeit der Kunst nicht verkennt.

Die besondere Situierung der Literatur in der Gesellschaft der DDR bringt es mit sich, daß sich alle Autoren in irgendeiner Weise mit den Forderungen auseinanderzusetzen haben, die durch die Kulturpolitik formuliert und vermittelt werden. Auch wo ein Niederschlag dieser Auseinandersetzung im Werk zu fehlen scheint — was bei der Literatur der Arbeitswelt nur selten der Fall sein wird — ist dies daher als Stellungnahme aufzufassen. Das aktive Moment der Auseinandersetzung soll dabei nicht verkannt werden. Die kulturpolitischen Konzeptionen werden nicht als Muster aufgefaßt, die die Literatur reproduziert, sondern als Katalysatoren des literarischen Produktionsprozesses, unter deren Einwirkung Weltauffassung, Wirklichkeitsentwurf und Wirkungsintention der Schriftsteller, ebenso aber auch Mechanismen ihrer Anpassung und Unterwerfung unter das offiziell propagierte Bild der Gesellschaft scharfe Kontur gewinnen. Ausgegangen wird damit von einem Verständnis von Literatur als Sinngebungsversuch im Hinblick auf die Wirklichkeit, der seinerseits von der Wirklichkeit veranlaßt wird [18].

Das Spannungsfeld, das im Ausgang von der Kulturpolitik sichtbar gemacht werden kann, darf jedoch nicht polarisiert werden im Sinne unverträglich sich gegenüberstehender Positionen von Schriftstellern und politischen Funktionären. Statt solcher Simplifikation [19] wird die Eigenart der literarischen Situation in der DDR gerade darin zu bestimmen sein, daß hier eine Auseinandersetzung stattfindet zwischen politischen Funktionären, denen erhebliche Sanktionen zur Verfügung stehen, Schriftstellern und berufsmäßigen wie ad hoc mobilisierten Literaturkritikern, die sich gleichzeitig oft in Parteiorganisationen nicht nur äußerlich verbunden, sondern in den Aufgaben und Zielen, die die Partei propagiert, ausdrücklich aufeinander bezogen wissen.

c) Literaturhistorischer Aspekt

Mit der Literatur der Arbeitswelt wurde in der DDR bewußt an die proletarisch-revolutionäre Literatur der Weimarer Zeit angeknüpft. Oft war mit der Person der Autoren, die früher dem Bund proletarisch-revolutionärer Schriftsteller (BPRS) angehört hatten, diese Verbindung unmittelbar vorgegeben [20]. Die Frage nach der Literatur der Arbeitswelt schließt so die Frage nach der Traditionsbildung der DDR-Literatur (Anspruch und Realität) ein. Das Thema „Arbeitswelt" in der Literatur erfährt in diesem Zusammenhang seine unerläßliche historische Vertiefung. Der Klärung des Bezugs zur Tradition der proletarisch-revolutionären Literatur kommt aber darüber hinaus noch besondere Bedeutung zu. Von diesem Ansatz aus ergibt sich eine Grundlegung der literarischen Normen, die in bestimmter Modifikation auch für die Literatur der DDR verbindlich sind. In der Diskussion um Möglichkeiten und Eigenart einer proletarisch-revolutionären Literatur, die in der Zeitschrift „Die Linkskurve" 1929—1932 geführt wurde [21], entwickelte Lukács beispielsweise Kategorien marxistischer Literaturtheorie wie „Parteilichkeit", „typische" Darstellung (was für ihn die Kanonisierung realistischer Erzählformen des 19. Jahrhunderts einschließt), die in der Stalinistischen Ära zur Grundlage des Literaturverständnisses gehörten. Für die Entwicklung der Literatur in der DDR kommt diesen Kategorien um so größere Bedeutung zu, als die Überwindung des Stalinismus hier bekanntlich nur zögernd betrieben wurde.

d) Literaturästhetischer Aspekt

Die mit der Literatur der Arbeitswelt sich vollziehende thematische Umorientierung auf die gegenwärtige Wirklichkeit des Sozialismus hat weitreichende Konsequenzen auch für die literarische Gestaltung. Unterschiedliche Möglichkeiten, die Forderungen nach „parteilicher", „typischer" und „volksverbundener" Darstellung zu erfüllen, finden hier ihre entschiedenste Ausprägung. Auch in diesem Zusammenhang erweist sich damit die Literatur der Arbeitswelt als Entscheidung und Probe, in diesem Sinne als „Krisis" der DDR-Literatur.

Die literarischer Darstellung von Wirklichkeit vorgegebene Spannung zwischen Einzelnem und Gesamtzusammenhang, empirisch vorfindbarer Oberfläche und Wesen der geschichtlichen Entwicklung [22], findet im Thematisieren der sozialistischen Gegenwart ihre gültigste Aufhebung, ebenso aber auch besonders einseitige Auflösungen. Erstarren und Neubeleben literarischer Formen und Gattungen, Orientierung an vorgeprägten Wirklichkeitsbildern, damit Unterwerfung unter das Klischee — eventuell unter Berufung auf die so zu erreichende hohe „Verständlichkeit" — und Durchbruch zu neuen Sprachmustern als Vermittlern eines neuen Wirklichkeitsbildes, damit aber Rechtfertigung des Experiments, des Neuen und Ungewöhnlichen, werden dann diesen unterschiedlichen Ansätzen der Wirklichkeitsdarstellung zuzuordnen sein.

Eine primäre Orientierung am Bild einer gesetzhaften geschichtlichen Entwicklung entsprechend materialistischer Geschichtstheorie führt zu schematischer Wirklichkeitsdarstellung [23]. Die jeweils entworfene Welt erweist sich als ein Mosaik von Details, die eine schon vorgegebene Theorie, ein anderweitig schon bestimmtes Wissen über die Realität — das Wissen über die revolutionäre Entwicklung, wie sie die Partei bestimmt — nur noch zu beweisen haben. Die Aneignung der Realität im Bewußtsein wird hier nicht, wie dies Marx selbst fordert, produktiv als schaffendes Erkennen vollzogen. An die Stelle des Eroberns einer neuen Wirklichkeit [24] tritt Illustration. Solchem Ansatz bleiben Literatur und Kunst insgesamt letztlich entbehrlich, ersetzbar durch wirksamere Möglichkeiten der Verbreitung gesellschaftlichen Wissens, zumindest aber „nachhinkend“, eine Entwicklung, die sich ohne ihre Beteiligung vollzogen hat, nur „nachschreibend“. Die Funktion kritischer Erkenntnis tritt zurück hinter Rhetorik: „Es ist“ — so erläutert K. H. Jakobs diesen Ansatz literarischer Gestaltung — „als würden wir einer Diskussion beiwohnen, bei der alle Teilnehmer derselben Meinung sind, und es sei unter gegenseitigem Benicken von Formulierungen ein Preis in eleganter Beweisführung zu erringen“.[25]

Die entgegengesetzte Möglichkeit literarischer Wirklichkeitsdarstellung, die Isolation der Einzelerscheinung, der Oberfläche der Wirklichkeit, kann aus unterschiedlichen Voraussetzungen abgeleitet werden. Sie kann ausgehen von einem Betonen der Offenheit der geschichtlichen Entwicklung, damit auch von der Notwendigkeit des Widerspruchs, des Herausarbeitens der noch ungelösten Probleme als geschichtstreibender Kraft. Die Gefahr solchen Ansatzes liegt im Beharren auf dem noch nicht Verwirklichten, im Verschärfen der Widersprüche zu Antinomien, was aus sozialistischer Sicht einem Rückfall in ein antagonistisches Gesellschaftsbild gleichkommt. Umfassender Protest bzw. chiliastische Zukunftserwartungen prägen dann die Haltung zur eigenen Umwelt: Alles muß und wird sich ändern. Mit dem damit letztlich begründeten statischen Bild der Wirklichkeit ist die Gemeinsamkeit bezeichnet mit der anderen möglichen Voraussetzung einer Beschränkung der literarischen Darstellung auf die unmittelbar gegebene Oberfläche der Wirklichkeit. Charakteristisch für diese ist der resignative Rückzug aus dem gesellschaftlichen Zusammenhang, von dem keine Wandlung mehr erwartet wird, in einen ausgegrenzten Raum privaten Glücks, in die Idylle. Notwendig geht mit solchem Rückzug auch eine geringere Beachtung des Themas „Arbeitswelt“ einher. Die in den letzten Jahren der Ulbricht-Ära ausgegebene Losung vom Sozialismus als relativ selbständiger sozial-ökonomischer Formation[26] mußte diese Tendenz literarischer Auseinandersetzung mit der Wirklichkeit sehr begünstigen.

Die gegensätzlichen Ansätze, die geforderte dialektische Vermittlung von Wesen und Erscheinung in der literarischen Darstellung der Wirklichkeit zu erfüllen, bezeichnen als jeweilige literarische Haupttendenzen zugleich verschiedene Phasen der Literatur der Arbeitswelt in der DDR und darüber hinaus der Geschichte der DDR-Literatur insgesamt. Schematisch-illustrative Wirklichkeitsdarstellung charakterisiert die literarische Entwicklung in der Stalinistischen Ära — ohne mit deren Ende völlig überwunden zu sein — Verharren beim unmittelbar Gegebenen, beim „Gewöhnlichen“ [27] kennzeichnet, wie schon angedeutet, die Spätphase der Ulbricht-Herrschaft. Die Zwischenzeit wird geprägt von der Konzeption des „Bitterfelder-Weges“, der als bisher entschiedenster Versuch einer dialektischen Aufhebung der beschriebenen gegensätzlichen Positionen gewertet werden kann. Kritische Erkenntnis im Herausarbeiten des Einzelnen, Gegenwärtigen und Parteilichkeit im Wissen um die notwendig sich vollziehende revolutionäre Entwicklung sollen aufgehoben werden in einer neuen, produktiven Teilnahme des Schriftstellers an der gesellschaftlichen Praxis, die — die literarische Produktion miteinbegreifend — verstanden wird als „Esserin der Utopien“ [28].

Die Verwirklichung dieses Ansatzes kann allerdings auch im theatralischen Zeremoniell erfolgen (Thematisierung schon gelöster Widersprüche, Beschränkung auf erprobte und sanktionierte Gestaltungsmittel). Insgesamt zeigt die Literatur des „Bitterfelder-Weges“ noch einmal die drei umrissenen Grundpositionen literarischer Wirklichkeitsdarstellung in entschiedener Ausprägung. Sie wird damit zu einem Brennspiegel der Literatur der Arbeitswelt in der DDR. Entsprechend erhält auch diese Phase in der vorliegenden Untersuchung den größten Raum.

Exemplarisch wird in dieser Untersuchung nicht nur insofern verfahren als die literarische Situation in der DDR durch die Auswahl der Literatur der Arbeitswelt erhellt werden soll, sondern auch noch in der Darstellung dieser Literatur selbst. Die Literatur der Arbeitswelt wird nicht in einer enzyklopädischen Gesamtschau, sondern in eindringlicher Interpretation einzelner Beispiele vorgestellt, die für den jeweils umrissenen Zusammenhang als repräsentativ angesehen werden können. Dieses Verfahren erlaubt einmal, Voraussetzungen der Entstehung und Wirkung der Literatur der Arbeitswelt genauer und gesicherter zu bestimmen, begründet wird es vor allem aber durch die weithin fehlende Kenntnis der hier zu besprechenden Texte, die zu einem großen Teil auch im Handel gar nicht mehr verfügbar sind. Unter dieser Voraussetzung erscheint es sinnvoller, wenige Beispiele unter vielfältigen Gesichtspunkten zu erörtern, statt zusammenfassende Urteile über viele nicht-nachprüfbare Texte zu geben.

Die Gliederung des Stoffes erfolgt, bei flexibler Orientierung an der Chronologie, nach Leitthemen. Die Leitthemen werden in Anlehnung an das oben unter Punkt d entwickelte Schema mit dem Anspruch formuliert, in besonders sinnfälliger Weise eine bestimmte Phase zu charakterisieren und das Zusammenwirken politisch-sozialer, kulturpolitischer und literarischer Entwicklungsreihen sichtbar zu machen. Im Rahmen eines Leitthemas werden dann kontrastierende Beispiele ausgewählt, um damit u. a. dem Eindruck vorzubeugen, als stellten die am jeweiligen Text aufgewiesenen Beziehungen gesetzhafte Ursache-Wirkungs-Verhältnisse dar.

Die Ausarbeitung solcher Leitthemen und ihre Konkretisation an den Textbeispielen dient dem weiteren Ziel, Leitfragen einer Geschichte der DDR-Literatur zu begründen, ohne diese Geschichte schon darzustellen. Statt eine Literaturgeschichte — aber nur in Beispielen — geben zu wollen, wozu schon mehrfach angesetzt wurde[29], bescheidet sich diese Untersuchung mit dem Ziel, Beispiele einer zukünftigen Literaturgeschichte zu erstellen.

I. Vom Dämon Maschine zum durchschauten Arbeitsprozeß: Ansätze und Ziele einer Thematisierung der Arbeitswelt in der Literatur

Die Wandlung der Gesellschaftsstruktur verlangt und begründet in der Anschauung des dialektischen Materialismus eine Wandlung auch des Bewußtseins. In dem als Praxis verstandenen Prozeß der Aneignung der neuen Realität im Bewußtsein, der die Wirklichkeit des gewandelten materiellen Lebens erst verbürgt, wird der Kunst als Form gesellschaftlichen Bewußtseins und als Mittel der Welterkenntnis eine zentrale kognitive und didaktische Funktion zugeschrieben.

Die eigenständige und alleinige Fortsetzung der Tradition der proletarisch-revolutionären Literatur der Weimarer Republik dient in der DDR häufig schon als Nachweis des auch im Bereich der Kunst vollzogenen und weiter sich vollziehenden Wandels [1]. So deutet etwa Fr. Rothe das Aussparen des Themas „industrielle Arbeitswelt" in der westdeutschen Gegenwartsliteratur bis Ende der Fünfziger-Jahre als neuerliche „Ständeklausel", jetzt der herrschenden bürgerlichen Klasse, die, analog zum Ausschluß des Bürgers aus der Tragödie und seiner Beschränkung auf die Komödie in der Literatur des Barock, den Bereich als nicht-literaturwürdig auszugrenzen suche, von dem die Infragestellung ihres Machtanspruchs zu befürchten sei [2]. Der proletarische Staat der DDR, in dem die Grundlagen der Klassentrennung der Gesellschaft umfassend aufgehoben seien, bedürfe demgegenüber solch eines Aussparens zentraler Bereiche des menschlichen Lebens aus der Literatur nicht mehr. Entsprechend nehme auch die Auseinandersetzung mit der industriellen Arbeitswelt im literarischen Schaffen der DDR einen breiten Raum ein.

Aber nicht erst im literarischen Werk, schon in der Sprache als dessen Material wird im Umkreis des Themas Arbeitswelt ein tiefgreifender Wandel behauptet [3]. So weist J. Höppner auf den Bedeutungswandel des Wortes „Arbeit" als sinnfälliges Beispiel des Sprachwandels, den die Ablösung der bürgerlichen Gesellschaft durch die sozialistische mit sich gebracht habe [4]. Bedeutete „Arbeit" im Mittelhochdeutschen „Mühsal, Beschwernis, Not“ beispielhaft vollzogen in der leibeigenen Knechts- oder Fron-Arbeit, so sei mit dem Aufkommen der Waren-Produktion die schaffende Tätigkeit, die fleißige Geschäftigkeit in den Mittelpunkt getreten. Der sozialistischen Gesellschaft aber sei es vorbehalten geblieben, die „schöpferische, produktive Kraftentfaltung“ zur „vollen Befriedigung der gesellschaftlichen und persönlichen Bedürfnisse“ des Menschen als zentralen Aspekt von Arbeit freizulegen. Die Philosophie-Geschichte vor Marx ignorierend [5], wird dies dann als Beleg der qualitativ höheren Stufe der sozialistischen Gesellschaft angeführt und in Analogie zum Geschichtsbild des historischen Materialismus das real gegebene Neben- und Gegeneinander eines bürgerlichen und proletarischen Wortverständnisses als ein „historisches Nacheinander“ bestimmt, in dem nur das dem neuen Leben Angemessene eine Zukunft hat [6].

Erhält solcher Anspruch gesellschaftliche Verbindlichkeit, wird damit auch dem literarischen Schaffen, das die Beziehung des Menschen zur Arbeit in den Mittelpunkt stellt, entschieden die Richtung gewiesen. Die Wirksamkeit dieser Festlegung und ihre Begründung aufzuweisen, verlangt ein Ausweiten des Blickes über die literarische Situation der DDR hinaus, wobei die Perspektive durch die entsprechenden literaturgeschichtlichen Zusammenhänge vorgegeben wird. In Übereinstimmung auch mit dem Selbstverständnis der jeweiligen Autoren wird daher nach der Tradition der Literatur der Arbeitswelt in der Weimarer Republik gefragt, die in der DDR fortgeführt und modifiziert wird. Damit soll eine Phase in der Geschichte der Literatur der Arbeitswelt erhellt werden, die, statt einer vorgegebenen gesellschaftlichen Festlegung, wo die rückschrittschrittliche und wo die Zukunft-verbürgende Arbeitsauffassung verwirklicht werde, beide Positionen in noch unentschiedenem, kämpferischen Nebeneinander zeigt. Im Rückbezug auf diese Situation kann ein Rahmen erarbeitet werden, der die spezifischen Voraussetzungen, Ziele und Leistungen der Literatur der Arbeitswelt in der DDR und Ansatzpunkte des Vergleichs wie notwendiger Unterscheidung von entsprechenden literarischen Tendenzen in der BRD deutlicher hervortreten läßt.

Die allgemein sozialkritische Dichtung des Naturalismus und Expressionismus und die im Wilhelminischen Reich einsetzende Entwicklung einer Arbeiterdichtung als besondere literarische Strömung werden hier außer Betracht gelassen. Der Blick würde damit auf eine historisch noch weiter zurückliegende Phase gelenkt [7], insbesondere aber könnte in deren Umkreis der Begriff „Literatur der Arbeitswelt“ nicht scharf genug gefaßt werden. „Literatur der Arbeitswelt“ wird weder soziologisch eingegrenzt auf die Literatur von Autoren, die einer bestimmten sozialen Schicht — hier der Arbeiterklasse — angehören, noch thematisch so ausgeweitet, daß damit jede literarische Auseinandersetzung mit dem menschlichen Dasein bezeichnet würde, insofern dieses durch Arbeit bestimmt wird. Der Begriff „Arbeitswelt“ wird vielmehr durch eine spezifische Zuordnung beider Gesichtspunkte definiert.

„Literatur der Arbeitswelt“ wird eingegrenzt durch ihr spezifisches Thema: die Tätigkeit und das Tätigkeitsfeld des Arbeiters, der soziologisch definiert wird im Rückgriff auf die marxistische Klassentheorie [8]: ihn kennzeichnet der Nicht-Besitz an Produktionsmitteln, damit der Zwang, zur Erhaltung seines Lebens seine Arbeitskraft als Ware verkaufen zu müssen. Diese Arbeitskraft wird primär zu manueller Tätigkeit eingesetzt; der Begriff „Arbeit“ bleibt entsprechend weitgehend auf seinen materiellen Sinn beschränkt und damit Gegenpol eines ebenso einseitigen spirituellen Arbeitsbegriffes. (Die Rücknahme dieser Trennung im Entwurf eines neuen Arbeitsbildes wird demgegenüber als besondere Fortbildung der Literatur der Arbeitswelt aufgefaßt; erstmals versucht wurde sie in dem nationalsozialistischen Propagandabild der Gemeinschaft des „Arbeiters der Stirn“ und des „Arbeiters der Faust“.) Im Rahmen der historisch vorgegebenen Produktionsverhältnisse wird diese Arbeit entscheidend bestimmt durch den jeweiligen Stand der Entwicklung der Produktivkräfte. Für den hier zu betrachtenden Zeitraum steht daher die maschinenbetriebene, zunehmend automatisierte, arbeitsteilig organisierte Produktion für andere im Mittelpunkt.

Soziologische Gesichtspunkte sind anzuführen, wenn nach den Gründen für die Wahl des Themas Arbeitswelt gefragt wird. Die literarische Auseinandersetzung mit dem in dem dargelegten Sinne eingegrenzten Thema gründet nicht in dem Versuch, den Reiz eines bisher verachteten Milieus auszukosten, sondern in einem — mehr oder weniger bewußten — Anspruch, einen bzw. den maßgeblichen Bereich in den Blick zu bringen, der die gesellschaftliche Entwicklung insgesamt und die Lebensgestaltung des Einzelnen entscheidend bestimmt. Die Festlegung auf eine spezifische Zielsetzung der „Literatur der Arbeitswelt“ (z. B. Parteinahme für eine revolutionäre Befreiung der Arbeiterklasse) wird damit nicht als Grundlage der Definition berücksichtigt, in ihr wird vielmehr ein charakteristisches Bild eines Teilbereiches dieser Literatur erkannt.

Die Erfahrung des Ersten Weltkrieges und der anschließende Erfolg der revolutionären Arbeiterbewegung in Gesamteuropa, die zwar keinen politischen Umsturz, wohl aber die Erfüllung wichtiger sozialpolitischer Forderungen in Aussicht stellten, gab dem Bemühen um eine Literatur der Arbeitswelt nachhaltige Impulse. Ihre sozialgeschichtliche Grundlage kann von hier aus in einer Zeit bewußter sozialer Auseinandersetzung bestimmt werden, die ihren Niederschlag in immer neuen politischen und wirtschaftlichen Konfliktsituationen findet. An zwei gegensätzlichen Texten, die als Exponenten unterschiedlicher Entwicklungen gedeutet werden können, soll die Tradition aufgewiesen werden, auf die sich die gegenwärtige Literatur der Arbeitswelt in der BRD wie der DDR beruft. Die Texte wurden aus der Spätphase der Weimarer Republik ausgewählt, da in dieser Zeit widersprüchliche politische Erfahrungen und soziale Strömungen mit besonderer Schärfe hervortreten, die dann die mögliche Spannweite einer Thematisierung der Arbeitswelt in der Literatur auch am deutlichsten erkennen lassen.

Nach der politischen und ökonomischen Konsolidierung in der Zeit von 1925 bis 1929, die die Arbeiter in den Genuß der erkämpften sozialpolitischen Konzessionen brachte, bestärkte die Weltwirtschaftskrise mit der folgenden Verelendung der Massen und dem gleichzeitigen Anwachsen der politischen und sozialen Massenbewegungen die latente Enttäuschung in der Arbeiterbewegung über die mißlungene Revolution von 1918, die im Prinzip an der Wirtschaftsordnung nichts geändert hatte und im Auftrag einer sozialdemokratischen Regierung blutig an ihrer Weiterentwicklung gehindert worden war [9]. Die Zeit des erneuten und verschärften Aufbrechens politischer und sozialer Kämpfe, die im ideologischen Bereich nicht weniger als im materiellen ausgetragen wurden, war aber im Unterschied zu vergleichbaren späteren Situationen noch nicht von der Erfahrung der umfassenden Niederlage der Arbeiterbewegung von 1933 geprägt, die mit der ihr folgenden politischen Resignation bis zur heutigen Zeit eine bedeutsame Komponente im Gesellschaftsbild des Arbeiters darstellt [10].

Im einzelnen wird bei der Textbetrachtung gefragt nach der jeweiligen Auffassung des Themas, nach spezifischen Darstellungsproblemen und Zielen, nach der möglichen Prägung durch sozial und politisch verschieden orientierte Träger und Adressaten, nach Auswirkungen einer bestimmten Theorie dieser Literatur und — als Übergang zur heutigen Situation — nach ihrer Wirkungsmöglichkeit.

Beide Texte setzen sich mit Fließbandarbeit auseinander. Das Thema liegt in den Zwanziger-Jahren nahe, da in dieser Zeit auch in den Industrien Europas der Übergang zur Fließband-Produktion stattfindet. (Erste Versuche mit dem Fließband unternahm Henry Ford 1913[11].) Die Beurteilung des neuen Arbeitsprozesses hinsichtlich des Menschen, der in ihm eingespannt wird, läßt einen Lernprozeß erkennen. Fließbandarbeit wurde längere Zeit auch von den betroffenen Arbeitskräften begrüßt: einmal als physische Arbeitserleichterung (statt eines ganzen Arbeitstaktes wird eine Einzelleistung unter Zuhilfenahme speziell angefertigter Maschinen verrichtet), dann — insbesondere im Nachkriegsdeutschland — als Bürge eines neuen wirtschaftlichen Aufschwungs (Erneuerung der Produktionsmittel als Garantie für höhere Produktionszahlen, Neuinvestitionen als Zeichen gewachsenen Vertrauens in die Wirtschaftsentwicklung, Rationalisierung als Möglichkeit funktionsgerechter Arbeitsweise, anteilmäßig höhere Beteiligung des Arbeiters an den wachsenden Gewinnen, die mit der Produktionssteigerung möglich geworden waren = Sicherung ausreichender Kaufkraft als bahnbrechende Konjunkturmaßnahme: sogenanntes „Ford-System“). Erhebliche physische und psychische Schädigungen durch ein Arbeitstempo, das bis an die Grenze der Belastbarkeit angesetzt wird, durch einseitige Beanspruchung der Arbeitskraft, durch die Monotonie der Arbeit, die Undurchsichtigkeit des Arbeitsprozesses, die Unterdrückung eines individuellen Arbeitsrhythmus u. ä. führten dann jedoch zu einer negativen Einschätzung der Fließbandarbeit, ohne daß deren Auswirkung stets in ihrem Zusammenhang durchschaut worden wäre. Das Thema Fließbandarbeit greift so in der Literatur der Zwanziger-Jahre die aktuelle Entwicklung der Produktivkräfte auf und erscheint geeignet, zentrale Gesichtspunkte zur Bestimmung der sozialen Situation in den Blick zu bringen, die von diesem Stand der Produktivkräfte geprägt wird.

1927 erschien das folgende Gedicht von Bruno Schönlank:

Laufendes Band

Fabriken stampfen Tag und Nacht,
Stampfen Tag und Nacht,
Tag und Nacht.

Hochöfen lodern Tag und Nacht,
Tag und Nacht
Herzen lodern Tag und Nacht
Tag und Nacht
Fabriken stampfen Tag und Nacht
Hochöfen lodern
Tag und Nacht
Arbeit
Arbeit
Muskeln
Straffen
Schaffen
Schaffen
Feilen
Feilen
Bohren
Bohren
Hämmern
Hämmern
Griff um Griff
Gleichen Griff
Schlag um Schlag
Gleichen Schlag
Unerbittlich
Immer wieder
Immer weiter
Immer wieder
Drei Sekunden
Zwei Sekunden
Eine noch
Drei Sekunden
Zwei Sekunden
Eine noch
Nur eine halbe.
Immer weiter
Immer wieder
Immerfort
Gleicher Griff! [12]

Der Autor, geboren 1891, Sohn eines sozialdemokratischen Politikers, versuchte sich in verschiedenen Berufen, als Handwerker, Fabrikarbeiter, später Schreiber und Buchhändlergehilfe; in den Zwanziger-Jahren lebte er als freier Schriftsteller, bis 1933 war er Mitarbeiter an sozialdemokratischen Zeitungen. Das besondere Bemühen Schönlanks galt der Sprechchor-Dichtung [13]. Das zitierte Gedicht entstand durch Zusammenstellen verschiedener Chor-Partien aus dem Werk: „Der gespaltene Mensch. Spiel für bewegten Sprechchor."

In kunstvoller Weise versucht das Gedicht eine Stilisierung des thematisierten Arbeitsprozesses. Die Sätze werden in ihre Elemente zerlegt und diese variierend wiederholt. Nach der zehnten Zeile wird keine Einordnung der Wortgruppen in einem Satzzusammenhang mehr erstrebt. Unverbunden folgt eine Reihung von Substantiven, dann eine Reihung von Verben, der zweite Teil des Gedichtes besteht ausschließlich aus einer Reihung sich wiederholender adverbialer Bestimmungen. Mit der Reihung von Grundelementen eines Satzes, die im Anfangsteil in wechselnder Anordnung formelhaft wiederholt, dann jeweils für sich vorgestellt und variiert werden, ohne daß die Teile in einem funktionalen Zusammenhang aufgewiesen würden, reproduziert das Gedicht im Darstellungsakt den Sachverhalt Fließbandproduktion, der dargestellt werden soll. In solcher Wieder-holung tritt die Aussage der Sätze und Formeln hinter deren gestischer Funktion zurück. Der zu vermittelnde Sachverhalt wird damit eindringlich erfahrbar, zu fragen bleibt jedoch, ob das Sichtbar-Machen des Sachverhalts durch dessen Reproduktion im sprachlichen Medium ein Durchsichtig-Machen der jeweils ausschlaggebenden Zusammenhänge ermöglicht oder umgekehrt einem ohnmächtigen Verharren an der Oberfläche des Dargestellten Vorschub leistet.

Der vorgefundenen Zuständlichkeit wird keine eigenständige sprachliche Bewältigungsordnung entgegengesetzt. Die sprachliche Reproduktion sucht vielmehr weitgehende Übereinstimmungen mit dem Aufbau und Funktionsprinzip des Fließbandes. Dann kann das Gedicht aber auch kein Beherrschen des Fließbandes vermitteln, sondern nur ein Beherrscht-Werden von diesem selbst noch in der literarischen Produktion. Die Aufgabe, in der literarischen Gestaltung kritische Durchsicht durch den thematisierten Arbeitsprozeß zu schaffen, wird durch solche Gestaltungsprinzipien erschwert, Schönlanks Text vermag ihr kaum zu genügen. Hinter der mitgeteilten Bewegung macht das Gedicht keinen Beweger, keinen Verantwortlichen für das Bewegungsgesetz sichtbar. Die Dinge erscheinen autonom, sie treten dem Menschen als von ihm unabhängige, gewalttätige Mächte gegenüber („Fabriken stampfen . . .“). Die folgende Vitalisierung des Hochofens durch dessen Gleichsetzung mit dem Lodern des Herzens weist auf eine tiefe Zweideutigkeit: Sie ermöglicht ein Überwinden des Gegenübers von Menschen und Maschine in einer lusthaften („Herzen“) ekstatischen (Flammenmetaphorik) Vereinigung, gleichzeitig bezeichnet sie jedoch auch die Möglichkeit der Zerstörung durch eine Kraft, die als unbezwingbare Naturgewalt erfahren und hingenommen wird. Der Arbeitende wird nicht als Schöpfer der Produktionsstätte und als Beherrscher der Produktivkräfte, sondern in rettungslosem Ausgeliefert-Sein an diese gezeigt. Die ersten Zeilen des Gedichts reproduzieren so die Erfahrung entfremdeter Arbeit und hieraus folgender Selbstentfremdung in dem von Marx entwickelten Sinne [14], machen sie aber nicht als solche bewußt.

Die Ambivalenz der Gleichsetzung von Herz und Hochofen in der Vorstellung des Loderns kehrt in dem zweimaligen programmatischen Ausruf „Arbeit Arbeit" wieder, da dieser nicht nur Klage (Arbeit als Entäußerung, als negativ bestimmte Pflicht), sondern auch Zustimmung des Sprechenden enthält: im kapitalistischen System gibt es kein Recht auf Arbeit, was bei dem noch zögernden wirtschaftlichen Aufschwung der Zwanziger-Jahre sehr deutlich bewußt war und in der Weltwirtschaftskrise ab 1929 mit aller Schärfe bestätigt werden sollte [14a].

Nach den ersten zehn Zeilen des Gedichts folgt eine Aufzählung einzelner, isoliert aufgeführter Tätigkeiten. Die Aufzählung bedient sich des Infinitivs, mithin der Form, die es erlaubt, die jeweilige Tätigkeit ohne tätiges Subjekt und aus sich heraus bewegt, d. h. die Frage nach einem Beweger aussparend, vorzustellen. Daß der Produktionsstätte Fabrik, dem Produktionsmittel Hochofen und dem Akt des Produzierens selbst Eigenleben zugesprochen wird — vom menschlichen Handeln unabhängig erscheinend, dieses aber mit nachhaltiger Wirkung bestimmend — weist auf die Erfahrung der Verdinglichung. Im Rahmen der Marx'schen Entfremdungstheorie kann diese Erfahrung begründet und dabei insbesondere als historisch bedingt aufgewiesen werden: als abhängig vom jeweils gegebenen Stand der gesellschaftlichen Organisation des Produktionsprozesses. Die Erfahrung der Verdinglichung wird dabei erklärt als notwendige Folge der Warenproduktion:

> „Das Geheimnisvolle der Warenproduktion besteht also einfach darin, daß sie den Menschen die gesellschaftlichen Charaktere ihrer eigenen Arbeit als gegenständliche Charaktere der Arbeitsprodukte selbst, als gesellschaftliche Natureigenschaften dieser Dinge zurückspiegelt, daher auch das gesellschaftliche Verhältnis der Produzenten zur Gesamtarbeit als ein außer ihnen existierendes gesellschaftliches Verhältnis von Gegenständen." [15]

Die Prägung auch der literarischen Produktion durch die Erfahrung der Verdinglichung führt auf Warenproduktion und Warencharakter der Arbeit als wesentliche Bedingungen entfremdeter Arbeit zurück. Die isolierte Aufführung einzelner Tätigkeiten — mag sich darin Verzicht oder Unvermögen aussprechen, den Arbeitsprozeß in seinem Funktionszusammenhang aufzuweisen — reproduziert im Darstellungsakt fortschreitende Arbeitsteilung, die als weitere Bedingung entfremdeter Arbeit aufzufassen ist[16].

Die adverbialen Bestimmungen, die der isolierten Aufzählung einzelner Tätigkeiten folgen, heben die Monotonie der Fließbandarbeit hervor; sie sind prinzipiell jeder der genannten Tätigkeiten zuzuordnen und wiederholen derart die getrennte Produktion variabel einsetzbarer Werkelemente als das Organisationsprinzip von Fließbandarbeit. In vielfältiger Weise wird in diesem Abschnitt des Gedichts das formale Mittel der Wiederholung eingesetzt. Der inhaltlichen Bestimmung des beschriebenen Arbeitsprozesses als unabänderlich wird so Nachdruck verliehen.

In der Umdeutung einer von dem Menschen geschaffenen und entsprechend von ihm abhängigen Produktionsweise in ein ewiges, unerbittlich über den Menschen bestimmendes Gesetz bezeugt das Gedicht seine entfremdete Auffassung des Arbeitsprozesses. In dem charakteristischen Gestaltungsprinzip des Gedichts, das Dargestellte im Darstellungsakt zu reproduzieren, gründet dessen spezifische Problematik sowohl in der Auffassung des Themas wie in der möglichen Wirkung des Textes. Dargestellt wird Fließbandarbeit; dem Stand gesellschaftlicher Entwicklung und gesellschaftlichen Bewußtseins entsprechend wird diese erfaßt als äußerste Form entfremdeter Arbeit. Reproduktion des Dargestellten im Darstellungsakt beinhaltet dann aber Reproduktion äußerster Entfremdung. Im wirkungsvollen Einsatz sprachlicher Mittel wird der thematisierte Sachverhalt vergegenwärtigt und zugleich fatalistisch als unabänderlich bestätigt. Die Analyse der im Gedicht dargestellten Erfahrung von Arbeit auf der Grundlage der Marx'schen Entfremdungstheorie vermag diesen Zusammenhang zu erklären. Das Gedicht umgreift zwei wesentliche Erfahrungen von Entfremdung (Verdinglichung der Produktionsmittel und Produktionsgesetze und Undurchsichtigkeit des Arbeitsprozesses), wenn es diese auch nicht zu begründen vermag (Warencharakter der Arbeit, Arbeitsteilung). Eine weitere zentrale Bedingung für Entfremdung, das Privateigentum an Produktionsmitteln, wird auch in seiner Auswirkung (Frage nach dem Arbeitsprodukt, nach der Notwendigkeit, die Arbeitskraft verkaufen zu müssen) nicht einbezogen. Gerade die Hereinnahme dieses Aspektes würde es jedoch begünstigen, den vorgestellten Arbeitsprozeß nach einem ihn begründenden geschichtlichen, d. h. wandelbaren Verhältnis zwischen Menschen zu befragen.

Der einzige Versuch, das als immer gleich Erfahrene zu durchbrechen, Wechsel des Metrums und Ausbruch aus dem Zwang, die Satzelemente in immer gleicher Weise zu wiederholen in der Zeile „Nur eine halbe", bleibt daher ohnmächtiger Protest. Folgerichtig mündet die Zeile dann in erneute Bestätigung der Auswegslosigkeit der geschilderten Arbeitssituation. Protestcharakter ist der Zeile „Nur eine halbe" auch insofern zuzusprechen, als hier dem vorgegebenen Arbeitsrhythmus ein individueller Rhythmus entgegengesetzt wird, sei dieser nun aus Hoffnung oder aus Furcht geboren. Im Sprechchorwerk wird dies noch stärker hervorgehoben. Nach erster, vom Chor gesprochener Zählung der Sekunden unterbricht eine Einzelstimme mit dem Befehl: „Nicht abseits denken!" an eben der Stelle, an der später stets die Zeile „Nur eine halbe" folgt [17]. Diese ist damit von Beginn an als Ort möglichen „Abseits-Denkens" charakterisiert. Blieb der Sprecher bisher unbestimmbar, so kann seine Perspektive nach dieser Zeile als die eines in den dargestellten Arbeitsprozeß Eingespannten bestimmt werden. Zu einer Gegenbewegung wird angesetzt, diese bleibt aber folgenloses Zwischenspiel in der Wiederholung der vorgegebenen Sprach- und Wortmuster. Der individuelle Einspruch gegen das reproduzierte Unerträgliche, die Negation der Negation, entbindet — sofern überhaupt vernommen — keine dialektische Fortentwicklung, die Wahrnehmung des von dem unabänderlichen Gesetz Gehetzten äußert sich höchstens als Mitleid und Klage. Das Ausrufezeichen des Schlusses bezeichnet damit gleichfalls nicht einen aktivierenden Aufruf, sondern einen ohnmächtigen Schrei. Fatalistische Bestätigung des Gegebenen als Tenor des Gedichts und Fehlen einer Gegenposition, von der aus das Dargestellte nicht nur negiert, sondern auch als überwindbar vorgestellt werden könnte, weisen auf das Gesellschaftsbewußtsein des Autors zurück. Das Gedicht zeigt Ansätze systemimmanenter Kritik. Diese bleibt jedoch ohne Perspektive und wird von der beherrschenden kunstvollen Versöhnung mit dem Dargestellten in dessen Überhöhung zu einem schicksalhaft Gegebenen weitgehend aufgesogen. Literarisch wird damit auf jene „Synthese von Industrie und Kunst" gewiesen, die der „Bund der Werkleute auf Haus Nyland" zu seinem Programm erhoben hatte [18]. Im Ziel der Synthese war dabei schon die Tendenz angelegt, Widersprüche des zur Darstellung gewählten Wirklichkeitsbereiches entweder auszusparen oder zu einer ästhetischen Erfahrung umzustilisieren. In diesem Sinne berichtet etwa der Gründer des Bundes, Josef Winckler: „Der Triumph menschlicher Arbeitsgröße, die Dämonie industrieller Erscheinungen rissen mich hin" [19]. Nach der Erfahrung des Ersten Weltkrieges, den hierauf folgenden Klassenkämpfen und der Inflationswirtschaft konnte diese Tendenz nicht mehr unbefangen tradiert werden, Schönlank, Mitglied des Nyland-Bundes, bezeugt die weitere Entwicklung sinnfällig: die letztlich zu leidender Hinnahme verurteilende Faszination durch die „Dämonie industrieller Erscheinungen" bleibt, die Zweideutigkeit des Faszinosums wird nun allerdings schärfer erfahren. Die Identifikation mit dem Unerträglichen erscheint nur noch als ekstatische Vereinigung vollziehbar, die das Auslöschen des Betroffenen miteinschließt.

Soweit die apolitische Haltung des Nyland-Kreises aufgegeben wurde, konnte die in ihm vertretene, systemimmanente gesellschaftliche Position allenfalls bei der Sozialdemokratie Rückhalt finden. Von deren gesellschaftspolitischer Anschauung war Schönlank schon durch sein Elternhaus geprägt und dies hatte er als Mitarbeiter an sozialdemokratischen Zeitungen zur Zeit der Entstehung des betrachteten Textes auch aktiv vertreten. Perspektivelosigkeit, Fehlen eines klassenkämpferischen Standpunktes, daraus letztlich folgendes Fortschreiben des schlechten Gegebenen, das zusätzlich begünstigt wird durch eine abstrakte Fortschrittsgläubigkeit in Anerkennung der technisch-industriellen Entwicklung: solche Vorwürfe wurden von proletarisch-klassenkämpferischer Seite insbesondere gegenüber der SPD und den mit ihr sympathisierenden Intellektuellen erhoben. Als abtrünnig gewordenes Mitglied des Spartakus-Bundes wird B. Schönlank dabei nicht geschont [20].

Schon die äußeren Voraussetzungen weisen Max Zimmerings literarische Auseinandersetzung mit dem Thema Fließbandarbeit in eine gegensätzliche Richtung.

Der Autor ist achtzehn Jahre jünger als Schönlank (geboren 1909), prägende Erfahrung wird ihm mithin nicht die technische Fortschritts- und wirtschaftliche Wachstumsgläubigkeit der wilhelminischen Zeit, sondern Kriegs- und Nachkriegsphase. Zimmerings Vater ist Uhrmacher, er selbst arbeitet als Schaufenster-Dekorateur. 1928 wird er Mitglied des Kommunistischen Jugendverbandes, 1930 Mitglied der KPD. Der Weg zur Literatur erfolgt, wie bei fast allen Arbeiter-Schriftstellern, über die Arbeiterkorrespondentenbewegung. Deren gesellschaftspolitische Zielsetzung und literaturtheoretische Begründung läßt sich im Anschluß an die Betrachtung des Zimmering-Gedichtes erhellen, daher sei hier nur der organisatorische Rahmen erwähnt: entsprechend der später von Becher ausgesprochenen Maxime, die „Literatur von unten" sei die schärfste künstlerisch-literarische Waffe im Klassenkampf [21] und der von Lenin schon früh geforderten „Klassenverbundenheit der Presse neuen Typs" [22] bemühte sich die KPD, freiwillige Mitarbeiter aus der Arbeiterklasse für ihre Zeitungen zu gewinnen. Organisatorisch wurde diese Mitarbeit Mitte der Zwanziger-Jahre vom Zentralorgan der KPD, der „Roten Fahne" zusammengefaßt. Auf der Gründungskonferenz der Organisation der Arbeiterkorrespondenten, Dezember 1924, wurden als Aufgaben und gesellschaftliche Funktion der Arbeiterkorrespondenten festgelegt:

„Der Arbeiterkorrespondent, der mit der Arbeit der Klasse lebt und arbeitet, dessen Stimme aus dem tiefsten Innern der Arbeitermasse ertönt, ist das beste Verbindungsglied zwischen der Zeitung und der Masse der Werktätigen ... Die Tätigkeit des Arbeiterkorrespondenten besteht vorwiegend in der Berichterstattung über die Zustände im Betrieb, im Arbeitsleben und im bürgerlichen Staat ... Die Tätigkeit des Arbeiterkorrespondenten ist eine Parteiarbeit. Der proletarische Berichterstatter schreibt ... als klassenbewußter Kämpfer, der sich auch mit seiner Feder in den Dienst des Befreiungskampfes des Proletariats stellt ..." [23]

Die KPD unterstützte Initiativen zur Weiterbildung der Berichterstatter in Fachkursen und Abendschulungen. 1928 vereinigten sich die Arbeiterkorrespondenten, die Arbeiterschriftsteller (wie W. Bredel, O. Gotsche, H. Marchwitza) und die Schriftsteller bürgerlicher Herkunft, die der KPD angehörten oder ihr nahestanden (wie J. R. Becher, E. Ottwalt, E. E. Kisch, A. Seghers, F. Wolf, E. Weinert) im Bund proletarisch-revolutionärer Schriftsteller (BPRS). Die Vereinigung folgte der Aufforderung eines Parteitages der KPD zum Zusammenschluß aller dem Proletariat verbundenen Kulturschaffenden. In der Zeitschrift „Die Linkskurve" schuf sich der Bund sein eigenes Organ.

Zimmering wurde durch ein Preisausschreiben in der „Linkskurve“ entdeckt. Das Preisausschreiben hatte das Ziel, Autoren proletarisch-revolutionärer Literatur zu finden bzw. zum Verfassen revolutionärer Literatur zu ermutigen [24]. Zimmerings Text erhielt unter den Gedichten den ersten Preis. Sein Gedicht wurde als gut, wenn auch nicht als mustergültig bezeichnet: die Wirkung könne noch erheblich gesteigert werden [25]. Durch solch eingeschränkte Anerkennung kann von ihm aus auch versucht werden, literarische Position und gesellschaftspolitische Zielsetzung des BPRS zu erhellen.

Das Gedicht ist drei Jahre nach dem betrachteten Fließband-Gedicht Schönlanks entstanden (zumindest 1930 erstmals veröffentlicht worden). In diesen drei Jahren hat sich die politische und soziale Szenerie in Deutschland entschieden gewandelt. Der wirtschaftliche Aufschwung 1925—1929 wurde mit der Weltwirtschaftskrise jäh abgebrochen. Die Volkswirtschaftslehre hatte noch keine Antikrisentheorie entwickelt, entsprechend konnte die staatliche Wirtschaftspolitik die Entwicklung nur hilflos treiben lassen. Fließbandarbeit und durch sie ermöglichte Massenproduktion spielen in der Krise insofern eine wichtige Rolle, als die Weltwirtschaftskrise als Überproduktionskrise einsetzte. Hohe Arbeitslosenrate und sinkendes Volkseinkommen waren bekannte Folgen der Krise, weniger bekannt, aber nicht minder wichtig ist das Zusammenbrechen wirtschaftsliberaler Anschauungen: Die Notwendigkeit eines staatlichen Eingreifens in die Wirtschaft wurde jetzt anerkannt, über das Wie dieses Eingreifens gingen die Ansichten allerdings weit auseinander. Mit dem Anwachsen der Krise belebten und verstärkten sich klassenkämpferische Auseinandersetzungen, die während des wirtschaftlichen Aufschwungs abgeebbt waren. In Deutschland schloß dies eine zunehmend sich vertiefende Spaltung der Arbeiterbewegung in einen sozialdemokratisch reformerischen und einen revolutionär kommunistischen Kurs ein. Grundlage der kommunistischen Wendung nach „links“ war die Erwartung (ab 1928 propagiert von der Gruppe um Stalin), daß der revolutionäre Prozeß in Europa rasch fortschreiten werde [26].

In dieser Situation schreibt Zimmering:

Das Fließband

Das Fließband rollt und zieht vorbei
und frißt und zehrt die Nerven.

Das Fließband bringt uns Einerlei —
wir stehen da in langer Reih'
und werfen ... und werfen ...
und werfen trotz der Müdigkeit,
denn eine Uhr diktiert die Zeit —
aufs Fließband unsere Nerven.

Das Fließband frißt uns Mark und Bein
und nimmt uns Kraft und Willen.
Der Herr steckt Dividenden ein
und denkt: so wird es immer sein —
da wir den Schrank ihm füllen ...

Wir füllen noch und schuften noch.
Das Fließband rollt noch immer!
Es rollt vorbei im Stoppuhr-Takt —
man fühlt, wie einen Wahnsinn packt —!
Von Denken keinen Schimmer.

Wir denken nicht — wir fühlen nicht:
Nur Rhythmus lenkt die Hände!
Wir schuften, bis das Kreuz uns sticht,
bis unser Leib zusammenbricht!
Der Reiche schluckt die Rente!

Ein Fließband rollt die Straßen lang
mit blutigroten Zeichen.
Und statt der Stoppuhr schallt der Schritt —
vieltausend Kämpfer gehen mit,
die keinem Ansturm weichen!
Das rote Fließband rollt entlang
beim Rhythmus blauer Bohnen ...
Dem Reichen wird es Angst und bang —
er zittert vor dem Waffenklang — — —
Wir werden ihn nicht schonen! [27]

Von dem früher betrachteten Gedicht unterscheidet sich dieses vor allem durch seinen kritisch-aufklärerischen und betont klassenkämpferischen Gehalt. Die Situation der Fließbandarbeit wird nicht nur an der Oberfläche erfaßt, vielmehr wird der Versuch unternommen, zu deren Ursache vorzudringen. Die ersten Zeilen geben wie in Schönlanks Gedicht noch ein vitalisiertes Bild des Fließbandes als eines den Arbeiter fressenden Ungeheuers, und wie bei Schönlank wird anschließend die Monotonie der Fließbandarbeit hervorgehoben; diese erscheint aber nicht mehr als schicksalhaft und unabänderlich gegeben, hinter der Bewegung des Fließbandes wird vielmehr ein Beweger sichtbar. Ausgesprochen wird dies durch den Hinweis auf das Diktat der Uhr. Für sich betrachtet eine neutrale Feststellung, gewinnt diese als Begründung für ein Ausharren am Fließband trotz aller Müdigkeit kritische Relevanz, insbesondere dann, wenn ein Wissen um Prinzipien der Fließbandarbeit vorausgesetzt werden kann. Die Voraussetzung solchen Wissens weist dann schon auf eine bestimmte soziale Schicht als intendierten Adressaten des Textes. Die Uhr wird in der dritten Strophe als Stoppuhr konkretisiert. Damit wird auf die Festlegung sogenannter Verrichtungsnormalzeiten für die Einzelleistungen gewiesen, in die der gesamte Arbeitsprozeß zur Herstellung eines Produktes zerlegt worden ist. Auf der Basis dieser Zeitfestlegung wird dann die Entlöhnung bestimmt (durch Festlegung der Anzahl der anzufertigenden Stücke oder der Geschwindigkeit des Bandes). Dieses System der Arbeitsplatzbewertung — und Bezahlung — gestattet es, in vielen kleinen Aktionen durch eine Verkürzung der Vorgabezeit für die jeweilige Teilarbeit eine Erhöhung der Arbeitsintensität zu erzwingen. Die Einführung dieses Systems wird in der 1924 erfolgten Gründung des Reichsausschusses für Arbeitszeitermittlung (Refa) manifest. In der Literatur findet dies seinen Niederschlag in der häufig beschriebenen Gestalt des Zeitnehmers oder „Kalkulators“ als der entscheidenden Zwischeninstanz zwischen Arbeiter und Besitzer der Produktionsmittel. Der Kalkulator hat mit Rücksicht auf den Konkurrenzkampf und das Profitinteresse des Unternehmers immer neue Wege zu finden, die Arbeiter zu höherer Leistung zu zwingen, sei es durch Verkürzung der Vorgabezeit, sei es durch Übertragen zusätzlicher Arbeitsgänge bei gleichbleibender Vorgabezeit [28].

Zimmerings Gedicht spricht nur von einem Diktat der Uhr bzw. dem Stoppuhr-Takt des Fließbandes. Die in der Praxis hier vorzustellende Gestalt des Zeitnehmers bleibt ausgespart. Die Stoppuhr wird unmittelbar auf den letztlichen Nutznießer, den Herrn bzw. den Reichen bezogen. Zimmering vereinfacht damit das System der Arbeitsorganisation, das dargestellt werden soll, die Vereinfachung stellt jedoch keine Verfälschung dar — diese läge vor, wenn der Stoppuhr-Takt eine nicht weiter rückführbare Macht bliebe. Das Aussparen aller Vermittlungsglieder zielt statt dessen deutlich auf eine Zuspitzung der sich gegenüberstehenden Positionen im Sinne des Klassenkampfes. Ein kollektives Wir — im Gegensatz zu Schönlanks Infinitiven wird hier das Subjekt der Fließbandarbeit ausdrücklich genannt — wird dem Herrn und Reichen entgegengesetzt. Auch der Autor steht nicht über den Parteien. Im kollektiven Wir identifiziert er sich mit den am Fließband Ausgebeuteten, er vermag deren Situation und insgesamt die zugespitzte Klassenkampfsituation dadurch eindrucksvoll mitzuteilen, allerdings erwächst hieraus die Gefahr, in der Identifikation mit den Entfremdeten die Entfremdung selbst nicht mehr als solche sichtbar machen zu können, sondern sie wie Schönlank — wenn auch unter anderen Voraussetzungen — nur noch zu reproduzieren.

Formulierungen wie „Stoppuhr-Takt“ und „Nur Rhythmus lenkt die Hände“ zeugen von dieser Gefahr, da sie die bisherige kämpferische Eindeutigkeit tendenziell wieder zurücknehmen: mit der negativ beschriebenen Situation scheint doch ein harmonischer Einklang möglich. Solche Stilisierung des Negierten eröffnet die Möglichkeit der Aussöhnung mit ihm und damit seiner Erhaltung. Über die genannten Beispiele hinaus durchzieht diese Tendenz das Gedicht insgesamt in seinem kunstvollen Rhythmus und Reimschema, die in Diskrepanz stehen zu der zerstörerischen Gewalt der beschriebenen Verhältnisse.

Für sich betrachtet vermittelt das Bild der vom Rhythmus gelenkten Hände den Eindruck spielerischer Arbeitsverrichtung, zumindest läßt es eine harmonische Übereinstimmung von individuellem und arbeitstechnisch vorgeschriebenem Arbeitsrhythmus doch noch möglich erscheinen. Es irritiert damit die Deutung der Fließbandarbeit als physische und psychische Zerstörung des Menschen, insofern sie als Mittel der Gewinnsteigerung des Unternehmers die totale Unterwerfung unter den von der Maschine bzw. dem Zeitnehmer bestimmten Arbeitsrhythmus verlangt. Als problematisch erweist sich damit, daß der genannte „Rhythmus“ nicht weiter abgeleitet wird. Wird er dem Gedankengang nach auf Stoppuhr-Takt zurückbezogen, wiederholt sich nur das Problem, da auch dieser Begriff zweideutig ist (Vereinigung einer ästhetischen und einer arbeitstechnischen Kategorie). Die kämpferische Verschärfung im Aussparen der Vermittlungsinstanz des Zeitnehmers und die Identifikation des Sprechers mit den entfremdeten Fließbandarbeitern verhindern derart ein eindeutiges Durchsichtig-Machen der vorgestellten Arbeitssituation.

Die Identifikation mit den Betroffenen im kollektiven Wir wird allerdings nicht durchgehalten und gerade dadurch eine bloße Reproduktion der Entfremdung verhindert. Die Aussage „Von Denken keinen Schimmer“ kann den Sprechenden nicht mehr miteinschließen, denn sein Gedicht bezeugt ja gerade ein Nachdenken über die dargestellte Situation. Das Mehr-Wissen, das die Unterdrückung des Denkens durch die Fließbandarbeit zu erfassen vermag, grenzt den Sprechenden von den Fließbandarbeitern aus, in ihm wird die Distanz gewonnen, die den Sprechenden die vorgestellte Situation als veränderbar erkennen läßt (vgl. Zeitbestimmungen: „Wir schuften *noch*, das Fließband rollt *noch* immer"). Das Mehr-Wissen ist inhaltlich marxistischer Gesellschaftstheorie verpflichtet; ihr folgend wird die Gegenposition des „Herrn", die noch ein ewiges, natürliches Herr-Knecht-Verhältnis anzudeuten schien, in der vierten Strophe konkretisiert als die Position des Kapitalbesitzers. Die Situation der am Fließband Arbeitenden wird durch dieses Gegenüber gleichfalls genau umrissen als die des Lohnarbeiters, der bei Nicht-Verfügen über die Produktionsmittel gezwungen ist, seine Arbeitskraft als Ware zu verkaufen.

Im Durchbrechen des kollektiven Wir entfremdeter Arbeiter auf der Grundlage marxistischer Gesellschaftstheorie wird auch erst die Grundlage geschaffen für das Gegenbild der beschriebenen Fließbandarbeit, das die letzte Strophe entwirft, womit die bisher schon deutliche Gegensatzstruktur des Gedichts ihren schärfsten Umriß gewinnt. Marxistischer Lehre vom Klassenkampf entsprechend folgt das Bild des revolutionären Befreiungskampfes der Arbeiterklasse notwendig auf die immer unmenschlichere Ausbeutung der Arbeitskraft im kapitalistischen System. Aus solcher Sicht wird dieser Befreiuungskampf schon als Gegenwart geschildert. Nachdrücklich formuliert die letzte Strophe so den gesellschaftlichen Führungsanspruch des Proletariats. Auf der Basis marxistischer Gesellschaftstheorie erscheint der Übergang von der Schilderung der Fließbandarbeit zum Bild des revolutionären Kampfes konsequent, dem Leser, dem diese Voraussetzung nicht verbindlich ist, muß der Übergang jedoch als Sprung erscheinen, er wird eine ausreichende Begründung des Gegenbildes vermissen. Die Schilderung des revolutionären Kampfes in der Gegenwartsform erweist sich solcher Sicht als Antizipation, die Übertragung des Fließbandbildes auf einen proletarischen Kampf als gewollte Gleichsetzung, die Sicherheit, mit der ein unaufhaltsamer Vormarsch des Proletariats geschildert wird, als Appell.

Eine Gegenüberstellung der beiden Gedichte kann ausgehen von der Einheit von Mensch und Maschine, die jeweils in der Auseinandersetzung mit der Fließbandarbeit vorgestellt wird. Wird in solcher Einheit die Maschine vitalisiert („lodernd", „Mark und

Bein der Fließbandarbeiter fressend") und ästhetisiert (Takt und Rhythmus vermittelnd), so umgekehrt der Mensch als Bestandteil dieser Maschine, wenn nicht bejaht (Gleichsetzung von loderndem Herzen und lodernden Hochöfen) so doch anerkannt und sei es auch nur in der ohnmächtigen Klage über diese Situation („Immerfort gleicher Griff", „Nur Rhythmus lenkt die Hände").

In solchem Entwurf einer Einheit von Mensch und Maschine erfüllen beide Auseinandersetzungen mit Fließbandarbeit eine wichtige Sozialisationsfunktion. Die vorgefundene Arbeitssituation wird hingenommen, Vorurteile, die sie befestigen (der Arbeiter als Teil der Maschine, nicht als über sie Verfügender), werden weiter tradiert. Schönlanks Gedicht verharrt in dieser Position, Zimmering setzt gleichfalls bei ihr an, vermag dann aber die vorgefundene Situation kritisch durchsichtig zu machen (der Reiche als Beweger und Nutznießer des Fließbandes) und zu einem Gegenentwurf vorzudringen. In dem Versuch, kritische Erkenntnis mit einem Gegenentwurf zu verbinden, werden charakteristische Leistung und Problematik des Zimmering-Gedichtes sichtbar.

Beherrschende Vorstellung der letzten Strophe ist das „rote Fließband", bestehend aus der vereinigten Masse der Arbeiter in revolutionärer Aktion. Der Gegenentwurf zeigt sich dem Konstruktionsprinzip der Umkehrung verpflichtet: Voraussetzung bleibt die kritisch durchschaute Fließbandarbeit: der Reiche beutet mittels des Fließbandes die Arbeiter bis zur äußersten Grenze aus; damit erscheint die Gewalt des Fließbandes, die die Arbeiter beherrscht, nicht als unabänderlich und ewig hinzunehmen, die Arbeiter vermögen sich unter solchen Voraussetzungen als Herren dieser Gewalt zu erkennen und lernen, sie gegen ihre Ausbeuter einzusetzen. Seine bedeutendste Einsicht könnte Zimmerings Gedicht so gerade darin vermitteln, daß nicht Fließbandarbeit als solche kritisiert wird — dies würde in einen ohnmächtigen Protest gegen die unaufhaltsame technische Weiterentwicklung der Produktivkräfte münden — sondern die Unmenschlichkeit der (gegenwärtigen) Fließbandarbeit darin begründet wird, daß diese dem subjektiven Profitinteresse des Besitzers der Produktionsmittel zu dienen hat. Demgegenüber würde dann die Macht, die die Fließbandarbeit organisiert, gegen den Ausbeuter zur Befreiung der Arbeiterklasse gewendet, d.h. die bisher als zerstörerisch geschilderte Einheit von Arbeiter und Maschine am Fließband zu einer befreienden Verbindung umgewendet, „revolutioniert".

Zu solcher Deutung der Arbeitssituation setzt Zimmerings Gedicht in seiner kritischen Durchsicht der Fließbandarbeit und in seiner Umkehrung des Fließband-Motivs an. Das Fließband als Bild des revolutionären Kampfes bleibt dann jedoch ohne Rückbezug auf das zuvor vermittelte Bild des Fließbandes als Produktivkraft. Statt zu revolutionärer Umkehr dient das Fließbandmotiv so allein zu allegorischer Darstellung der behaupteten Kampfsituation. Ein Brückenschlag von der kritischen Erkenntnis zum Gegenentwurf gelingt nicht, der Gegenentwurf bleibt damit Behauptung, seine Schilderung als gegenwärtig: Antizipation einer Utopie.

Das revolutionäre Bild, das Zimmerings Gedicht vermittelt, spiegelt sehr getreu die problematische Einschätzung der gesellschaftlichen Lage durch die politische Gruppe wider, in deren Umkreis es entstand und preisgekrönt wurde. Wie im Gegenentwurf das Fließband nicht mehr als Produktivkraft sichtbar wird, so wird auch der geschilderte Kampf nicht in der Produktionsstätte geschildert, sondern auf die Straße verlagert. Dies entsprach der Situation der KPD, die mit der Weltwirtschaftskrise und aufgrund der vorher beschriebenen Spaltung der Arbeiterbewegung zur reinen Arbeitslosenpartei geworden war [29]. Mit Erwerbslosen aber, so erläutert W. Abendroth von ganz anderem Ansatz das gleiche illusionäre Wirklichkeitsbild, „lassen sich zwar Straßendemonstrationen, aber keine wirklichen Machtkämpfe durchführen“ [30].

Die Behauptung eines gegenwärtig stattfindenden siegreichen revolutionären Kampfes der Arbeiterklasse kann damit nicht als Sichtbar-Machen des Gegebenen, sondern nur als Aufruf gewertet werden. Die Diskrepanz des Gegenbildes zur Wirklichkeit mußte dem zeitgenössischen Leser spätestens bei der Behauptung einer Einheit von „vieltausend Kämpfern“ sichtbar werden, die seiner Erfahrung der Gespaltenheit der Arbeiter widersprach, die ihm jeder Streik und jeder Wahlkampf als tatsächliche Situation bestätigten. Die Hereinnahme des erwünschten Gegenbildes in die Gegenwart erhebt sich damit nicht zu einer verbindlichen Wirklichkeitsdeutung, ist vielmehr als Aufruf an einen Kreis Gleichgesinnter zu werten. Zimmerings Text gibt sich damit als Agitationsgedicht zu erkennen. Die Frage nach seinem intendierten Leser vermag dies weiter zu bekräftigen. Auf dem Boden eines materialistischen Geschichtsbildes, das die Industriestaaten als unmittelbar vor der proletarischen Revolution stehend deutete, erscheint das Gedicht bruchlos[31]. Solche Voraussetzung schließt aber die Hinwendung an einen durch Klassenlage und Klassenbewußtsein genau definierten Kreis ein. Das Gedicht sucht dessen Klassenbewußtsein (hier als „Vorhut des Proletariats") zu stärken und ruft diese Gruppe auf, sich einzureihen in den jetzt offen zu führenden Klassenkampf. Ob der Kreis dieser primär Angesprochenen zu einem breiteren Publikum hin durchbrochen werden kann, bleibt fraglich. In solcher Bestimmung repräsentiert Zimmerings Gedicht zugleich auch die literarische Konzeption, die der BPRS bis Mitte 1930 vertreten hatte[32], was die Auszeichnung mit dem ausgeschriebenen Lyrik-Preis dann hier auch ausdrücklich bestätigt.

Die Politik des BPRS kennzeichnet in der genannten Zeit eine betonte Absetzung von linksbürgerlichen Schriftstellern (wie Döblin, Tucholsky, Piscator, Toller). Gegenüber deren Sympathisieren mit der proletarischen Bewegung wird die eigene, kämpferische Haltung hervorgehoben, die sich beispielsweise in der öffentlichen politischen Identifikation mit dem Proletariat und seiner Partei manifestiert, die Zimmering dann durch die Sprachform des kollektiven Wir einzulösen sucht. Als Gegengewicht gegen die Literatur jener Schriftsteller wird die Arbeiterkorrespondentenbewegung favorisiert, der ja auch der preisgekrönte Zimmering angehört.

Die vom Bund erhobene Forderung nach einer ausdrücklich proletarischen Literatur mußte aber abstrakt bleiben, solange diese nicht ausreichend definiert war — und eine Theorie proletarischer Literatur steht bis heute noch aus. Worin sollte sich der proletarische Charakter dieser Literatur ausweisen? In der Zugehörigkeit der Autoren zum Proletariat? Oder in einer Ausrichtung der Texte (in Themenwahl und Gestaltungsmittel) speziell an einer proletarischen Leseschicht? Oder war auch, sowjetischen Vorbildern entsprechend, die aber in der Sowjetunion wieder verurteilt worden waren, beides zu fordern („Prolet-Kult", Beginn der Zwanziger-Jahre, „Lit-Front", Ende der Zwanziger-Jahre)?[33]. Das Verhältnis zur bürgerlichen Literatur und zur gegebenen Tradition literarischer Formen war gleichfalls ungeklärt, sofern nicht aus totaler Negation ein radikaler Neuansatz gefordert wurde. Der BPRS hatte sich in dieser ungeklärten Situation 1930 in eine Position völliger Isolierung manövriert: Zu den sympathisierenden bürgerlichen Intellektuellen war ein Graben aufgerissen, die eigene literarische Produktion war primär den schreibenden Arbeitern überantwortet worden. Den Schriftstellern der eigenen Reihe war diesen gegenüber die Funktion von Geburtshelfern zuerkannt worden, die darin bestehen sollte, handwerkliche Fertigkeit im Schreiben zu vermitteln und geeignete Publikationsmöglichkeiten bereitzustellen. Der Zuschlag des Lyrik-Preises an Zimmering fällt in die Phase der Ablösung von dieser extremen Position. Die Diskussion um den Arbeiterkorrespondenten läßt die Umorientierung deutlich erkennen.

Der betonten Linkswendung der kommunistischen Politik nach dem VI. Weltkongreß der Kommunistischen Internationale 1928 entsprach die Favorisierung der Arbeiterkorrespondentenbewegung. In Übereinstimmung hiermit grenzte E. Steffen in einem programmatisch „Die Urzelle proletarischer Literatur" überschriebenen Artikel der „Linkskurve" (2, 1930 H. 2) proletarische Literatur auf Literatur ein, die von Arbeitern geschrieben wird, die bei ihrer materiellen Arbeitspraxis bleiben (d. h. sich auch nicht vom schreibenden Arbeiter zum Berufsschriftsteller mit proletarisch-revolutionären Zielen weiterentwickeln [34]). Diese Auffassung wurde im folgenden Heft von J. Lenz (Pseudonym N. Krauss) als Übertreibung verworfen, gleichzeitig begann auch in der Sowjetunion eine Kampagne gegen radikal linke literarische Tendenzen [35].

Der proletarische Charakter der Literatur wurde nun nicht mehr soziologisch als Zugehörigkeit des Autors zum Proletariat bestimmt und thematisch auf Darstellung von Erfahrungen am Arbeitsplatz beschränkt, sondern erkenntnistheoretisch als Widerspiegelung des „ganzen Lebens der menschlichen Gemeinschaft vom Standpunkt des revolutionären Proletariats" definiert [36]. Diese Position erlaubte ein Aufarbeiten der bürgerlichen Literaturtradition, die mit Berufung auf Lenin auch von dem Autor proletarischer Literatur gefordert wurde, sie erlaubte ferner ein Zusammenarbeiten mit den sympathisierenden bürgerlichen Schriftstellern und versprach in der Ablehnung aller thematischen Einschränkung zudem, ein breites Publikum anzusprechen. Der berufene „Standpunkt des revolutionären Proletariats" wurde dabei erläutert, als „Standpunkt eines Marxisten — Leninisten, der den inneren Mechanismus der bestehenden Gesellschaftsordnung, die Ursachen ihrer Widersprüche ... und die Notwendigkeit ihres Untergangs klar begreift" [37]. Damit wurde schon eine Bestimmung dessen gegeben, was Lukács zwei Jahre später in der gleichen Zeitschrift (4, 1932 H. 6) mit dem vielfach zitierten Begriff der „Parteilichkeit" bezeichnen sollte.

Lukács hebt an dem „proletarisch-revolutionären Schriftsteller" gleichfalls als entscheidend hervor, daß dieser den dialektischen Materialismus beherrsche; dies erlaube ihm, die Wirklichkeit „objektiv" darzustellen, d. h. mit ihren wirklichen treibenden Kräften, mit ihren wirklichen Entwicklungstendenzen [38]. Die so verstandene Parteilichkeit wird entsprechend „Voraussetzung zur wahren — dialektischen — Objektivität": „in dieser Parteilichkeit [wird] gerade jene Stellungnahme erfochten, die die Erkenntnis und die Gestaltung des Gesamtprozesses als zusammengefaßte Totalität seiner wahren treibenden Kräfte, als ständige, erhöhte Reproduktion der ihm zugrundeliegenden dialektischen Widersprüche möglich macht" [39].

Festzuhalten bleibt die bei Lukács wie bei Lenz sich andeutende komtemplative Auffassung von proletarisch und parteilich (im Sinne einer Weltanschauung), der gegenüber nach einem mehr praxisbezogenen Verständnis zu fragen wäre. Ungeklärt läßt die zitierte Äußerung von Lenz ferner auch das Verhältnis von Inhalt und Form: Kann ein revolutionärer Inhalt mit Mitteln traditioneller Schreibweise gestaltet werden, oder verlangt er den Durchbruch zu neuen Formen? Setzt die Darstellung des Gegebenen, nicht um es zu befestigen, sondern um es aufzuheben, setzt das politische Ziel, die Klassenverhältnisse zu sprengen, nicht auch ein Sprengen der künstlerischen Formen voraus, die auf dem Boden dieser Klassenverhältnisse entstanden sind?

Lukács' Abwehr des künstlerischen Experiments auf der Grundlage seiner klassizistischen Konzeption der Harmonie und Totalität, die das Kunstwerk zu vermitteln habe — sanktioniert in der stalinistischen Festlegung des sozialistischen Realismus — hat diese Frage für lange Zeit entschieden. Lukács' Stilbegriffe erweisen sich letztlich als transzendentale Kategorien. Bestimmten Möglichkeiten, die Wirklichkeit zu erfassen (als Erscheinung, als Wesen, als dialektische Einheit von Wesen und Erscheinung) werden bestimmte literarische Strömungen und Kunstformen zugeordnet (Naturalismus und Formalismus, beide orientiert am künstlerischen Experiment — demgegenüber Realismus, sich auszeichnend durch ein typisierendes Verfahren: Herausarbeiten typischer Charaktere in typischen Situationen, beispielhaft verwirklicht von den realistischen Erzählern des 19. Jahrhunderts) [40]. Die Wertung der Kunstformen erfolgt dann, nach einem — unhistorischen — Aufstiegs- und Abstiegsschema der Klassen (zurückgehend auf Lenins Theorie der zwei Kulturen): Die jeweils aufsteigenden Klassen bilden realistische Kunstformen aus, die absteigenden naturalistische oder formalistische.

Die in der Zeit der Entstehung von Zimmerings Gedicht noch offene Diskussion über die Beziehung von revolutionärem Inhalt und auszubildenden literarischen Formen spiegelt der Text als Unentschiedenheit wider. Als bruchlose Einheit (im Übergang zur letzten Strophe) konnte er nur vom kämpferischen Teil des Proletariats angenommen werden; solcher Einschränkung der Zielgruppe tritt jedoch ein Rückgriff auf traditionelle Darstellungsmittel entgegen (ausgeklügeltes Reimschema, kunstvoller Rhythmus), die gewohnt und damit zugänglich sind, mithin die Hinwendung zu einem größeren Leserkreis intendieren.

Becher formulierte ein Jahr später einen Kompromiß der verschiedenen Positionen[41]. Arbeiterschriftsteller und proletarische Literatur (verstanden als Literatur, die von Angehörigen des Proletariats geschaffen wird) werden gegenüber der bürgerlichen Literatur und gegenüber bürgerlichen Autoren favorisiert. Die so avisierte Literatur habe sich in Themenwahl und Gestaltung aber nicht nur an die klassenbewußte Vorhut zu wenden bzw. an den klassenbewußten lesenden Arbeiter, sondern an alle Angehörige der Arbeiterklasse. Becher forderte eine proletarische Massenliteratur, die auch das kleinbürgerliche Publikum erreicht, was die Behandlung allgemeiner Themen (nicht nur Erfahrungen der Industriearbeiter am Arbeitsplatz) und die Verwendung traditioneller Darstellungsformen (z. B. psychologische Erzählweise, illusionistisches Theater) implizierte. Von diesen Voraussetzungen aus sollte auch der bürgerlichen Trivialliteratur eine proletarische entgegengesetzt werden.

Die Machtergreifung Hitlers brach die Diskussion um eine proletarisch-revolutionäre Literatur in Deutschland notwendig ab. Die Gestaltung der Arbeitswelt in der Literatur nimmt in den folgenden Jahren getreu das nationalsozialistische Gesellschaftsbild auf. Als charakteristisch wäre hier hervorzuheben: Heiligung der Arbeit als siegreicher Kampf mit der Natur, Propagieren eines besonderen Ethos des Arbeiterstandes (das gleichzeitig die gegebenen Arbeitsverhältnisse zementierte), Versöhnung mit weiterhin bestehenden Klassengegensätzen durch abstrakte Gemeinschaftsvorstellungen (wie Volksgemeinschaft, einer für alle — alle für einen, miteinander — füreinander etc.), Überwölben der Klassengegensätze durch Betonen der rassischen Einheit.

Aber auch in der Sowjetunion brach die Diskussion um eine proletarische Literatur ab. Mit dem zweiten Fünf-Jahresplan, der gekennzeichnet ist durch eine brutale Kollektivierung der Landwirtschaft und eine unverhältnismäßige Konzentration auf den Aufbau einer Schwerindustrie, erklärte Stalin alle Klassengegensätze für aufgehoben, charakteristisch für die gesellschaftliche Situation sei nun Klassenharmonie (zwischen Arbeitern und Bauern). Damit war aber auch einer Literatur die Grundlage entzogen, die sich bewußt im Betonen ihres proletarischen Charakters gegen andere Klassen absetzte. Endgültig festgelegt wurden die hieraus sich ergebenden Leitlinien der literarischen Entwicklung auf dem ersten Unionskongreß der Sowjetschriftsteller 1934. A. Shdanow und Gorki, die dort die Hauptreferate hielten [42], forderten nicht mehr eine proletarisch-revolutionäre, sondern eine sozialistisch-realistische Literatur. Die Gefahr poetischer Versöhnung mit der Realität statt kritischer Auseinandersetzung, die dem harmonistischen Gesellschaftsbild innewohnt, auf dem diese literarische Umorientierung gründet, wird im Zusammenhang der Konzeption des „Helden der Arbeit“ verdeutlicht werden, die gleichfalls in dieser Zeit der gesellschaftspolitischen Umorientierung in der Sowjetunion entwickelt wurde [43].

Die Entwicklung einer Literatur der Arbeitswelt wird in Deutschland nach 1945 vom Aufbau verschiedener gesellschaftlicher Systeme geprägt. Bei grundsätzlich nicht gewandelten gesellschaftlichen Verhältnissen wird in Westdeutschland im Gefolge des forcierten Konjunktur- und Produktionsaufschwungs, der auch die soziale Lage der Arbeiter rasch verbesserte, ein Bild gesellschaftlicher Harmonie entwickelt (vgl. Begriffe wie „Tarifpartner“, „Arbeitgeber—Arbeitnehmer“), demzufolge die Klassenunterschiede weitgehend eingeebnet seien und sich die Gesellschaft insgesamt in einem unentwegten Fortschrittsprozeß befinde. Beispielhaft für diese Einstellung führt etwa der Schriftsteller H. E. Nossak 1962 zur Frage „Ist unsere Literatur arbeiterfremd?“ 1960 [44] aus, heute seien Unternehmer wie Arbeiter in der prinzipiell gleichen Situation, sie seien Arbeitnehmer des Staates, der Konjunktur etc.: „. . . es gibt bei uns nur noch Arbeitnehmer; ein Unterschied zwischen ihnen besteht lediglich in der Höhe der Entlohnung“, woraus er schließt: „Ob es uns gefällt oder nicht: wir haben den Zustand der klassenlosen Gesellschaft erreicht.“ Etwaige Einwände gegen unsere klassenlose Gesellschaft, so folgert Nossak weiter, könne man nicht am Arbeiter demonstrieren, sondern allein an gradmäßig höheren Stufen. Nossak gibt damit eine für die literarische Situation der BRD repräsentative Rechtfertigung für das weitgehende Aussparen des Themas Arbeitswelt im Literaturschaffen der Gegenwart. Gesellschaftlich-geschichtliche Welt wird allenfalls von den Werken in den Blick gebracht, in denen eine Auseinandersetzung mit der faschistischen Vergangenheit versucht wird.

In der DDR findet in den ersten Nachkriegsjahren mit der Landreform, der Industriereform, der Justizreform und der Bildungsreform eine einschneidende gesellschaftliche Umwandlung statt, die im Selbstverständnis der politischen Führung und ihrer Organisationen jene Forderungen einlöst, die die Kommunistische Partei und die ihr nahestehende Literatur in der Weimarer Zeit erhoben hatte. Der Anschluß an diese literarische Tradition liegt damit nahe. Die Funktion proletarischer Literatur muß sich jedoch in einem Staat, der sich als sozialistisch bestimmt, notwendig wandeln. Nicht mehr wie in der bürgerlichen Gesellschaft Negation der bestehenden Gesellschaftsordnung, sondern Beitrag zu deren Aufbau und Weiterentwicklung wird Aufgabe. Erhält die Literatur damit auch in der DDR eine harmonisierende Funktion? (z. B. Negieren noch bestehender oder neu sich bildender sozialer Gegensätze und Widersprüche, wie etwa das Verhindern demokratischer Mitentscheidung in allen gesellschaftlich bedeutsamen Bereichen durch die zentral gelenkte Bürokratie, oder kunstvolles Erhöhen solcher Widersprüche zielend auf ästhetische Versöhnung mit dem Gegebenen? Wie groß ist der Spielraum kritischer Erkenntnis für eine Literatur, die, entsprechend der Forderung nach Parteilichkeit, Darstellung des Gegebenen und Entwurf des erst noch zu Verwirklichenden auf dem Boden marxistischer Gesellschaftstheorie zu leisten hat?) Mit der Diskussion über noch vorhandene Erscheinungen von Entfremdung auch im System des Sozialismus wird ein Gesichtspunkt bereitgestellt, die kritische Erkenntnisleistung der Literatur der Arbeitswelt in der DDR zu bestimmen.

Soziale Grundlage der Literatur der Arbeitswelt war in der Weimarer Zeit eine aktuell sich äußernde Emanzipationsbewegung des Proletariats. In der BRD wie der DDR wird der Anspruch erhoben, die Voraussetzungen für das Vorhandensein eines Proletariats als Klasse aufgehoben zu haben. Entsprechend bestätigt W. Promies das Fehlen einer klassenkämpferischen Haltung in der Literatur der Arbeitswelt noch 1966 mit der Feststellung: „Die ehrenwerte Empörung haben drüben der saure Apfel des Sozialismus, hier die süßen Früchte der freien Marktwirtschaft erstickt." [45] Eine Überprüfung der jeweiligen Behauptung einer klassenlosen Gesellschaft verlangt eine genauere Bestimmung des Begriffes „Proletariat".

Wenn behauptet wird, daß es in den westlichen Gesellschaftssystemen kein Proletariat mehr gebe, wird der Proletarier gleichgesetzt mit einem Menschen, der am Rand des Existenzminimums lebt. Engels definiert demgegenüber in den Anmerkungen zum Kommunistischen Manifest das Proletariat als „die Klasse der modernen Lohnarbeiter, die, da sie keine eigenen Produktionsmittel besitzen, darauf angewiesen sind, ihre Arbeitskraft zu verkaufen, um leben zu können [46]." In solcher Bestimmung gibt es das Proletariat nicht nur weiterhin, ihm sind vielmehr auch alle Angehörigen anderer Schichten hinzuzurechnen, die gleichfalls gezwungen sind, ihre Arbeitskraft gegen Lohn oder Gehalt zu verkaufen [47], jedenfalls der Teil der „unselbständig" Arbeitenden, der im jeweiligen Arbeitsbereich untere und mittlere Funktionen ausübt [48]. Eine Wandlung der Situation der Arbeiterklasse kann jedoch nicht geleugnet werden (Abnahme physischer Ausbeutung und wirtschaftlicher Verelendung zumindest in den hochindustrialisierten Ländern), in ihr gründet die Tatsache, daß der Anstoß zum gesellschaftlichen Wandel heute am wenigsten von der Arbeiterklasse zu erwarten ist: hohes Konsumniveau entschädigt für psychische Schäden und für wachsende Abhängigkeit als Folgen der gewandelten Arbeitsformen [49].

In der DDR wird, wie in jedem sozialistischen Staat, der Anspruch erhoben, mit der Aufhebung des Privateigentums an Produktionsmitteln die entscheidende Grundlage zur Überwindung einer Klassengesellschaft gelegt zu haben. Wieweit diesem Anspruch Gültigkeit zuzuerkennen ist, kann am Problem der Entfremdung beispielhaft erörtert werden, da das Privateigentum an Produktionsmitteln auch als Grundlage des Bestehens entfremdeter Arbeit bestimmt wird, mit seiner Aufhebung mithin auch Entfremdung aufgehoben werden müßte.

Im Verlauf der kritischen Auseinandersetzung mit dem Stalinismus im Zuge der Entstalinisierung brach in den sozialistischen Staaten Osteuropas die Frage auf, ob Entfremdung allein an die Produktionsbedingungen der kapitalistischen Gesellschaft gebunden sei, oder ob sie unter neuer Gestalt auch in sozialistischen Staaten auftauchen könne [50].

In der sozialistischen Gesellschaft als Übergangsgesellschaft sieht der polnische Philosoph A. Schaff mehrere Faktoren gegeben, die Entfremdung bedingen: der Staat und seine organisierte Machtkontrolle, weiterhin bestehender Warencharakter der Arbeit, Arbeitsteilung und die Institution der Familie. In der sozialistischen Gesellschaft bleibt der Staat bestehen und übt nicht nur nach außen, sondern auch nach innen Kontrolle aus (staatliche Planung und Leitung des wirtschaftlichen, politischen und kulturellen Lebens, wobei durch die Entwicklung immer neuer und spezialisierterer Technologien der Einfluß des Staatsapparates in allen Lebensbereichen zunimmt). Mit Zunehmen der Bürokratisierung, so führt Schaff weiter aus, entsteht die Gefahr der Bildung einer neuen Schicht, einer politischen Bürokratie, die sich von demokratischer Kontrolle weitgehend unabhängig macht und sich zunehmend in den Besitz von politischen wie ökonomischen Privilegien setzt. Der einzelne erfährt sich gegenüber dieser Bürokratie als ohnmächtig und von seinen Mitmenschen entfremdet. Ob Entfremdung auch in einer sozialistischen Gesellschaft dadurch entsteht, daß trotz Vergesellschaftlichung der Produktionsmittel menschliche Arbeit immer noch Ware ist und ferner weitere Arbeitsteilung mit entsprechend monotoner Routinearbeit als Folge der technischen Entwicklung [51] nicht aufzuhalten ist, sehen die genannten Gesellschaftstheoretiker wesentlich davon abhängig, inwieweit dem einzelnen Verfügen über die Organisation der Arbeit (über Planung und Produktion, insgesamt demokratische Willensbildung auf allen Stufen) und über den produzierten Mehrwert bzw. über das Sozialprodukt insgesamt eingeräumt wird [52]. Die Familie wiederum erscheint dann als möglicher Faktor von Entfremdung, wenn sie in der gewandelten Gesellschaft ihre Sozialisationsfunktion nicht erfüllen kann, da sie an traditionellen Werten und Einstellungen festhält. Notwendig folgt aus solcher Disfunktionalität ein Abschirmen der Familie gegen die Gesellschaft, damit aber eine Spaltung des gesellschaftlichen Lebens.

In Ansätzen werden solche Überlegungen heute auch von offizieller Seite geteilt. Die in der Sowjetunion erscheinende „Philosophische Enzyklopädie" räumt ein, daß die heutige sozialistische Gesellschaft als eine Übergangsgesellschaft noch verschiedene Formen der Entfremdung enthalte [53]. Als Beispiele werden angeführt: Persönlichkeitskult, Bürokratismus, „religiöse Überbleibsel". Der Ausdruck „noch" kennzeichnet diese Formen von Entfremdung allerdings als systemimmanent überwindbar.

Aus unterschiedlichen Auffassungen über Möglichkeiten von Entfremdung in der sozialistischen Gesellschaft ergeben sich weitreichende Folgen auch für die Wirklichkeitsdarstellung in der Literatur und für die Literaturkritik. Für eine Analyse der Beziehungen des Menschen zur Arbeit in kapitalistischer Gesellschaft liegt die Verwendung marxistischer Kategorien wie Entfremdung nahe, da diese kritisch zur kapitalistischen Gesellschaftsordnung konzipiert worden sind. Die literarische Auseinandersetzung mit dem Thema Arbeit in sozialistischer Gesellschaft erschließt sich mit Hilfe dieser Kategorien gleichfalls angemessen, wenn sie, wie hier versucht, so bestimmt werden, daß sie eine Auseinandersetzung mit sozialistischen Verhältnissen ermöglichen. Ist dies gewährleistet, bieten derartige Kategorien dem westlichen Betrachter den unschätzbaren Vorteil, einen Zugang zur Thematik sozialistischer Literatur der Arbeitswelt zu eröffnen, ohne bisherige eigene Erfahrungen gewaltsam auslöschen zu müssen.

In beiden Gesellschaftssystemen kann die „soziale Frage" nicht als gelöst bezeichnet werden: in beiden gibt es noch — wenn auch auf Grund verschiedener Voraussetzungen — Entfremdung, Ausbeutung und Repression.

Der Literatur als Anwalt der „unausgeschrittenen und verdrängten Möglichkeiten des Menschen" gegenüber der etablierten Lebenspraxis [54] bleibt damit weiterhin aufgetragen, die „vergessenen Wahrheiten" [55] zu zeigen. Entsprechend bleibt aber auch industrielle Arbeitswelt herausforderndes Thema einer literarischen Auseinandersetzung mit der gegebenen gesellschaftlichen Situation bzw. der erwarteten oder geforderten gesellschaftlichen Entwicklung. Ein Überblick über die Weiterführung dieses Themas kann in Analogie zu bisher gewählten Beispielen an neuen Texten zum Thema Fließbandarbeit versucht werden. Ein Anknüpfen an die bisherige Betrachtung verlangt, wiederum Gedichte auszuwählen, obwohl der Anteil dieser Gattung an der Literatur der Arbeitswelt der BRD wie DDR, verglichen mit der entsprechenden Literatur der Weimarer Republik, zurückgegangen ist.

Willy Bartock, Mitglied der Dortmunder Gruppe 61, Jahrgang 1915, aus Handwerkerfamilie, mit Bergbauarbeit aus eigener Erfahrung vertraut, seit 1950 Leiter der kulturellen Bergmannsbetreuung in Walsum, schreibt:

Frauen am Fließband

Flußufer sind Gestade des Traumes.
Die Bächlein rieseln für Mädchen
und sanftere Dichter;
die ruhigen Ströme mögen
für Epiker fließen und andre Besonnene;
die brausenden schäumenden Wasser
für Abenteurer und tolle Kerle —
sie alle träumen an Ufern
von dem, was sie möchten.

Das Ufer des Fließbandes ist
weder ruhig noch hektisch.
Frauen stehen daran wie hypnotisch gebannt,
greifen und greifen und drehen und stellen
das Werkstück wieder hinein in den Fluß
und greifen und greifen aufs neue,
hypnotisiert und mechanisch und ganz ohne Träume,
betäubt und doch wach nur für das Gleiten
der Schlange. [56]

Wie das Gedicht Zimmerings bezieht auch das hier vorliegende seine spezifische Wirkung aus der Kompositionsform des Gegensatzes. Die Gegenüberstellung gründet in dem Bild einer unaufhörlichen Bewegung, das Fluß wie Fließband zuerkannt wird. Ein Wörtlich-Nehmen des Wortes Fließband als Metapher führt zur Vorstellung des Flusses zurück. Von dort wird das Bild des Ufers auf den Vorstellungsbereich Fließband zu einer neuen Metapher, Ufer des Fließbandes, „übertragen". Was leistet diese Metaphernumbildung bzw. Neubelebung konventionalisierter Metaphern?

Der Fluß, der in das Ferne und Unbekannte führt, wird als Träger der Träume, der Erwartungen und Hoffnungen bestimmt, dem festgelegten Gegebenen eröffnet er den Reichtum des Möglichen; hierin wird auch seine Verwandtschaft zur Dichtung erkannt. Die vielfältigen Variationen der Bewegung des Flusses erlauben dem einzelnen individuelle Identifikation: der Bach, der

Strom, das schäumende Wasser findet und führt den ihm Verwandten.

Der Vielfalt der „natürlichen" Bewegungen wird die immer gleiche, „weder ruhige noch hektische", die „mechanische" Bewegung des Fließbandes entgegengestellt. Mit dem in der zweiten bis siebenten Zeile dieser Strophe verwendeten regelmäßigen Daktylen wird versucht, diese Bewegung im Sprachakt selbst zu reproduzieren. In der so ermöglichten eindringlichen Erfahrung der Fließbandbewegung wird deren hypnotische Wirkung bewußt; gleichzeitig wird diese als Einschwingen in eine nirgends hinführende Bewegung bestimmt. Als mögliches Ziel, das das Fließband verweigert, wird dabei allerdings nur der Traum genannt, die Frage nach dem Arbeitsprodukt wird nicht nur, wie es Arbeit am Fließband entspräche, als nicht beantwortbar aufgewiesen: sie wird erst gar nicht gestellt[56a]. Damit deutet sich schon das Fehlen einer Position an, die es erlaubte, die thematisierte Arbeitssituation kritisch zu durchdringen. Bestätigt wird dies in den beiden letzten Zeilen durch die Vitalisierung und Dämonisierung des Fließbandes zur Schlange.

In seiner Auffassung des Themas zeigt das Gedicht vergleichbare Züge mit jenem von Schönlank. Eine Reproduktion der Bewegung des Fließbandes im Sprachakt wird versucht, die ein Einschwingen in diese Bewegung ermöglicht, die Zusammenhänge der Arbeitssituation werden nicht durchschaut, hinter der Bewegung wird kein Beweger sichtbar, das Fließband wird statt dessen zu einem Gefahr bringenden Untier stilisiert. Die Reproduktion der Fließbandarbeit im Sprachakt reproduziert damit auch die Entfremdung, die die geschilderte Arbeitssituation hervorbringt. Das Einschwingen in die Fließbandbewegung beinhaltet dabei nicht restlose Zustimmung, das Gegenbild der Träume am Flußufer begründet die Kritik an dem traumlosen, d. h. wunsch- und erwartungslosen Charakter dieser Arbeit. Die Kritik bleibt jedoch ohnmächtiger Einspruch, da die Arbeitssituation nicht weiter begründet, sondern als Geschick erfahren wird. Letzteres wird unterstützt durch das Bild der Schlange. Mit ihm wird nicht nur die hypnotische und zerstörerische Wirkung der Fließbandarbeit bekräftigt, sondern auch auf eine religiöse Begründung der Arbeitssituation angespielt: die Verdammnis zur Arbeit als Folge der Vertreibung aus dem Paradies, die Frau, die sich von der Schlange verführen ließ, wird nun gezeigt als dem Gesetz der Schlange ausgeliefert. (Damit könnte auch eine innere Begründung dafür gegeben werden, weshalb Bartock nicht allgemein von Arbeitern, sondern von Frauen am Fließband spricht.) Bartocks Fließband-Gedicht zeigt sich so einer Auffassung der Arbeit als auferlegte Sühne für das Zuwiderhandeln gegen Gottes Gebot verpflichtet. Die Dichtung wurde dem Reich der Träume zugeordnet, was sie dabei zu leisten vermag, zeigt das Gedicht selbst: Sie hält das Wissen um die nicht-verwirklichten Erwartungen aufrecht, um um so definitiver in eine von leidender Hingabe getragene Bejahung der geschilderten Arbeitssituation zu münden.

In schneidendem Kontrast zu solcher Auffassung der Fließbandarbeit steht Wallraffs Industriereportage „Am Band" [57]. Die schärfere Erfassung der Arbeitssituation gründet zu einem erheblichen Anteil schon in spezifischen Voraussetzungen der Gattung, ist dann aber auch hierin mit dem Gedicht Bartocks nicht vergleichbar. Die Position, von der aus jeweils die Auseinandersetzung mit dem Thema gesucht wird, läßt sich jedoch auch bei der Wahl verschiedener Gattungen vergleichen. In Wallraffs Industriereportage zeigt sie sich in dem Prinzip der Auswahl und Anordnung der mitgeteilten Beobachtungen. Dem Vorwurf der manipulativen Auswahl einzelner Wirklichkeitsausschnitte entzieht sich die Reportage wie jede Form dokumentarischer Literatur nur, wenn sie die Perspektive kenntlich macht, nach der die Auswahl erfolgte. In Wallraffs Text ist sie mit der Figur des Reporters gegeben, der sich den Arbeitsbedingungen der Fließbandarbeiter unterwirft, über deren Situation und aus deren Perspektive er berichten will. Die Reportage erschöpft sich ferner nicht in der Mitteilung einzelner Tatsachen. Deren Auswahl und Anordnung soll vielmehr einen Zusammenhang ergeben, Ursachen aufdecken, Folgerungen hervorrufen [57a]. Die Reportage erhebt den Anspruch, mit dem vorgestellten Wirklichkeitsausschnitt ein Modell zu geben, womit aber auch die historische Einmaligkeit eines Dokumentes transzendiert wird. Wenn der Reporter daher in Wallraffs Reportage punktuelle Wahrnehmungen berichtet, die sich ihm von der Sache her aufzudrängen scheinen, so lassen sich diese doch einer Fragestellung zuordnen, die in einem vorgängigen Bild der gegebenen Produktionsverhältnisse gründet.

1. *Bedingungen und Folgen der Entfremdung:* Monotonie der Arbeit, psychisches Abstumpfen, Zerstören persönlicher Beziehungen, Vereinzelung der Arbeiter am Arbeitsplatz, Unkenntnis des

Produktionsablaufs, Unbekannt-Sein der Verantwortlichen, Abhängigkeit von Meistern und Inspekteuren, Geringschätzung des Menschen gegenüber den Maschinen.

2. *Situation der Ausbeutung:* ungleiche Bezahlung, Methoden der Personaleinsparung, der zusätzlichen Arbeitsübertragung, Ersatzfunktion des Lotto-Spiels etc.

Wie dies schon Zimmerings Gedicht zeigte, erlaubt das hier als vorgegeben sich abzeichnende Bild einer antagonistischen Klassengesellschaft, den Schein einer selbstmächtigen Entwicklung der geschilderten Arbeitssituation zu durchbrechen, hinter der Bewegung der Fließbandarbeit Beweger sichtbar zu machen. Die Gründung des Wahrgenommenen in einem vorgängigen, parteilichen Wissen, birgt allerdings die Gefahr, daß dieses Wissen Übergewicht erhält, d. h. die Untersuchung des jeweiligen Wirklichkeitsausschnittes nur noch dazu dient, das zuvor schon gegebene Gesellschaftsbild des Berichtenden zu bestätigen[57b]. Je deutlicher sich das Vorwissen artikuliert, je weniger der Reporter in der Erkundung der Realität sich offen für einen Lernprozeß zeigt, um so stärker läßt sich dann auch die Glaubwürdigkeit des Berichteten einschränken, als „ideologisch", oder „parteilich" diffamieren.

Wie sich in den Gedichten Schönlanks und Zimmerings ein Bild des leidenden und des selbstbewußten Arbeiters gegenüberstehen, so in den Texten Bartocks und Wallraffs eine sozialkritische Position, die letztlich aber die geschilderte Arbeitssituation in leidender Hinnahme annimmt und eine Position, die — orientiert an marxistischem Gesellschafts- und Geschichtsbild — das Gegebene durchsichtig zu machen und über es hinauszuweisen vermag. Die sozialkritische Komponente hat sich dabei gegenüber Schönlanks Ambivalenz noch verstärkt, während die revolutionäre Gläubigkeit, die Zimmerings Gedicht insbesondere in seiner letzten Strophe ausstrahlt, bei Wallraff nüchternerer, wenn auch nicht weniger systemkritischer Beobachtung gewichen ist. Die Kampfsituation, mit der Wallraff seinen Text abschließt, ist nicht ein Kampf der betroffenen Arbeiter mit den Besitzern der Produktionsmittel, sondern der Konflikt des Reporters mit der Produktionsleitung über den veröffentlichten Bericht.

Statt den Sieg der in einem Klassenkampf für das Proletariat Kämpfenden zu antizipieren, mündet die Reportage vielmehr in die Frage, was für eine Funktion es haben kann, Öffentlichkeit über Verhältnisse im Produktionsbereich herzustellen.

Die Möglichkeit zu solch analoger Sicht wird zweifellos dadurch erleichtert, daß die Texte auf eine grundsätzlich nicht gewandelte gesellschaftliche Situation antworten, zu der entsprechend auch noch prinzipiell gleiche Stellungnahmen möglich sind.

Das Verhältnis Weimarer Republik und DDR stellt sich dem offiziellen Selbstverständnis der DDR als Verhältnis zwischen revolutionärem Kampf der klassenbewußten Arbeiter und Verwirklichung der Ziele dieser Arbeiterbewegung dar. Texte zur Fließbandarbeit aus der DDR konfrontieren den Leser entsprechend mit der Realität dieses Sieges und mit der Realität des „befreiten" Arbeiters. Zu einer breiten öffentlichen Diskussion in der DDR forderten die beiden Fassungen des „Gedichts über Hände" von Heinz Kahlau heraus.

Gedicht über Hände

(1. Fassung 1963)

Als sie mich ansah, wurde ich verlegen.
Ich stand bei ihr und hab ihr zugesehn.
Die Arbeit sah ich nicht, nur ihre Hände,
und konnte nicht von ihrer Seite gehn.

Nicht ihre Form ließ mich den Takt vergessen.
Denn schöne Hände haben viele Fraun.
Wenn sie verwöhnt mit Glas und Rose spielten,
ich hätte keinen Grund, sie anzuschaun.

Sie saß am Band, an diesen langen Tischen,
saß vorgebeugt und zeigte kein Gesicht.
Sie lötete Kontakte an die Spulen,
es war wie jeden Tag in ihrer Schicht.

Doch waren ihre Hände nicht wie Vögel,
die zwischen Gittern müde hin und her
die ewiggleiche stumme Sehnsucht flattern,
als gäbe es für sie nichts andres mehr.

Sie hatte Hände, die wie Tänzer waren,
denn sie bewegten sich so leicht und frei,
als ob die Anmut dieser schmalen Finger
ganz ohne Mühe zu erreichen sei.

Ich war verlegen, als sie zu mir hochsah.
Ich lächelte und wandte mich zum Gehn.
Ich sah die Schönheit ihrer klugen Hände
und möchte gern, daß wir sie alle sehn.

(2. Fassung 1964)

Sie saß am Band, an diesen langen Tischen,
saß vorgebeugt und zeigte kein Gesicht.
Sie lötete Kontakte an die Spulen,
es war wie jeden Tag in ihrer Schicht.
Doch ihre Hände waren nicht wie Vögel,
die zwischen Gittern müde hin und her
die ewiggleiche stumme Sehnsucht flattern,
als gäbe es für sie nichts andres mehr.
Sie hatte Hände, die wie Tänzer waren,
denn sie bewegten sich so leicht und frei,
als ob die Anmut dieser schmalen Finger
ganz ohne Mühe zu erreichen sei.
Der ewiggleiche Griff von Tag zu Tag.
Die gleiche Drehung, sieben lange Stunden.
Was tut der Kopf zu dem die Hand gehört?
Hat dieser Kopf den stumpfen Tanz erfunden?
Was tut die Frau nach solchem Arbeitstag,
wenn ihre Hebel wieder Hände werden?
Malt sie mit ihrem Kind ein buntes Bild,
formt sie Figuren, zart, aus Ton und Erden?
Spielt sie Gitarre, näht sie sich ein Kleid,
denkt sie sich Hebel aus, anstatt der Hände?
Liest sie ein Buch, in dem sie danach sucht,
wie macht der Mensch der Hebelhand ein Ende? [58]

Ein Gedicht über Fließbandarbeit muß in einem sozialistischen Staat notwendig zentrale Fragen über den sozialistischen Charakter der gegebenen Produktion berühren. Die Unterwerfung des Menschen unter die „Tyrannei der Arbeitsteilung" [59], wie sie sich in Fließbandarbeit manifestiert, ist mit der Vergesellschaftung der Produktionsmittel noch nicht aufgehoben: als eine Folge des Entwicklungsstandes der Produktivkräfte bleibt sie erhalten und nimmt ihr Wirkungsbereich weiterhin zu, je umfassender die Arbeitskraft in dieser Gesellschaft noch Ware ist und je weniger die Menschen sich als Herren ihrer Arbeitsbedingungen fühlen können. Arbeitskraft bleibt aber in einer sozialistischen Gesellschaft Ware, solange noch kein Überfluß an Gebrauchsgütern produziert wird, die Verteilung der relativ knappen Konsumgüter mithin nach herkömmlichen Normen erfolgen muß (Austausch menschlicher Arbeit gegen die durch diese Arbeit erzeugten Güter) [60]. Der damit sich abzeichnende spezifische Widerspruch jeder Gesellschaft im Übergang zum Sozialismus, die widersprüchliche Verknüpfung von nicht-kapitalistischer Produktionsweise mit einer bürgerlichen Ver-

teilungsweise [61], wird dem sowjetischen Vorbild analog, das Lenin als bürokratisch deformierten Arbeiterstaat bezeichnet hatte [62], durch Machtanmaßungen der Bürokratie in Staat und Wirtschaft weiter verschärft. (Steuerung und Verwaltung der Akkumulation allein durch die Bürokratie statt durch alle am Arbeitsprozeß Beteiligten.) [63] Worin soll sich unter diesen Voraussetzungen der gewandelte Charakter der Arbeit erweisen?
Heinz Kahlau, Jahrgang 1931, in der Nachkriegszeit ungelernter Arbeiter in mehreren Berufen, ab 1953 Brecht-Schüler, jetzt freier Schriftsteller, setzte zweimal zu seinem Fließband-Gedicht an. Die weitgehende Veränderung, der er die erste Fassung unterzieht, bezeugt eine tiefgreifende Unsicherheit des Autors in der Auffassung des Themas; daß Kahlau mit beiden Fassungen in breitem Umfang Proteste herausgefordert hat, läßt diese Unsicherheit zugleich als eine allgemeine erkennen.

Die Unsicherheit über den thematischen Vorwurf kehrt wieder im Auseinanderklaffen von deutlich erkennbarer Intention und eingesetzten Gestaltungsmitteln. Eine tönende, vor allem an Rilke geschulte Sprache, preziöse, längst aber schon im Klischee erstarrte Vergleiche sollen die Wandlung des spröden Stoffes Fließbandarbeit zur Kunst bezeugen. Wie angestrengt, d. h. aber als nur behauptete und nicht als erfahrene Realität, von dieser neuen Qualität der Arbeit gesprochen wird, läßt beispielsweise die Zeile „ich sah die Schönheit ihrer klugen Hände“ erkennen: Mit der überladenen Bestimmung der Hände wird zugleich eine anspruchsvolle Hereinnahme des griechischen Ideals der kalokagathie versucht, die behauptete Klugheit der Hände wurde zuvor aber nirgends begründet. Die Vereinigung von Kunst und Arbeit, wo sie gelänge: Beweis einer nun möglich gewordenen menschlichen Selbstverwirklichung, bleibt unglaubwürdig, da die Arbeit selbst nur vage bestimmt, d. h. weitgehend ausgespart wird und die zur Anschauung gebrachte Kunst sich als epigonal erweist.

Kündet das Auseinanderklaffen von Intention und aufgebotenen Mitteln, sie zu realisieren, von den Widersprüchen, die die sozialistische Gesellschaft als eine Übergangsgesellschaft noch bestimmen, so kennzeichnet es gleichzeitig die literarische Situation der DDR, daß die Kritik an Kahlaus beiden Gedichten nicht hiervon ausgegangen ist, sondern nur auf inhaltliche Fragen abgehoben, d. h. die Themenstellung isoliert hat. Kahlaus erster Fassung wurde vorgeworfen, sie verherrliche einen Zustand der industriellen Produktion, der menschenunwürdig sei und an dessen Abschaffung daher gearbeitet werden solle [64]. Die hier notwendig anstehende Frage, was einen Autor motivieren kann, die Realität zu negieren, um dann das Gegebene durch dessen poetische Erhöhung zu bestätigen, wurde bezeichnenderweise nicht gestellt.

Die erste Fassung seines Gedichts charakterisiert der Autor selbst jetzt als scheinpoetisch. Die überanstrengte „Kunst"-Sprache und die Klischee-Bilder, die in der ersten Fassung das opportune Bild der befreiten Arbeit begründen sollten und deren Auseinanderklaffen gerade das noch nicht Verwirklichte bezeugten, werden jedoch in der zweiten Fassung unverändert beibehalten. Dieses Auseinanderklaffen als strukturbildendes Moment des Gedichts wird jetzt allerdings auch äußerlich manifest. In einem unvorbereiteten und entsprechend gewaltsam erscheinenden Sprung wird mit der vierten Strophe zu einer Rücknahme des bisherigen Bildes angesetzt. Die vorher genannte tänzerische Anmut erscheint nun als „stumpfer Tanz", ein Bild, dessen Unklarheit die Anstrengung und Unsicherheit erkennen läßt, das „rechte" Bild zu finden. Die in mühelos erreichter Anmut sich bewegenden schmalen Finger werden zu Hebeln: in der Abkehr von dem bisherigen, hilflos erscheinenden Bemühen um „poetisches" Vergleichen — wiederkehrend in den Klischee-Bildern der fünften und sechsten Strophe — und der Hinwendung zur metaphorischen Gleichsetzung, gewinnt das Gedicht vielleicht seine höchste Wahrhaftigkeit. Im Ineinssetzen von Unverträglichem, von Mensch und Maschine, der Anmut des Lebendigen und des Automatenhaften zeichnet sich eine Groteske ab, deren Entfaltung zum tragenden Bild zeitgemäße Antwort auf die noch herrschenden, widerspruchsvoll sich gegenüberstehenden Kräfte der gesellschaftlichen Entwicklung hätte werden können, wie dies einige Autoren im Zusammenhang des zu dieser Zeit propagierten Bitterfelder Weges gelungen ist.

Statt solcher Antwort verliert sich Kahlaus Gedicht jedoch in utopischer Hoffnung. Kahlau, der einst (1956) die Künstler als „Ausrufer von Parteibeschlüssen" angeprangert hatte, die „die Fehler rechtfertigten und die Wirklichkeit ignorierten" [65] und der in seinem Gedicht dennoch so große Anstrengung zeigt, das erwartete Bild zu geben, blieb die bittere Erfahrung nicht erspart, daß auch diese zweite Fassung nicht angenommen wurde, da sie inzwischen von der ignorierten Wirklichkeit schon überholt worden war. Auf die beanstandete künstlich überhöhte Bestätigung des schlechten Gegebenen hatte er mit dessen gewaltsamer Rücknahme aus optimistischer Zunkunftserwartung geantwortet. Mit der Einführung des Neuen ökonomischen Systems der Planung und Leitung (NÖSPL, 6. Parteitag der SED, Januar 1963) wurde Anerkennung der „harten wirtschaftlichen Tatsachen“ gefordert, die Erwartung einer Gesellschaft, die keiner Fließbandarbeit mehr bedarf, in die Kahlaus Gedicht mündete, entsprechend als „ökonomischer Unfug“ abgetan [66]. Kahlaus mißlungene Versuche, den neuen Charakter der Arbeit in der sozialistischen Gesellschaft zu gestalten und die breite kritische Aufmerksamkeit, die diesen Versuchen zuteil wurde, weisen auf das Problem und weisen dieses zugleich als zentrales gesellschaftliches Thema aus: Wie hat der Schriftsteller die befreite Arbeit in einer sozialistischen Gesellschaft zu gestalten, daß er deren historischer Realität, als einer Übergangsgesellschaft, gerecht wird und gleichzeitig die erzieherische Aufgabe der Literatur zu erfüllen vermag? Die Geschichte der Literatur der Arbeitswelt in der DDR ist die Geschichte der Versuche, die Antwort nicht ein für allemal, sondern im Einklang mit den jeweiligen Voraussetzungen zu geben.

II. Der „Held der Arbeit" als literarisches Leitbild

a) Literaturhistorische und literaturtheoretische Voraussetzungen: das Stalinistische Modell des Sozialistischen Realismus

Zu dem häufig beklagten „Nachhinken" der Literatur hinter der gesellschaftlichen Entwicklung ließ E. Strittmatter auf der ersten „Bitterfelder-Konferenz" vernehmen:

„Hans Marchwitza sagt oft von sich: ‚Ich sollte mehr am Schreibtisch sitzen, aber ich bin so neugierig auf alles, was in der Republik geschieht.' Eine solche Liebe zum Heutigen und Künftigen möchte ich manchem unserer jungen Schriftsteller wünschen. Wir sind nicht neugierig genug ... Ich meine jetzt Neugier, die dem Forscher und Entdecker eigen ist. In unserer Republik wandeln sich die Menschen unaufhörlich, und sie wiederum verwandeln ihre Umgebung, und zwar nach vorwärts. Täglich werden im Getöse der Fabriken, im Staub der Bauplätze und auf den Felderweiten der landwirtschaftlichen Produktionsgenossenschaften Heldentaten vollbracht. Und die Helden sind, wie es bei Eduard Claudius heißt, Menschen an unserer Seite. Sehen wir sie? Haben wir den poetischen Begriff ‚Held der Arbeit' geprägt? Nein, den haben unsere Genossen Politiker geprägt, und sie waren vielfach poetischer als wir." [1]

Strittmatter bezieht sich auf den Titel „Held der Arbeit", der in der DDR jährlich an „Werktätige" verliehen wird, die „durch Beharrlichkeit und Mut hervorragende Einzelleistungen erreichen, die für die Gesamtheit von Bedeutung sind, eine wesentliche Hebung der Arbeitsproduktivität bewirken und für die Allgemeinheit Vorbild und Zielsetzung sind" [2].

Die Klage über die „nachhinkende Literatur" wird an dem jeweils zugrundeliegenden Verständnis von Literatur und dessen Verhältnis zur Gesellschaft zu messen sein. Die verschiedenen Phasen der Kulturpolitik der DDR lassen auch in diesem Zusammenhang verschiedene Positionen erkennen. Über diese Unterschiede hinweg erhellt Strittmatters Feststellung jedoch anekdotenhaft die literarische Situation in der DDR darin, daß sich der Schriftsteller mit ihr geirrt hat: Seine Bankrotterklärung gegenüber den „Genossen Politikern" erweist sich genauerem Nachprüfen als vorschnell. Der „poetische" Begriff „Held der Arbeit" wurde nicht von der politischen Führung, sondern von einem Schriftsteller geprägt. Um dies zu erkennen, hätte Strittmatter seinen Blick allerdings in die Geschichte zurücklenken müssen, zu Gorkis Rede auf dem ersten Unionskongreß der Sowjetschriftsteller 1934. Äußere Voraussetzung der Entstehung, Wirklichkeitsbezug und gesellschaftliche Funktion der unter dem Leitbegriff „Held der Arbeit" inaugurierten literarischen Konzeption lassen sich im Ausgang vom sowjetischen „Vorbild" auch für die DDR schon weitgehend bestimmen.

Mit dem „Sprung vorwärts" war in der Sowjetunion ab 1929 eine neue ökonomische und gesellschaftliche Entwicklung eingeleitet worden. Eruptiv wurde die Industrialisierung vorangetrieben, gigantische Fehlplanungen und ein ungeheueres Aufblähen des Verwaltungsapparates begleiteten diese Entwicklung, die — bei Fehlen ausländischer Investitionen — nur auf der Grundlage einer rücksichtslosen Konsumbeschränkung der Massen durchgeführt werden konnte. Obwohl die erst anlaufende Industrialisierung noch nicht genügend Maschinen für landwirtschaftliche Großbetriebe liefern konnte, wurde gleichzeitig die Kollektivierung der Landwirtschaft mit rücksichtsloser Härte vorangetrieben (Verschleppen von Millionen von Bauern nach Sibirien), worauf die Bauern wiederum mit einem Abschlachten ihres Viehs reagierten. Beides führte 1932 und 1933 zu ungeheueren Hungersnöten. Die radikal vorangetriebene Wandlung im ökonomischen Bereich wurde im gesellschaftlichen Bereich fortgesetzt: hier wird die Entwicklung gekennzeichnet durch eine weitgehende Beschneidung individueller Rechte, durch die Befestigung der Alleinherrschaft Stalins und die Ausbildung eines allumfassenden Systems der Unterordnung und Ausbeutung des einzelnen: „Diskussion und Kritik wurden tabuiert, Partei und Massenorganisationen mittels strenger Befehlsmechanismen geleitet, die Jugend in obligatorischen Jugendverbänden organisiert. Gesellschaftliche und kulturelle Differenzen konnten nicht mehr ausgetragen werden. Der Staat verfügte willkürlich über seine Bürger. Die Geheimpolizei wurde allmächtig."[3] Ideologisch entsprach dieser Entwicklung die Dogmatisierung des Stalinismus zum geschlossenen System. Mit der Einführung des zweiten Fünf-Jahres-Plans (1934) konnte Stalins Politik des „Sprungs vorwärts" politisch und ökonomisch als gesichert gelten, die Wirtschaftsentwicklung war so weit stabilisiert, daß der Weg zum „Sozialismus in einem Land" durchführbar erschien. Diese Entwicklung zu rechtfertigen und weiter mitzutragen durch Förderung eines ihr angemessenen Bewußtseins, wurde nun auch zur Direktive der Kulturpolitik. Der in die sozialistische Zukunft gerichteten Forderung stand dabei allerdings eine gegenläufige Tendenz zur Seite: ein Vergleich mit der gleichzeitigen Entwicklung in den faschistischen Staaten zeigt dies sinnfällig an. Rücksichtslos betriebene Ausbeutung der menschlichen Arbeitskraft und Zwangsherrschaft finden wir in beiden gesellschaftlichen Systemen. Wurde diese Entwicklung in der faschistischen Ideologie aber als Weg zur Beherrschung eines Volkes und anderer Völker ausdrücklich anerkannt, so blieb sie in der Sowjetunion Stalins doch selbst in ihren extremsten Auswirkungen auf den Marxismus als Ausgangsdenken bezogen und durch diesen zutiefst in Frage gestellt: „Die stalinistische Ideologie mußte ihre eigene Realität verleugnen" [4], wobei alle Täuschungsmanöver das schlechte Gewissen gegenüber dem in Anspruch genommenen Ziel weiter lebendig erhielten. Die gewaltsamen Anstrengungen einer Umstilisierung der Realität riefen immer neu die Kluft zwischen dieser und dem gesellschaftlichen Anspruch ins Bewußtsein, der gleichzeitig als Legitimation der ausgeübten Herrschaft diente. Bei der Aufgabe, diese Diskrepanz durch den Entwurf eines entsprechend stilisierten Wirklichkeitsbildes zu verdecken, ist die Literatur nun gleichfalls in Ausübung einer zentralen gesellschaftlichen Funktion zu erkennen. Zwei Forderungen zeichnen sich damit ab, die beide in entscheidender Weise das Modell des sozialistischen Realismus prägen, wie es zu Beginn der Dreißiger-Jahre in Orientierung an Stalins Politik konzipiert, auf dem ersten Unionskongreß der Sowjetschriftsteller vorgetragen und mit den Mitteln der stalinistischen Machtpolitik organisatorisch dann durchgesetzt wurde. Wechselseitig sich in Frage stellende Forderungen umgreifend, wurde einer theoretischen Klärung des Spannungsfeldes, das diese Forderungen konstituieren, stets ausgewichen, woraus letztlich jene Unschärfe in der Konzeption des sozialistischen Realismus resultiert, die bis heute noch nicht in einer verbindlichen Klärung ihrer einzelnen Kategorien aufgehoben worden ist.

Revolutionärer Optimismus löst die eine dieser Forderungen ein. Er gründet in einem historisch-materialistischen Geschichtsbild, das erlaubt, die tiefgreifenden Wandlungsprozesse der sozialistischen Etappe der gesellschaftlichen Entwicklung in ihren Zusammenhängen zu erkennen und anzuerkennen als Stufen der unbezweifelt angenommenen Entwicklung zur kommunistischen Gesellschaftsverfassung. Solche Auffassungen von revolutionärem Optimismus vermag Lukács' geschichtsphilosophisch-kontemplatives Verständnis von „Parteilichkeit" [5] ebenso zu umgreifen, wie Lenins wirkungsästhetische und organisatorische Bestimmung [6] — Darstellung der „objektiven" Entwicklungstendenzen des Geschichtsprozesses in Übereinstimmung mit den Zielen der „aufsteigenden" Klasse ebenso, wie Eingreifen zur Verwirklichung dieser Ziele durch bewußte Stellungnahme. Wirklichkeit wird nach diesem Ansatz als Prozeß aufgefaßt; entsprechend bestimmt Shdanow auf dem genannten Kongreß der Sowjetschriftsteller die geforderte „wahrheitsgetreue" Darstellung des Lebens als Darstellung der „Wirklichkeit in ihrer revolutionären Entwicklung" [7]. Bestätigung des Gegebenen, die in solchem Wirklichkeitsentwurf auch geleistet wird, erfolgt mithin gerade im Freilegen der zukunftsweisenden Komponenten des jeweils entworfenen Bildes der Wirklichkeit. Die revolutionärem Optimismus gegenläufige Aufgabe, das Auseinanderklaffen von inhumaner gesellschaftlicher Praxis und ideologischem Anspruch zu verdecken, begünstigte nachhaltig die Ausbildung allegorischer Formen literarischer Gestaltung. Der Wirklichkeitsentwurf dieses Ansatzes wird gekennzeichnet durch ein Zerreißen der dialektischen Vermittlung von Nahziel und Fernziel, von wahrnehmbarer Erscheinung als dem konkret gegebenen Einzelnen und Gesamtprozeß der gesellschaftlichen Entwicklung als übergreifendem Zusammenhang. Der postulierte Ordnungszusammenhang, die Entwicklung der Geschichte zum Fernziel eines vollendeten Sozialismus, wird dabei abstrakt und unvermittelt eingeführt, er bleibt entsprechend programmatische Forderung, gesellschaftliche Utopie, seine Darstellung als Wirklichkeit „sozialistischer Idealismus" [8]. Die Fülle des wahrnehmbaren Einzelnen vermag dieser nicht mehr zu strukturieren, die Darstellung der Realitätsausschnitte bleibt entsprechend blind, allenfalls opportunistisch der politischen Forderung des Tages unterworfen: sozialistischer Naturalismus als Darstellung eines Weges ohne Ziel [9]. Ein Verknüpfen beider Ansätze, das deren Gründung in der Abstraktion verdecken soll, kann nur äußerlich, nur künstlich und nur nach einem dualistischen Modell geleistet werden: die Kunstform der Allegorie bietet sich entsprechend nachdrücklich an.

Das als Utopie aus dem Entwicklungsprozeß gelöste und entsprechend beliebig verfügbar gewordene Fernziel kann als Allegorie „Herrschaft über die erläuternde Gestalt“ erlangen, die dann zwar nur noch als „bloßes Attribut der allgemeinen Bedeutung“ [10] erscheint, in solcher Übersetzung zugleich aber ihre Erhöhung und Rechtfertigung erfährt. Entsprechend fordert Shdanow in seiner schon erwähnten Rede eine Literatur, die „mit beiden Beinen auf festem materialistischem Boden steht“ und sich zugleich von einer „revolutionären Romantik“ tragen läßt [11].

Wie das zur Anschauung gebrachte Einzelne in allegorischer Darstellung durch die Funktion bestimmt wird, auf das umfassende Allgemeine zu verweisen, entfalten auch die Situationen und Figuren, die nach dem hier umschriebenen Ansatz gestaltet worden sind, keinen Eigenwert. Sie dienen vielmehr der Demonstration eines Geschichtsprozesses, der als Verwirklichung des Sozialismus gedeutet wird, die sich mit zwingender Notwendigkeit vollzieht. Wird der dargestellten Realität in solcher Übersetzung einerseits wirksame Rechtfertigung zuteil, so wird sie andererseits doch zugleich einem Auflösungsprozeß unterworfen. Den anspruchsvoll behaupteten Realismus ständig in Frage stellend, wird damit jener „Wirklichkeitsarmut“ vorgearbeitet, die als Tendenz zu schematischer Gestaltung zuweilen auch von der Literaturkritik der DDR angeprangert worden ist [12].

Wie ferner die Allegorie ihre Herkunft aus der Rhetorik auch darin nicht verleugnet, daß ihre jeweilige Zuordnung von Besonderem und Allgemeinem durch Konvention oder dogmatische Fixierung gestiftet werden muß [13], setzt auch der hier charakterisierte Gestaltungsansatz einer unvermittelten Verknüpfung von gegenwärtiger Wirklichkeit und sozialistischer Utopie einen zu einem geschlossenen System dogmatisierten Marxismus voraus, der jeder wahrgenommenen Erscheinung ihren Ort der literarischen „Übersetzung“ vorzugeben vermag.

Die Auflösung des jeweils vorgestellten Einzelnen im bedeuteten Allgemeinen beschreibt die dualistische Struktur der Allegorie jedoch erst von einer Seite aus. Als gegenläufige Bewegung ist das Willkürlich-Werden der Beziehung zwischen Besonderem und Allgemeinem hervorzuheben, insofern dem jeweils dargestellten Gegenstand an Bedeutung nur das zukommt, was ihm der Allegoriker verleiht. Solches Beliebig- und damit Fragwürdig-Werden des Allgemeinen auf dem Boden allegorischer Wirklichkeitsdarstellung hat W. Benjamin als Grundlage melancholischer bzw. saturnischer Weltsicht entwickelt [14]. Auch diese Konsequenz allegorischer Gestaltung vermag eine Phase der Entwicklung sozialistisch-realistischer Literatur zu bezeichnen. Allegorik als Entmächtigen des gegebenen Besonderen kennzeichnet vor allem die frühe Phase der DDR-Literaturgeschichte: sie wird manifest in der Wirklichkeitsarmut im Gefolge allegorische Vergegenwärtigung des sozialistischen Ideals. Als Wendepunkt dieser Phase wäre die Entstalinisierung anzusetzen. Allegorik als Fragwürdig-Werden des Allgemeinen, sich äußernd im Verlust des „Traums vorwärts", im Ungewißwerden des sozialistischen Ziels, erhebt sich demgegenüber zum charakteristischen Moment der literarischen Entwicklung in der Spätphase der Ulbricht-Ära. Eine Rechtfertigung des Gegebenen, Besonderen vorstellend, die sich — aus Gründen, die genauer zu ermitteln sein werden — die Hereinnahme des Ideals, des sinnstiftenden Allgemeinen zu versagen hat, findet diese Phase ihren gültigsten Ausdruck in einer sozialistischen Adaption der Idylle.

Das Melancholie begründende Wissen um die verlorene Gewißheit des Allgemeinen d. i. des sozialistischen Ideals wird sich dabei gerade als der dunkle Horizont erweisen, vor dem Klarheit und Harmonie der Idylle erst wahrhaft zu erscheinen vermögen. Die dazwischenliegende Phase, gekennzeichnet insbesondere durch die Konzeption des Bitterfelder-Weges, gewinnt mit einem neuen Bemühen um „Parteilichkeit" größeren Abstand zum Darstellungsansatz der Allegorie: statt dualistisch im Sinne der Allegorie wird Wirklichkeit hier bisher am konsequentesten als dialektische Einheit der Gegensätze gefaßt. Schematisch formuliert: nicht mehr löst wie in der Allegorie das Allgemeine das Besondere auf oder zeigt das Besondere in seiner beliebig gewordenen Beziehung zu einem Allgemeinen den Verlust der Gewißheit des Allgemeinen an, das Besondere bewahrt sich vielmehr Eigenmächtigkeit gerade darin, daß es das Allgemeine in Frage zu stellen vermag, wie umgekehrt das Allgemeine seine Gewißheit in der In-Frage-Stellung des Besonderen behauptet.

Revolutionärer Optimismus, dem sich Wirklichkeit als dialektischer Prozeß erweist, und allegorische Darstellung, die sich einer Hereinnahme des Widerspruchs als Motor der geschichtlichen Entwicklung verschließt, stehen sich, obwohl einander in Frage stellend, in der Konzeption des sozialistischen Realismus, wie sie zumindest für die stalinistische Ära verbindlich blieb, nicht in offener Gegensätzlichkeit gegenüber. Ihren widersprüchlichen und eben darum theoretischer Klärung ausweichenden Charakter gewinnt diese Konzeption und die ihr verpflichtete Literatur vielmehr durch die scheinbare Kongruenz, in die sie beide Forderungen zu bringen vermag. Gestalt gewinnt diese Kongruenz vor allem in der versuchenden Vorwegnahme des sozialistischen Ideals, die sich beiden Forderungen als Darstellungsansatz anbietet [15]. Revolutionärer Optimismus vermag das Ziel des vollendeten Sozialismus aus der Gewißheit, daß es erreicht wird, nicht nur im Bild der Gegenwart freizulegen, sondern auch als schon gegenwärtige Wirklichkeit versuchend vorwegzunehmen: als aufforderndes und ermutigendes Voranwerfen der Worte, das die Kraft freisetzen soll, diese Worte durch Taten einzulösen. Allegorische Darstellung wiederum vermag das sozialistische Ideal als „Übersetzung" der gegenwärtigen Realität zu behaupten, nach dem sie es aus seinem dialektischen, d. h. den Widerspruch betonenden Zusammenhang mit dieser Realität gerissen hat. Utopischer Verklärung der Realität den Boden bereitend, erfüllt letztere Form der Vorwegnahme primär bestätigende Funktion. Shdanows Rede auf dem ersten Unionskongreß der Sowjetschriftsteller bedient sich beispielhaft solch versuchender Vorwegnahme des sozialistischen Traumes. Deren Zweideutigkeit findet sich in der vielfach schwankenden Beurteilung seiner Rede und des darin verkündeten programmatischen Entwurfs des sozialistischen Realismus wieder. Shdanow führt unter anderem aus:

„Genossen, Ihr Kongreß findet in einer Situation statt, in der die Hauptschwierigkeiten, denen wir beim Aufbau des Sozialismus begegneten, bereits überwunden sind, in der unser Land bereits das Fundament der sozialistischen Wirtschaft gelegt hat, d. h. in der die Politik der Industrialisierung und des Aufbaus der Sowjet- und Kollektivwirtschaften gesiegt hat ... In der unter Leitung der Kommunistischen Partei, unter der genialen Führung unseres großen Lehrers, des Genossen Stalin, die sozialistische Lebensform in unserem Lande unwiderruflich gesiegt hat ... Durch den Sieg der sozialistischen Lebensform wurden in unserem Lande die parasitären Klassen, die Arbeitslosigkeit, der Pauperismus auf dem Dorfe und die Elendsviertel in den Städten beseitigt. Das Antlitz des Sowjetlandes hat sich vollständig gewandelt. Das Bewußtsein der Menschen hat sich grundlegend verändert." [16]

Das Leitbild des neuen Menschen dieser neuen Gesellschaft entwirft Gorki dann in dem „Helden der Arbeit". Wie in einem

Brennpunkt versammeln sich entsprechend in dessen Bild revolutionärer Optimismus und allegorische Darstellung der Realität als die charakteristischen Komponenten sozialistisch-realistischer Wirklichkeitsgestaltung. In den Mittelpunkt der neu zu schaffenden sozialistischen Literatur stellt Gorki das Thema Arbeit:

„Zum Hauptproblem unserer Bücher müssen wir die Arbeit machen, d. h. den Menschen, der von den Prozessen der Arbeit organisiert worden ist, der bei uns mit der ganzen Macht der modernen Technik ausgerüstet ist, den Menschen, der seinerseits die Arbeit leichter, produktiver organisiert, indem er sie auf die Stufe der Kunst erhebt. Wir müssen lernen, die Arbeit als Schöpfertum zu erfassen.“ [17]

Die so verstandene Arbeit wird dann vor allem als die „heroische Arbeit“ bestimmt, „die die klassenlose Gesellschaft aufbaut“ [18]. Entsprechend kann der „Held der Arbeit“ zum Prototyp des befreiten Arbeiters der sozialistischen Gesellschaft erhoben werden, der als Gegenbild des leidenden Arbeiters der kapitalistischen Gesellschaft zugleich dem Entwurf des „neuen Menschen“ Gestalt zu geben vermag, der in der expressionistischen Bewegung abstrakte Forderung bleiben mußte:

„Die sozialistische Individualität kann, wie wir am Beispiel unserer Helden der Arbeit, der Blüte der Arbeitermasse sehen, sich nur unter den Bedingungen der kollektiven Arbeit entwickeln, die sich als höchstes und weises Ziel die Befreiung der Werktätigen der ganzen Welt aus der Macht des Kapitalismus setzt.“ [19]

Gleichfalls nach Durchsetzung tiefgreifender Änderungen in den wichtigsten gesellschaftlichen Bereichen (Bodenreform, Industriereform — eingeschlossen Bank- und Handelswesen —, Schulreform, Justizreform) und nach einer ersten Konsolidierung auf dem vorgezeichneten Weg (Staatsgründung 1949, Gesamtwirtschaftspläne ab 1949), dessen Fortführung in der Folge mit Nachdruck betrieben werden konnte (organisatorische und ideologische Umwandlung der Partei nach stalinistischem Muster 1950, Aufbau eines gewaltigen Planungs- und Kontrollapparates, Einführung des ersten Fünf-Jahresplanes 1951, dessen Orientierung am schnellen Aufbau einer Schwerindustrie hohen Konsumverzicht der Massen implizierte), wird auch in der DDR das Modell des sozialistischen Realismus, wie es 1934 in der Sowjetunion entwickelt worden war und mithin auch das Leitbild des „Helden der Arbeit“ propagiert. Der Beschluß des ZK der SED vom 17. 3. 1951 über den „Kampf gegen Formalismus in Kunst und Literatur für eine fortschrittliche deutsche Kultur" [20] setzte die Maßstäbe [21].

Revolutionärer Optimismus als Voraussetzung der neu zu schaffenden sozialistisch-realistischen Literatur — schon 1934 in der Sowjetunion Anspruch, den gegenläufige Forderungen weitgehend unterhöhlten — konnte unter den besonderen historischen Bedingungen der Anfangsjahre der DDR noch weniger Wirklichkeit gewinnen. Im Unterschied zur Sowjetunion hatte sich die revolutionäre Bewegung in der DDR nicht als Bewegung von unten durchgesetzt, war vielmehr von oben, d. h. getragen von der Besatzungsmacht, eingeführt worden. Die ausstehende Legitimation blieb durch das Verhalten der Siegermacht nachdrücklich bewußt: im ökonomischen Bereich durch die hohen Reparationsentnahmen, während in den West-Zonen gleichzeitig der Marshallplan ausgeführt wurde, im politischen Bereich durch die Reproduktion des stalinistischen Herrschaftsmodells, das die gesellschaftliche Realität der DDR in eklatanten Widerspruch zu ihrer Verfassung treten ließ. „Parteiführung und Staatsapparat" der DDR, so folgert W. Abendroth aus dieser Situation, „gerieten dadurch in immer stärkere Isolierung" [22].

Revolutionärer Optimismus im Sinne einer zustimmenden Darstellung der Wirklichkeit aus der Perspektive ihrer revolutionären Entwicklung konnte entsprechend nur um den Preis eines weitgehenden Absehens von der Wirklichkeit der DDR geleistet werden. Solche Realitätsferne mußte dann jedoch allegorisches Übersetzen der Realität begünstigen. Der Verweisungszusammenhang zwischen dargestelltem Wirklichkeitsausschnitt und als verwirklicht in Anspruch genommenem Gesellschaftssystem des Sozialismus war dabei einmal durch das festgelegte Wirklichkeitsbild des zum Dogma erstarrten Marxismus stalinistischer Observanz vorgegeben. Der Verweisungszusammenhang wurde zum anderen konstituiert durch die Verpflichtung auf entsprechende Vorbilder aus der sowjetischen Literatur, die zu bleibenden Mustern erhoben wurden [23]. Solche Kanonbildung mußte die Gefahr epigonaler Nachahmung beschwören, wie E. Claudius bestätigt, wenn er zur literarischen Diskussion Anfang der Fünfziger-Jahre vermerkt:

„Und, so fragte sich mancher, waren wir nicht nur Nachahmer sowjetischer Literatur? Die Gesamtproblematik jeden sozialistischen Beginns war, so schien uns, besonders in den sowjetischen Frühwerken gestaltet, in ihnen waren Menschen geschaffen worden, die alles aussagten über Neuanfang, Hoffnung und Glauben. Für uns bestand darin der Reiz der Sowjetliteratur und das, was ihren großen Einfluß ausmachte ... die neuen Anfänge, den sozialistischen Beginn zu gestalten, hieß es nicht, nur Nuancen zu gestalten?“ [24]

Sozialistisch-realistische Literatur ist im Spannungsfeld einer doppelten Funktion zu erkennen: Mittragen der gesellschaftlichen Wandlungsprozesse, die von der politischen Führung zur Durchsetzung eines sozialistischen Gesellschaftssystems eingeleitet werden und Verschleiern dabei auftretender grundlegender Widersprüche zwischen Weg und Ziel. Der Literatur der DDR mit ihren besonderen historischen und sozialen Voraussetzungen stellte und stellt sich in diesem Zusammenhang die Frage nach dem erwarteten Leserkreis und nach der möglichen Wirkung als besonders drängendes Problem: abgesehen von einem kleinen Kreis gläubiger Parteianhänger hat sie ihr Publikum erst noch zu gewinnen. Das Publikum gewinnen, impliziert einmal die Aufgabe, es im gewünschten Sinne umzuerziehen: auch aus solcher Voraussetzung erklärt sich das Betonen der didaktischen Komponente literarischen Schaffens in fast allen offiziellen Äußerungen zur Literatur in der DDR. Initiieren eines Lernprozesses heißt Hinwirken auf eine Verhaltensänderung des Lesers. Wird die Aufgabe, das Publikum zu gewinnen, demgegenüber mit dem Ziel gleichgesetzt, größtmögliche Wirksamkeit zu erreichen, tritt dem auf Veränderung gerichteten Impuls der Darstellungsansatz massenhaft verbreiteter Literatur entgegen. Literarische Kommunikation möglichst breit zu gewährleisten, verlangt, erwartbare, durch Konvention gesicherte Sprach- und Formmuster zu berufen, was aber gleichzeitig eine Beschränkung auf das Klischee-Bild der Wirklichkeit einschließt, das in solchen Formen reproduziert wird. Die „unterhaltende“, d. i. entspannende Wirkung solcher Literatur erschließt sich so gerade darin, daß statt eines Durchbruchs zur Wirklichkeit diese „in Ruhe gelassen“ wird, statt kritisch-aufklärerischer Impulse schon bestehende Vorurteile über die Wirklichkeit vermittelt werden [25]. In der relativ offenen Diskussion des vierten Deutschen Schriftsteller-Kongresses 1956 bestätigte Brecht diesen Zusammenhang, wenn er als Voraussetzung einer angemessenen künstlerisch-praktischen Aneignung der neuen sozialistischen Welt auf der Notwendigkeit insistierte, neue Kunstmittel zu entwickeln und damit der restriktiven Kulturpolitik die Forderung entgegenstellte, das künstlerische Experiment zuzulassen [26].

Der problematische Bezug zum Leser spiegelt sich in der Literaturtheorie der DDR bei Einführung des Modells des sozialistischen Realismus 1951 in dem breiten Raum wider, den hier die Frage nach der kommunikativen Funktion der Literatur erhält. Ausgeführt zeigt sich dies in dem schon erwähnten richtungsweisenden ZK-Beschluß „der Kampf gegen Formalismus in Kunst und Literatur ..." einmal in der Formalismus-Kritik, die einer repressiven Unterdrückung formaler Neuansätze den Weg wies, zum andern in der gleichzeitig erhobenen Forderung nach „Volksverbundenheit". Die erörterte Zwiespältigkeit in der Konzeption des sozialistischen Realismus kehrt auch in dieser Kategorie wieder. Von offizieller politischer Seite wurde sie in der DDR weitgehend nur wirkungsästhetisch aufgefaßt, d. h. als Forderung, einen breiten Leserkreis anzusprechen, nicht in einer Verbindung inhaltlicher (Parteilichkeit als Parteinahme für die Interessen des Volkes bzw. des Proletariats in Einlösung des marxistischen Geschichtsbildes) und formaler Komponenten (Wahl literarischer Formen, die geeignet erscheinen, Lernprozesse im Sinne solcher Parteilichkeit einzuleiten).

Die Formalismus-Kritik und die ihr entsprechende Forderung nach „volkstümlichen Formen" schien mit Positionen, die Lukács vertreten hatte [27], übereinzustimmen und damit auch von dessen Autorität getragen. Lukács' Ausgang bei einer geschichtsphilosophischen Bestimmung von Parteilichkeit [28] und einer letztlich transzendentalen Begründung literarischer Formen [29] wurde dabei jedoch nicht übernommen. Entsprechend konnte nach dem Bruch mit Lukács 1956/57 die literaturpolitische Zielsetzung in ihrer bisherigen Formulierung beibehalten werden, bei allerdings noch schärferem Herausarbeiten ihrer wirkungsästhetischen Grundlegung und damit der kommunikativen Funktion von Literatur [30].

Im Rahmen eines anspruchsvoll behaupteten revolutionären Optimismus konnte der Tendenz zu allegorischer Erhöhung der Wirklichkeit wirksam der Boden bereitet werden.

Wie im sowjetischen Modell vorgegeben, fand diese Tendenz ihre für lange Zeit bedeutsamste Kristallisation in der literarischen Figur des „Helden der Arbeit". In ihm wird der behauptete Träger der revolutionären gesellschaftlichen Entwicklung, die zum Bewußtsein ihrer selbst gekommene Arbeiterklasse personifiziert. Der „Held der Arbeit" hat das gesellschaftlich Neue machtvoll in sich aufgenommen, er hat seine unwiderrufliche Entscheidung für den Sozialismus längst getroffen, sein Handeln stimmt entsprechend mit der objektiven geschichtlichen Notwendigkeit überein, er erleidet damit die Geschichte nicht als Objekt, sondern vermag sich zu deren Subjekt zu erheben. Er ist nicht nur eine Folge der gesellschaftlichen Entwicklung, sondern hat Folge: er schafft die Grundlagen der neuen Gesellschaft und verbürgt damit die sozialistische Zukunft. In solcher Gestaltung wird er zugleich zum Prototyp des geforderten „positiven Helden". Die Vorbildfunktion, die diesem zukommt, vermag er besonders angemessen zu erfüllen. In seinem beispielhaften Einsatz für die neue sozialistische Gesellschaftsordnung fordert er all jene heraus, die dem Neuen noch skeptisch gegenüberstehen. Seine didaktische Funktion — im Text selbst in seiner Wirkung auf die jeweilige Umwelt thematisiert — nennt zugleich die didaktische Funktion der Literatur, die solche Figuren gestaltet. Ausdrücklich formuliert diese Alexander Abusch, wenn er im Zusammenhang der Einführung des ersten Zwei-Jahres-Planes 1948 als „umspannende volkspädagogische Aufgabe für alle Kulturschaffenden" bestimmt: „mitzuwirken an der Erziehung neuer, von fortschrittlichem Geist beseelter, von einem Ethos der Arbeit erfüllter Menschen." [31]

Eine überzeugende Darstellung von „Helden der Arbeit" kann nach der Grundlegung der literarischen Konzeption, die mit diesem Thema eingelöst wird, nicht allein vom schöpferischen Vermögen der Schriftsteller abhängig gesehen werden. Nicht geringere Bedeutung kommt hierfür vielmehr auch der vorgegebenen äußeren Wirklichkeit zu, die in der literarischen Konzeption des „Helden der Arbeit" ihre Sinndeutung erfahren und diese in didaktischer Zielsetzung an den Leser weitergeben soll. Überfordert diese Konzeption nicht die gesellschaftliche Realität, die sie thematisiert, damit aber auch jene des Lesers, in der sie aktualisiert wird? Kann nicht die Konzeption des „Helden der Arbeit", wie sie bisher entwickelt wurde, nur im weitgehenden Absehen von der tatsächlich gegebenen gesellschaftlichen Situation literarisch verwirklicht werden? Ein Ungenügen an bisherigen Darstellungen der „Helden der Arbeit" merkt Ulbricht schon 1951 an [32] — seiner politischen Stellung entsprechend kann er dies jedoch nicht als angemessene Reaktion auf die gegebene gesellschaftliche Realität aufnehmen, sondern nur in einen Appell an die Künstler zu besserer Arbeit und in die Forderung nach organisatorischen Eingriffen in diese Arbeit ummünzen. Mehrfach hebt Ulbricht bei solcher Kritik als ersten Anfang einer Literatur in dem geforderten Sinne E. Claudius'

Roman „Menschen an unserer Seite“ hervor. An Bearbeitungen des dort gestalteten Stoffes soll das bisher Entwickelte überprüft werden.

b) Text-Beispiele

1. Historie und Sinnbild: Volkskorrespondentenbericht über den Aktivisten Hans Garbe (1950)

Unter der Überschrift „Ofenmaurer Hans Garbe behielt recht“ war am 24. 2. 1950 im „Neuen Deutschland“ zu lesen:

„Staub und Wärme steigen aus der Kammer des großen Brennofens empor, in dem die Sieben-Mann-Kolonne des Ofenmaurers Hans Garbe arbeitet. Vor acht Wochen hat die Kolonne die erste der 36 Kammern dieses Brennofens im Siemens-Plania-Werk in Berlin-Lichtenberg abgerissen und neu gemauert. Jetzt ist sie bei der letzten Kammer angelangt, und schon in den nächsten Tagen wird der Ofen wieder voll arbeiten können. Außer Betrieb genommen wurde er während der ganzen Reparaturzeit nicht. Hans Garbe und seine Kollegen haben dafür gesorgt, daß der Ofen trotz der Generalüberholung weiterarbeitete.

Eigentlich sollte eine Privatfirma die Reparaturarbeiten übernehmen. Sie hatte gefordert, den Ofen vier Monate stillzulegen und einen Kostenvoranschlag über 200 000 DM gemacht. Das ließ dem Ofenmaurer Hans Garbe keine Ruhe. Gab es denn keinen Weg, die Reparaturzeit abzukürzen oder den Umbau sogar durchzuführen, während der Ofen weiter in Betrieb ist? Nach Feierabend setzte er sich hin, stellte Berechnungen darüber an, und dann kam er mit dem Angebot zur Betriebsleitung: Übergebt mir diese Arbeit. Ich werde sie mit einigen Kollegen in kürzester Zeit, mit geringerem Kostenaufwand und bei Weiterlaufen der Produktion durchführen. Eine Aussprache mit den Technikern wurde herbeigeführt, in der Hans Garbe noch einmal seine Pläne entwickelte.

‚Da hat’s allerhand Auseinandersetzungen gegeben‘, erzählt er lachend. ‚Bei uns sind leider noch immer genug Leute vom alten Siemens-Konzern, die diese Gelegenheit mal wieder benutzen, um gegen die Einführung neuer Arbeitsmethoden Stellung zu nehmen. Das ist unmöglich, man kann an dem Ofen nicht arbeiten, während er in Betrieb ist, meinten sie. Aber ich habe meinen Plan doch durchgesetzt und recht behalten. Meinen Kollegen habe ich erklärt, daß es wichtig für uns ist, diesen Ofenumbau ohne Stillegung vorzunehmen, um jeden Produktionsausfall zu vermeiden. Sie haben das eingesehen, und ich hatte bald meine Kolonne zusammen. Wir haben tüchtig gearbeitet, bei größter Hitze, in Staub und Dreck, oft auch länger als acht Stunden täglich. Gut verdient haben wir auch, mit 1000 DM im Monat sind wir nach Hause gegangen. Und was die Hauptsache ist, wir haben die Arbeit in zwei statt in vier Monaten geschafft, und keine einzige Stunde hat die Produktion stillgelegen. Was wir dem Betrieb dadurch eingespart haben?‘ sagte er nachdenklich. ‚Nun, erstens einmal über 100 000 DM, die wir billiger als die Privatfirma arbeiteten.

Und da hinzuzurechnen ist noch der Verlust, den der Betrieb sonst durch einen viermonatigen Produktionsausfall bei der Stillegung des Ofens gehabt hätte.'

‚Ach der Garbe ist ja verrückt, der hat'n Stich', sagt ein kleiner Mann in sauberem Straßenanzug, der in der Nähe des Brennofens steht. ‚Warum hat er denn nicht 40 DM für die Stunde aufgeschrieben? Das hätte er ohne weiteres machen können, und dann hätte er wenigstens was davon gehabt. So was ist nicht anständig, das ist dämlich', stellt er fest. Wir stellten fest, und das hat uns einigermaßen erschüttert, daß dieser kleine Mann der 1. Vorsitzende der Betriebsgewerkschaftsleitung bei Siemens-Plania, der Kollege Kutter, ist. Nun wissen wir, warum ein Studentenkollektiv nach längerer Arbeit im Betrieb feststellen mußte, daß die Betriebsgewerkschaftsleitung bei Siemens-Plania es bisher nicht verstanden hat, den Kollegen die Bedeutung der Wettbewerbe und der Steigerung der Arbeitsproduktivität zu erklären."

Der Artikel ist als Volkskorrespondentenbericht gekennzeichnet. Er läßt damit nicht nur eine bestimmte Auffassung des Themas „Held der Arbeit", sondern auch Gesellschaftsbild und gesellschaftliche Funktion der Volkskorrespondentenbewegung erkennen, die in der DDR als Fortführung der Arbeiterkorrespondentenbewegung der Weimarer Republik aufgebaut wurde [32a]. Als „Volkskorrespondenten" werden, wie früher als „Arbeiterkorrespondenten", die freiwilligen Mitarbeiter aus der Arbeiterklasse an den sozialistischen Zeitungen bezeichnet. Durch ihre Berichte soll die klassenbewußte Stimme der Arbeiter zu Wort kommen und zugleich einer Entfremdung zwischen Zeitung und Massen vorgebeugt werden.

Der gewandelten gesellschaftlichen Situation in der DDR entsprechend, erfüllen die Beiträge der Volkskorrespondenten nicht primär klassenkämpferische, sondern didaktische Funktion. Sie sollen die (selbst-) kritische Teilnahme am sozialistischen Aufbau verstärken und die Bevölkerung durch Darstellen von Vorbildern aktivieren. Um dies zu gewährleisten, werden die Volkskorrespondenten in den Redaktionen „ideologisch und organisatorisch angeleitet" [32b]. Unter solchen Voraussetzungen entstanden, zeichnet der hier zitierte Bericht in vielfältiger Weise das gewünschte Bild des „Helden der Arbeit" vor. Im Mittelpunkt steht ein Arbeiter, der sich in der Lage zeigt, grundlegend neue Produktionsformen zu entwickeln und durchzusetzen und dies nicht primär aus Profitinteresse, sondern aus Sorge um den ununterbrochenen Fortgang der Produktion. Beispielhaft vermag dieser Ofenmaurer so den befreiten Arbeiter der sozialistischen Gesellschaft vorzustellen, der seine Befreiung nicht als Geschenk erfährt, sondern in der neuen

Qualität seiner Arbeit verwirklicht. Die erzieherische Funktion des schon fertigen Sozialisten besteht im Gewinnen einer Arbeitskolonne für die neuartige Arbeit. Mit der Figur des Helden der Arbeit wird zugleich das Wirklichkeitsbild entworfen, das dessen Konzeption begründet: Wirklichkeit zwar als Prozeß, d. h. Kampf zwischen Altem und Neuem (Konkurrenz zur Privatfirma, Auseinandersetzung mit den Technikern, Diskrepanz zur Gewerkschaft als traditioneller Interessenvertretung), aber Kampf im Wissen um den unabänderlichen Sieg des Neuen, damit letztlich schon entschiedener Prozeß. Dem schon fertigen Helden entspricht das Bild einer in ihrer Entwicklung letztlich schon festgelegten Wirklichkeit, da über diese alle wesentlichen Entscheidungen schon gefallen sind. (Der Einsatz des Berichts mit dem glücklichen Ende gewinnt hieraus zwingenden Charakter.) Bezogen auf solches Wirklichkeitsbild erfüllt der dargestellte Einzelfall die Funktion, die Behauptung einer schon verwirklichten sozialistischen Gesellschaftsordnung zu bestätigen, d. h. aber, die Vorstellung des sozialistischen Zieles allegorisch zu vergegenwärtigen. Begünstigt wird der Darstellungsansatz durch die gleichnishafte Bedeutung, die der geschilderten Arbeit zugesprochen werden kann: das Erneuern des Ofens während des Brennprozesses wiederholt in einem Teilbereich die umfassende Aufgabe einer Erneuerung der Gesellschaft, die gleichfalls nicht von einer Situation des Stillstandes aus erfolgen kann, sondern in einer von gegenläufigen Traditionen, Verhaltensformen und Zielsetzungen bestimmten Gesellschaft durchgesetzt werden muß.

2. *Eduard Claudius, „Menschen an unserer Seite" (1951)*

Allegorisches Erhöhen der Wirklichkeit im Sinne des gesellschaftlichen Anspruchs begünstigend, birgt der Garbe-Stoff durch seine faktische Verbürgtheit zugleich besondere Widerstandskraft gegen den Realitätsverlust, der mit allegorischer Darstellung einhergeht. E. Claudius, der diesen Stoff zuerst aufgriff, suchte diese Faktizität durch längeres Arbeiten in der Fabrik des Aktivisten noch weiter zu sichern, wobei er als gelernter Maurer zu solchen „Milieustudien" beste Voraussetzungen mitbrachte [33].

Claudius gestaltete den Stoff zuerst als Erzählung [34], die sich ganz auf die Figur des Helden der Arbeit und das von diesem geprägte Geschehen in der Fabrik konzentriert, dann in einem

Roman[35], der den Helden auch in seinem privaten Lebensbereich zeigt — so konnte die Prägung auch dieses Bereiches durch die neue Qualität der Arbeit dargestellt werden — und der ferner im Verlauf mehrerer Nebenhandlungen die gesellschaftlichen Wandlungsprozesse aufzuweisen sucht, die durch die Tat des Helden eingeleitet werden. In solchem Ansatz wurde Claudius' Werk zugleich beispielgebend für das Genre des „Betriebsromans". Der Versuch, ein Bild der neuen, sozialistischen Wirklichkeit in epischer Breite zu entwerfen, gelangte aber — obwohl unter vielen anderen Betriebsromanen weit herausragend — über illustrierende Wirklichkeitsdarstellung nicht hinaus.

In beispielhafter Weise zeigt sich Claudius den Gestaltungsansätzen verpflichtet, die Lukács 1957 als charakteristisch für sozialistische Literatur stalinistischer Observanz kritisiert hat[36]. Die These von der Aufhebung des antagonistischen Charakters gesellschaftlicher Widersprüche im Sozialismus verabsolutierend, wird der Widerspruch als Motor geschichtlicher Entwicklung aus der Wirklichkeitsdarstellung verbannt: alle dargestellten Konflikte werden sofort, d. h. im Werk gelöst; wenn nicht Verfälschung, schließt dies zumindest unzulässige Vereinfachung der Wirklichkeit ein (z. B. Lösung aller Konflikte der Hauptfigur mit den Nebenfiguren am Arbeitsplatz ebenso wie im privaten Bereich). Um auf das thematisierte Problem in all seinen Verzweigungen beruhigende Antwort geben zu können, werden für jeden Teilaspekt illustrative Menschen und Schicksale konstruiert, statt gesellschaftliche Repräsentanz aus einer so weit als möglich betriebenen Konkretisierung weniger Figuren zu entwickeln (z. B. Geschichte des Künstlers Andrytzki oder des Ingenieurs Wassermann). Die vielfältigen, in ihrer Beweisfunktion aufgehenden Neben-Figuren und -Handlungen — auch dies ein Merkmal allegorischer Darstellung — erwecken dann aber den Eindruck des Überflüssigen. Der schematisierende Gestaltungsansatz schließt ein, daß die erstrebte Typik von Figur und Handlung nicht auf die großen geschichtlichen Entwicklungstendenzen bezogen wird — in Darstellung repräsentativer Reaktion auf diese — sondern auf jeweils aktuelle politische Forderungen. Die einzelne Figur erstarrt so zur Summe von Eigenschaften, die in tagespolitisch opportunen Kombinationen aufgeboten werden (z. B. Darstellung des alten und neuen Parteisekretärs). Falsche Auffassung der Perspektive zeigt Claudius in der Konsequenz, wie sie Lukács an der stalinistischen Literatur aufgewiesen hat. Der These von der permanenten Verschärfung des Klassenkampfes folgt er in dem Ansatz, alle wesentlichen Schwierigkeiten beim geschilderten Aufbau auf die Tätigkeit des Klassenfeindes (d. i. westlicher Agenten) zurückzuführen (z. B. Figur des für den Westen arbeitenden Meisters Matschat, der überdeutlich mit Attributen des inkarnierten Bösewichts ausgestattet wird). Bei so eindeutiger Verteilung von Gut und Böse kann Spannung nur noch aus der Frage entstehen, wie das Böse entlarvt wird. Die These vom rapid nahenden Kommunismus zu veranschaulichen, dient vor allem die Konzeption des Helden der Arbeit selbst, als vorwegnehmender Gestalt, die in einer zum Sozialismus erst sich wandelnden Gesellschaft die Entscheidung für diesen schon längst, unwiderruflich und unbeirrbar getroffen hat. Weist die gegenwärtige Erfahrung der Wirklichkeit solchen Entwurf als Antizipation aus, müssen Figur und Handlung, die diesem Darstellungsansatz verpflichtet sind, notwendig abstrakt erscheinen. Der folgende Ausschnitt — Darstellung einer Aktivistenleistung der Hauptgestalt — läßt beispielhaft den Anspruch und die problematische Einlösung des Wirklichkeitsbildes erkennen, das durch den Helden der Arbeit konstituiert wird:

„Sind die Kammern mit dem Material gefüllt, so werden sie mit großen viereckigen Deckeln verschlossen. Festgeschraubt, müssen sie den Druck und die Glut der Feuerung aushalten. Meist beginnen sie nach drei bis vier Brennprozessen zu zerbröckeln und auseinanderzufallen, und man muß sie neu mauern.

Der Rahmen eines solchen Deckels besteht aus dickem Stahl, und zwischen diesen Rahmen müssen die Schamottesteine freitragend eingesetzt werden. Für die Herstellung eines solchen Deckels gab es zur Zeit, als Hans Aehre in die Fabrik kam, im Frühjahr 1949, fünfzig Maurerstunden. Aehre, durch die Geschichte bei Lampert und den darauffolgenden Ausschluß aus der Partei völlig verstört und niedergeschlagen, sah den alten Feuerungsmaurern der Fabrik zu, die gleichgültig, träge und nur bemüht, ihren ‚Akkordsatz', wie sie es noch nannten, nicht zu drücken, an der Arbeit waren. Sie musterten ihn mißtrauisch, wenn er abseits stand, und er dachte immer nur: Fünfzig Stunden! Fünfzig Stunden! Mein Gott, man könnte reich werden! Man könnte sich Bettzeug kaufen und Geschirr, und man könnte die Schlafstube machen lassen und sich in der Woche einmal mehr Fleisch kaufen als gewöhnlich. Und einen Anzug, und ein Kleid, und für das Kind feste Schuhe, all das könnte man kaufen.

Aber für ihn ... für ihn war eine solche Arbeit unerreichbar. Er besserte hier die Fahrbahn aus, dort setzte er an einem Ofen ein paar Steine und fuhr, obwohl er als Maurer in die Fabrik gekommen war, sogar Schutt und schaufelte Schamotte.

Matschat, seit zwanzig Jahren in der Fabrik, Meister der Maurergruppe, hatte ihn, als er den Wunsch äußerte, auch einmal einen Deckel zu mauern, mit zusammengekniffenen Augen betrachtet und begütigend genuschelt: ‚Nun ... wollen mal sehen!' Aber seine Hand lag auf Aehre wie ein Hammer, schwer und nicht wegzureißen. ‚Fertig?' gellte wohl seine Stimme durch die Halle. ‚Komm, fahr mal hier schnell den Schutt weg.' Begehrte Aehre dann auf, so knurrte er: ‚Bist de nich zur Bewährung hergekommen? Du warst doch ausgeschlossen, ja?' Und der Maurer Aehre fuhr Schutt und schaufelte Schamotte, und Matschat, behaglich, feist und selbstbewußt, saß ihm wie ein Gespenst im Nacken.

Aber eines Tages, — Matschat machte blau, und auch die Maurergruppe, die bisher die Ofendeckel gemauert hatte, war nicht anwesend — gelang es ihm, von Oberingenieur Septke den Auftrag für die Herstellung eines Deckels zu bekommen. Septke hatte ihn staunend angesehen, aus gutmütig verstehenden Augen: ‚Wie meinen Sie, Aehre? In fünfundzwanzig Stunden?'

Aehre, einen Knoten im Hals, nickte nur, und seinen Augen war anzusehen, daß er nicht mehr nur bei den Deckeln war. Hinter den Steingutröhren versteckt, hatte er dutzendemal zugesehen, wie die anderen die Deckel mauerten, hatte sich dutzendemal vorgestellt, wie er arbeiten würde. Jede Bewegung, jeden Hammerschlag, jeden Schritt und jeden Griff hatte er sich ausgerechnet, hatte genau gesehen, wie er sich bewegen würde, ruhig, planvoll, Stein für Stein setzend.

Er nahm sich nur einen Handlanger, und mit ihm gemeinsam bereitete er alles vor: Rund um den Deckelrahmen baute er sich Steine auf, an jeder der vier Längsseiten stellte er einen Mörtelkasten bereit, und dann, als er glaubte, nichts fehle mehr, begann er die Steine zu hauen.

Die konisch aufstrebende freitragende Steinfläche ruht in dem Stahlrahmen; um sie freitragend zu machen, muß jeder Stein, der in dem Stahlrahmen ruht, abgeschrägt werden. Dazu werden etwa hundert Steine gebraucht. Es gibt zweierlei Arten von Schamottesteinen, hartgebrannte und sehr weiche. Für den Deckel braucht man weiche, und von hundert Steinen, die man zurechthaut, gehen mindestens zwanzig kaputt. Zudem muß man jeden einzelnen, um die Fugen so dünn wie möglich halten und die Steine enggepreßt aneinandersetzen zu können, mit einem Bimsstein gerade und glatt abschleifen.

Im aufwirbelnden Staub, schweißüberströmt, das schmale Gesicht kalkig im grellen Scheinwerferlicht, begann Aehre zu arbeiten, ruhig, planvoll, jede Bewegung so, wie er sie sich eingeprägt hatte. Schamottestaub sprühte auf, sein Blut pulste freudig im Takt der Hammerschläge, mit denen er die Steine zurechtstutzte. Zersplitterte einer, so brauste er auf: ‚Ach, so ein Dreck ... so ein Dreck, verfluchter! Wer hat sich das nur ausgedacht?' Die dunkelgrauen Augen unter der steilen, eigensinnigen Stirn blitzten den Handlanger böse an. ‚Gibt es denn da nichts anderes?' Als dieser etwas hämisch sagte: ‚Mußt was Neues erfinden, Aehre', schrie er auf: ‚Bist nur still! Schleif deine Steine und halt den Rand!' Und der Stein, den er unter seinem Hammer hatte, zerbrach. Wortlos nahm er einen anderen vom Haufen und schickte sich an, ihn vorsichtig zurechtzuhauen.

Er arbeitete Stunde um Stunde, seine Bewegungen wurden ausgeglichener; als der Handlanger am Abend nach Hause ging, blieb er allein am Deckel zurück. Er aß nicht, trank aber eine Unmenge von kaltem Muckefuck, den er sich aus der Werkküche hatte holen lassen, ruhte zwischendurch einige Stunden aus, und gegen Mitternacht wußte er: Nie mehr wird man für diese Art Kammerdeckel fünfzig Stunden brauchen. Nie mehr!

Zwanzig Stunden vielleicht, ja! Aber er hatte nur dreizehn Stunden gebraucht. Am Morgen, als die Scheinwerfer aufflammten, fanden die Maurer Aehre neben seinem Kammerdeckel, schlafend. Sie schlichen um ihn herum, ohne ihn zu wecken, und Backhans, das ungefüge Gesicht starr vor Staunen, beugte sich über den Deckel. ‚Was ... nanu ... er hat einen Deckel gemacht?'

Kerbel beugte sich über die Steine und fuhr mit den Fingern den Fugen nach. ‚Allein ... allein!' knurrte er. Backhans winkte Matschat, der zur Hallentür hereinkam, wie immer unausgeschlafen, das verquollene Gesicht mürrisch, unter den Augen schwere Tränensäcke. Er ging langsam um den Kammerdeckel herum, blieb neben Aehre stehen, und plötzlich stieß er ihn in die Seite. Backhans sah ihn erstaunt an. Kerbel murmelte: ‚Nun ... gleich so ...'

Aehre schreckte hoch, richtete sich auf, suchte sich zurechtzufinden. Sein Blick traf die starren Gesichter von Backhans und Kerbel, die rotunterlaufenen Augen des Werkmeisters.

Bleich und noch benommen vom Schlaf, fragte er: ‚Ja, was ...? Was ist?'

Doch dann hellte sich sein Gesicht auf, Blut schoß ihm in die Stirn, seine Augen begannen zu glänzen. Er wischte sich übers Gesicht und fragte, immer noch nicht ganz wach. ‚Wie spät?' Zugleich aber hörte er alle Geräusche der beginnenden Arbeit: Hammerklopfen, das rasselnde Rollen der Schubkarren, Scharren von Eisen auf den gebrannten Kohlenblöcken; von draußen kam das Rattern der Lastwagen, und nahebei fuhren Schaufeln knirschend in Sand und Schamotte.

Matschat, die breiten, hängenden Schultern vorgeschoben, die Hände in den Taschen vergraben und das schwammige Gesicht völlig ausdruckslos, fragte: ‚Du hast einen Deckel gemacht?' ‚Ja', antwortete Aehre, ‚in dreizehn Stunden'.

‚Wer hat dir den Auftrag gegeben?'

‚Wer? Nun, ich habe mit Septke gesprochen.'

Aehre sah in den kleinen Augen Matschats Spott. Er hörte ihn krächzen: ‚In dreizehn Stunden? Kriegst die Nadel! Ganz bestimmt! Hört sich nicht schlecht an: Aktivist Aehre! 'ne große Sache! In dreizehn Stunden, keine Kleinigkeit!'

Aehre versuchte zu lächeln, sah unsicher vom einen zum anderen. Backhans wich seinem Blick aus. Kerbels Gesicht war wie aus kaltem Glas. Matschat lachte. Man sah seine ungepflegten Zähne. Aehre sagte hilflos: ‚Nu ja ... es ging. Aber jetzt .. müde bin ich! Mein Gott, bin ich müde!'

Aus allen Ecken der Ringofenhalle kamen Arbeiter herbei. Matschat kicherte: ‚Müde ist er! Er ist müde.' Mit gepreßter Stimme sagte er zu den Maurern: ‚Ich seh zu, daß ich für euch den Akkordsatz halte, daß ich mehr Lohn herausschlage, und der versaut alles.' Zu Aehre gewandt: ‚Was meinst du, was du damit erreicht hast?'

Aehre wußte nicht, was er sagen sollte. Matschat fuhr fort: ‚Was er erreicht hat? Ich sag's euch gerade heraus: Er hat euren Lohn gesenkt. Bis jetzt bekamen wir fünfzig Stunden für den Deckel, wir mußten nicht schuften und verdienten doch gut, und er macht ihn in dreizehn Stunden. Das heißt also, er hat uns alles versaut, reineweg versaut!' Sein Hohn war offensichtlich: ‚Aktivist Aehre, Aktivist!'

Aehre stand an jenem Morgen, müde und unausgeschlafen und kreisende Schatten vor den Augen, mitten im Lärm und Staub der Ringofenhalle, umringt von den Maurern und ihrem höhnischen Gelächter; er starrte sie an, sagte hilflos: ‚Ja, aber so ... so kann man das doch nicht sehen?'

Mehr brachte er nicht über die Lippen. Backhans war in der Partei: und Matschat, und unter denen, die um ihn herumstanden, waren noch verschiedene Genossen, doch keiner stand ihm bei. Seine ganze strahlendhelle Freude, daß man nun nicht mehr fünfzig Stunden brauchen würde, daß ein klein wenig zur vorfristigen Erfüllung des Zweijahrplans erreicht war, und der Stolz, daß er es getan hatte, all das erlosch, und mit grauem Gesicht dachte er: Mein Gott, was hab ich nur gemacht? Was nur? Er fühlte sich stumpf wie ein Messer, mit dem man über rauhen Stein gefahren ist.

Alle im Kreis, Backhans und Kerbel, die Handlanger und die Arbeiter von den Steingutröhren, alle schwiegen mit stumpfen, verschlossenen Gesichtern. Die kreisenden Schatten vor Aehres Augen verschwanden. Er fragte Matschat ruhig: ‚Hör mal, wir sind doch Genossen ...'

‚Genossen? Wir? Und?'

‚Und Backhans doch auch ... Wir sind doch in der Partei, und die Partei hat gesagt, nun, sie hat gesagt, der Zweijahrplan, und wir ...'

Aber er brachte all die Worte nicht heraus; brennend starrte er in die Gesichter und konnte doch nicht sagen, was in ihm brannte.

‚Belehr mich nicht', hatte ihm Matschat entgegengebrüllt, ‚du nicht! Was bist du denn schon für ein Genosse? Warst du nicht ausgeschlossen? Hat man dich nicht bei Lampert wegen deiner ewigen Stänkerei hinausgeworfen?'

Aehre hatte geschluckt, hatte sich Mühe gegeben, ruhig zu bleiben, obwohl es ihm in den Händen zuckte. Er gab nur bissig zurück: ‚In welcher SED bist du eigentlich?'

Matschat stotterte überrascht: ‚Was? Wieso?'

‚Nun, wahrscheinlich nicht in der, in welcher ich bin', fuhr Aehre fort, ‚hast wahrscheinlich deine eigene Partei. Aber die Partei, in der ich bin, die hat gesagt ... nun, sie hat gesagt ...'

Er schwieg, als gehorche ihm die Zunge nicht, aber es war so, daß er all die guten und teuren Worte der Partei, die wie eine rote Fahne vor ihm hergingen und die er in sich fühlte, vor diesem schiefmäuligen, aufgedunsenen Gesicht nicht herausbrachte. Und diese Fahne, diese starken Worte: Unser Leben ist etwas, was wir selbst in der Hand haben. Unsere Arbeit gibt uns erst das Leben, gibt uns das, was wir für unser Leben brauchen. Unsere Arbeit ist nicht etwas, was uns knechtet, sondern was uns befreit, was uns unsere Würde gibt, was uns stolz und erst zu wahren Menschen macht. Wie ein dunkler feuriger Strom gehen diese Worte durch ihn, brennen in ihm mit nicht zu löschender Flamme ... Aber konnte man das alles so sagen?

Im Davongehen hörte er die Stimme Matschats hinter sich: ‚Nimm dich in acht, Aehre! Wir schmeißen dich wieder 'raus ...' " (56—62)

Der Autor entwirft das Bild einer durchschaubaren und durchschauten Welt. Durch eindeutige Attribute (z. B. Schilderung der Augen) lassen sich die Figuren fraglos den gesellschaftlichen Positionen zuweisen, die sie vertreten sollen. In einer derart festgelegten Welt kann es aber Entwicklung letztlich nicht geben. Die Darstellung eines Lernprozesses (insbesondere bei der Arbeitsgruppe um den Helden) als wesentlicher Teil der Romanhandlung erhält daher unglaubwürdigen Charakter. Statt Lernen als Änderung eines Verhaltens kann höchstens Sichtbar-Werden einer bisher noch nicht artikulierten, wenn auch unbewußt schon getroffenen Entscheidung dargestellt werden. Dem Ausbleiben eines Lernprozesses bei den Arbeitskollegen antwortet auf der Seite des Helden der Arbeit die Unmöglichkeit, sich den Andersdenkenden mitzuteilen. Die statisch erfaßte Wirklichkeit schließt Entwicklung aus und kennt folgerichtig auch das Gespräch nur als Sich-Bestätigen Gleichdenkender oder als Feststellen der Unmöglichkeit eines Gesprächs.

Durch seine Arbeitsmotivation wie seine Arbeitsweise grenzt sich der Held der Arbeit von seiner Umwelt aus. In deutlich auf Steigerung zielender Anordnung werden drei Motivationen für die Aktivistenleistung angegeben: privater materieller Nutzen, gesamtgesellschaftlicher materieller Nutzen (Beitrag zur vorfristigen Erfüllung des Zweijahresplanes), neue Arbeitsauffassung (Arbeit als Selbsterzeugung und Selbstverwirklichung des Menschen), die mit der sozialen Umwälzung Wirklichkeit zu gewinnen vermag. Die Anstrengung, diese dreifache Motivation als Realität zu behaupten, spiegelt sich in dem Unvermögen wider, die Begründungen auseinander zu entwickeln oder doch wenigstens miteinander zu verbinden. In solcher Unverbundenheit bleibt die letztgenannte ideelle Arbeitsauffassung abstraktes Programm, „Tendenz" im negativen Sinne [37]. Gleichzeitig wird mit ihr der Anspruch formuliert, nach dem das zuvor gegebene Bild des arbeitenden Aehre gestaltet ist (Abschnitt: „Im aufwirbelnden Staub .. "). Der Aufbau dieses

Bildes aus unverträglichen Elementen weist dann aber auf eine gesellschaftliche Erfahrung, in der sich Anspruch und Wirklichkeit gleichfalls unverträglich gegenüberstehen. Entwirft der erste Satz des Abschnittes das Bild des leidenden Arbeiters unter Aufbieten der Attribute einer Totenmaske („... schweißüberströmt, das schmale Gesicht kalkig im grellen Scheinwerferlicht ...“), so erhöht der zweite Satz die behauptete harmonische Arbeitsbewegung zu einem Bild höchster Vitalität im Vollzug der Arbeit, das auf die erotisch gestimmte Gleichsetzung von Fabrik und Herz in Schönlanks Fließband-Gedicht zurückweist („Schamottestaub sprühte auf, sein Blut pulste freudig im Takt der Hammerschläge, mit denen er die Steine zurechtstutzte“). Das in dem Bildsprung ästhetisch sich äußernde Mißverhältnis zwischen behauptetem Gesellschaftsbild und Realität wäre mit dem Hinweis auf ein gestalterisches Unvermögen des Autors vorschnell erklärt. Unberücksichtigt bliebe die hier gegebene Entsprechung zu grundlegenden ökonomischen Widersprüchen der im Übergang zum sozialistischen System stehenden Gesellschaft der DDR. E. Mandel arbeitete diesen Widerspruch als das Miteinander nicht-kapitalistischer Produktionsweise und bürgerlicher Verteilungsweise heraus [38]. Die verschiedenen ökonomischen Voraussetzungen konstituieren jeweils unterschiedliche Auffassungen von Arbeit: Arbeit als Selbstverwirklichung des Menschen im Produktionsbereich, in dem nicht Waren für einen Markt, sondern unmittelbar gesellschaftlich anzueignende Gebrauchswerte geschaffen werden, und Arbeit, die gegen „Lohn“ verkauft, damit als Mühsal auf sich genommen wird, um die lebensnotwendigen, aber gesamtwirtschaftlich relativ knappen Konsumgüter aneignen zu können. Solange die Produktion eines Überflusses an Gebrauchsgütern noch nicht erreicht ist, bleibt die aufgegebene Verteilung der knappen Konsumgüter nach objektiven Gesichtspunkten grundlegendes Problem sozialistischer Gesellschaftssysteme. Der Nachweis der noch nicht verwirklichten Versprechungen des Sozialismus kann daher in einer Kritik der jeweils geltenden Entlohnungsnormen besonders sinnfällig geführt werden (sei es in einer Kritik des hohen Anteils an eingehaltenem Mehrwert, sei es in einer Kritik der Festsetzung der Arbeitsnormen auf mangelnder technologischer Grundlage und unter weitgehendem Ausschluß der betroffenen Arbeiter). Die Brisanz des Widerspruchs zwischen Entlohnungsnormen, die wie in kapitalistischen Produktionsverhältnissen eine hohe Rate vorenthaltenen Mehrwerts und weitgehenden Ausschlusses von der Arbeitsorganisation vorsehen und Produktionsformen, die nach sozialistischen Prinzipien der Wirtschaftsplanung entwickelt werden, zeigten für die DDR die Ereignisse des 17. Juni. In dem Protest gegen eine weitere Erhöhung bestimmter Arbeitsnormen, der am Beginn stand, war der grundsätzliche Einwand gegen das sozialistische System in seiner bisherigen Erscheinungsform schon angelegt. Die politische Führung glaubte der bis an die Wurzeln reichenden Kritik nur dadurch Herr werden zu können, daß sie sie zur Konterrevolution erklärte. Der vorwärtsweisende Impuls des Aufstandes, die implizit enthaltene Forderung, das Versprechen einer humanen Gesellschaft zu verwirklichen, mußte damit notwendig unterdrückt werden [39].

Claudius' Text zeigt an der betrachteten Stelle Realitätsnähe darin, daß er den Widerspruch in den zwei sich ausschließenden Bildern des arbeitenden Aehre zur Sprache bringt — gegenüber verfälschenden Wirklichkeitsdarstellungen, die solchen Widerspruch von vornherein ausklammern. Allegorischem Übersetzen der Realität, statt diese aus der Perspektive eines revolutionären Optimismus darzustellen, leistet er dann aber dadurch Vorschub, daß er das negative Bild durch das positive zu überdecken sucht. Aus dem Widerspruch beider vermag er keinen Prozeß zu entwickeln. Nur als Antizipation weiß Claudius so die geforderte Vergegenwärtigung des sozialistischen Ideals herzustellen. Mit Recht setzte die Kritik daher an der mangelnden Vermittlung zwischen Altem und Neuem (bezüglich der Arbeitsauffassung und des gesellschaftlichen Bewußtseins der Figuren insgesamt) in Claudius' Auseinandersetzung mit dem sozialistischen Neuaufbau an. Politischer Opportunität verpflichtet zeigt sich diese Kritik dabei darin, daß nicht die mangelnde Ausfaltung des Widerspruchs gerügt, sondern dessen Einebnung gefordert und damit gerade jenes Moment negiert wurde, das die relative Realitätsnähe in Claudius' Darstellung verbürgt [40].

In seinem autobiographischen Rückblick hat Claudius selbst seinen Darstellungsansatz problematisiert und dabei solche Kritik, die letztlich auf Auflösung der Realität zielt, weit hinter sich gelassen. Schon erwähnt wurde Claudius' Befürchtung, bei der rigiden Verpflichtung der Literatur auf sowjetische Vorbilder zu epigonaler Darstellung gezwungen zu sein [41], und dies um so mehr, als der revolutionäre Impetus der Gründungsjahre der Sowjetunion auf die Aufbauphase der DDR keineswegs übertragen werden konnte.

Claudius stellt weitergehend noch die vorgegebene Realitätserfahrung selbst in Frage. Er weiß, daß die leuchtend vorgestellten Beispiele „neuer revolutionärer Beziehung zur Arbeit“ [42] oft von der politischen Führung organisiert, d.h. zu erzieherischen Zwecken künstlich geschaffen wurden und sieht die Schriftsteller mit der Forderung konfrontiert, einen vergleichbaren Beitrag zu solcher Stilisierung der Wirklichkeit zu leisten [43]. Im Wissen um die Diskrepanz zwischen erfahrbarer Realität und gefordertem „In-die-Zukunft-Träumen“ erkennt er in solchem Schreiben dann die Tendenz, „Märchen und Legenden“ zu schaffen [44].

3. Käthe Rülicke, „Hans Garbe erzählt“ (1952)

Der Erfahrung einer von Widersprüchen noch zerrissenen gesellschaftlichen Realität gibt Claudius außerhalb des literarischen Werkes Raum, im Roman selbst versucht er, sie durch Antizipation des sozialistischen Ideals zu überspielen. Die Anstrengung, solche Vorwegnahme zu leisten, wie sie im unverbundenen Miteinander unverträglicher Bilder erkannt wurde, erhält diese Erfahrung dann aber gerade aufrecht. Souveräner scheint sie demgegenüber in der ein Jahr später veröffentlichten Gestaltung des Garbe-Stoffes durch die Brecht-Mitarbeiterin Käthe Rülicke überwunden [45]. Der Held der Arbeit kann bei ihr daher noch „strahlender“, das Zukunftsbild des Sozialismus, für das er bürgt, noch unmittelbarer gegenwärtig erscheinen. Solchem Ansatz tritt allerdings die Erfahrung entgegen, daß die literarische Darstellung im Unterschied zum Mythos nicht den „strahlenden“ Helden sucht, sondern, wie alle großen Helden der Literaturgeschichte bezeugen, den Helden, dessen Glanz fast schon zerstört ist, bzw. zerstört zu werden droht.

Stärker noch als Ed. Claudius' Roman allegorisierender Wirklichkeitsdarstellung verpflichtet, läßt Käthe Rülickes Entwurf des Helden der Arbeit ausgeprägter auch die Doppelfunktion solchen Darstellungsansatzes im Rahmen des sozialistischen Realismus erkennen: Aufheben der Realität in allegorischer Vergegenwärtigung des sozialistischen Ideals und neue sozialistische Mythenbildung [46].

Rülicke gestaltet den Stoff als Erinnerungsbericht des Helden. Verklärende Darstellung aus der Gewißheit der geglückten Leistung kann derart wie selbstverständlich geleistet werden. Der Sieg des Neuen, Fortschrittlichen steht nie in Frage, er ist von Beginn an gegenwärtig. Mit märchenhafter Sicherheit werden alle Widerstände überwunden, Widerspruch kann mithin nicht mehr als Motor geschichtlicher Entwicklung dargestellt werden, sondern nur als Hemmnis, das ausgeschaltet wird und dessen Darstellung vor allem die Macht des Neuen, das der Held der Arbeit verbürgt, zu bestätigen hat. Parteiliche Darstellung, die die treibenden Kräfte der geschichtlichen Entwicklung sichtbar zu machen hätte, wird so ersetzt durch das optimistische Bild einer schon an ihr Ziel gelangten Entwicklung, der Entwurf einer widersprüchlichen Welt mit widersprüchlichen Figuren wird aufgegeben zugunsten einer durchschaubaren Welt, die stets klare Scheidung zwischen Gut und Böse, fortschrittlich und rückschrittlich erlaubt.

Wird der Held der Arbeit als schon vollendeter Vertreter des neuen, sozialistischen Menschen in einer Welt gezeigt, in der die Entscheidung im Sinne des Sozialismus letztlich schon gefallen ist, erhält alle Bewegung, die aus dem Wirken des Helden in dieser Welt entwickelt wird, automatenhafte Glätte. Übergangslos reihen sich Problem und Lösung, Plan und geglückte Ausführung, wenn der Held zum Beispiel berichtet:

„... Da kam der Betriebsleiter der Brennerei zu mir und sagte: ‚Ofen III muß unbedingt umgebaut werden. Vier Monate Stillegen, das sind 400 000 Produktionsausfall, und 200 000 kostet der Umbau. Da ist der Plan erledigt. Was sollen wir bloß machen? Denk doch mal nach.' — ‚Ja', sagte ich, ‚läßt sich denn das nicht machen, ohne daß das Feuer im Ofen ausgeht?' — ‚Mensch, wenn du das schaffst.' Ich sagte: ‚Laß mich überlegen. Morgen früh sage ich dir Bescheid.'

Es ließ mir keine Ruhe, der Ofen durfte nicht ausfallen, die Produktion wurde dringend gebraucht. Ich überlegte den ganzen Abend ... Am nächsten Morgen sagte ich zum Brennereileiter: ‚Ich baue den Ofen um, ohne daß er stillgelegt wird.' " (33 f.)

„Als ich den Ofen nun machen durfte, brauchte ich natürlich Hilfe. Dreißig Kollegen haben sich dazu gemeldet, selbst solche, die Arbeiterverräter zu mir gesagt haben und vor mir vom Tisch aufgestanden sind. Einige von ihnen sind im Laufe der Zeit die besten Arbeiter geworden.

Ich habe mir sechs Kollegen ausgesucht — nun waren wir schon ein Kollektiv: ..." (35)

„Dann kamen neue Hindernisse. Ich sagte schon zu meiner Frau: ‚Ich habe das Gefühl, die schmeißen mir Steine in den Gaskanal.' Als ich am nächsten Tag nachsah, waren wirklich neue Steine darin." (38 f.)

Solcher Darstellungsansatz vermag in den Figuren nicht das Typische aufzuweisen, in dem sich „die wichtigsten gesellschaftlichen, moralischen und seelischen Widersprüche einer Zeit zu einer lebendigen Einheit verflechten" [47]. Sie erstarren vielmehr zu Marionetten, deren Fäden in den kulturpolitischen Direktiven erkennbar werden, die die Partei für die damalige Phase gesellschaftlicher Entwicklung ausgegeben hatte. Der Übersetzungsvorgang, der allegorische Darstellung begründet, ist hier nur ansatzweise in der Gestalt gelöst, die Zuordnung zwischen Bild und Bedeutung bleibt als künstlich hergestellte, durch dogmatische Fixierung gestiftete sichtbar. Je weniger dabei von der Realität selbst und je mehr statt dessen von deren vorgegebener Deutung ausgegangen wird, um so leichter läßt sich der aufgebotene Verweisungszusammenhang rekonstruieren, um so stärker erschöpft sich aber auch das Dargestellte im bedeutungsvollen Bezug. Das Muster wird durchsichtig, wenn Käthe Rülicke beispielsweise das zu „verbessern" sucht, was an Claudius' Roman kritisiert worden war. Einzig Abuschs Kritik, „Warum fehlt jede Erwähnung der sowjetischen Stachanow-Bewegung, ohne deren Beispiel und direkte ideologische Wirkung die deutsche Aktivisten-Bewegung historisch undenkbar ist?" [48], begründet so die folgende Szene:

„Wir mauerten noch an der ersten Kammer, da kam der sowjetische Generaldirektor an den Ofen. Er ließ mich durch den Dolmetscher fragen — er konnte damals noch wenig Deutsch —, wie ich dazu gekommen wäre, diese schwere Arbeit zu übernehmen. Es ginge uns doch noch sehr schlecht, wir hätten wenig zu essen usw. Ich sagte: ‚Gerade weil wir so wenig zu essen haben und weil es noch so schlecht ist, mache ich doch diese Arbeit. Euer Stachanow hatte es doch auch schwer gehabt.' Da lachte er, klopfte mir auf die Schulter, sagte: ‚Choroscho', ich solle so weitermachen." (36)

Mehrfach läßt Rülicke die beteiligten Personen über die Bedeutung sprechen, die Garbes Arbeitsleistung für die Erfüllung des Zweijahres-Planes zukommt. Mit dem Bereitstellen solcher „Kommentare" soll offenbar die Forderung erfüllt werden, „für eine so lebenswichtige und gute Sache wie den Zweijahres-Plan unmittelbar propagandistisch zu wirken", wozu die politische Führung wiederholt aufgerufen hatte [49]. Die Direktive des ZK-Beschlusses von 1951, die Literatur in Einklang zu bringen mit den Forderungen der Epoche [50], wird damit aber unmittelbar auf tagespolitische Forderungen bezogen. Solcher Praxis entspricht ein eingeschränktes Verständnis von Literatur, das diese lediglich als Hilfsmittel, als wirkungsvolle „Einkleidung" [51] für vorgegebene Ziele erkennt, woraus dann aber notwendig das beklagte „Nachhinken" der Literatur hinter der gesellschaftlichen Entwicklung folgt [52]. Schon

1948 warnte Alexander Abusch vor dieser Verengung des Literatur-Begriffs, wenn er auf den Fehler weist, „Schriftsteller mit Journalisten zu verwechseln“ und verkündet:

„... wir sehen die Aufgabe der Schriftsteller und Künstler... in dem viel weiter gesteckten Rahmen, daß jeder eben mit seinen eigenen schöpferischen Mitteln an dem großen Werk der Aufhellung des Bewußtseins, der geistigen Umformung des arbeitenden Menschen, an dem großen demokratischen Erziehungswerk für unser Volk arbeiten soll.“ [53]

Das klare Eintreten für die eigenständige Arbeit des Schriftstellers — einen grundsätzlichen politischen Konsens vorausgesetzt — wird durch weitere Ausführungen jedoch wieder relativiert. Deutlich gibt solches Schwanken die noch offene kulturpolitische Situation vor 1949 zu erkennen, deren Leitziel ein breites Bündnis linksbürgerlicher und sozialistischer Schriftsteller für den Aufbau eines neuen Gesellschaftssystems war. Obwohl vom Journalisten ausdrücklich geschieden, wird doch auch dem Schriftsteller die Aufgabe zugeteilt, „direkt in den publizistischen Kampf für die Propagierung des Planes“ einzugreifen. Claudius' und Rülickes Themenstellung vorwegnehmend, wird hierzu erläutert:

„Wir denken dabei zunächst an die Form der literarischen Reportage, durch die man die Aktivisten und ihre Bemühungen in den volkseigenen Betrieben und auf dem Dorfe darstellen kann.“ [54]

Die Kritik am Nachhinken der Literatur kann erst fruchtbar werden, wo diese von der Aufgabe bloßer Illustration, bloßen Nachschreibens einer Vor-Schrift befreit und ihr die Aufgabe kritischer Erkenntnis wie der Eroberung neuer Wirklichkeitsbereiche zuerkannt wird [55].

Die didaktische Funktion, die dem Entwurf des Helden der Arbeit zukommt, gerinnt Rülicke zur „Tendenz“ im negativen Sinne [56], der der Held zuletzt mit schulmeisterlichem Pathos Stimme leiht:

„...Es hat mir die ganze Zeit Kraft gegeben, daß ich wußte, die Partei steht hinter mir. Ich wußte, wenn ich es nicht mehr schaffen kann, dann wird sie mir helfen. Und dann kam auch wirklich die Partei. Ich habe die Partei immer so angesehen wie mein Großvater, der noch fromm war, die Bibel. Ich bin Kommunist und lese keine Bibel, aber ich glaube an meine Partei, und die Partei ist mein Heiligtum. Für meine Partei werde ich immer kämpfen.“ (40 f.)

4. Brechts Entwürfe zu einem Aktivisten-Lehrstück (1951—1954)

Ulbricht hatte 1951 vom Schriftsteller gefordert, „die Helden unseres Volkes so realistisch darzustellen, daß sie jeder Jugendliche als sein Vorbild betrachtet“ [57] und damit zwei Pole literarischen Schaffens genannt, in deren Spannungsfeld sich literarische Produktion und literaturtheoretische Diskussion in der DDR vornehmlich bewegt. Ob Realismus als Voraussetzung oder als Einschränkung geforderter Vorbild-Wirkung aufzufassen ist, wird dabei wesentlich durch das jeweilige Leserbild bestimmt. Wird ein passiver Leser vorausgesetzt, der, statt der Welt des Werkes erkennend gegenüberzustehen, sich in diese versetzen läßt, kann das Positive, das erstrebte neue, sozialistische Bewußtsein nur über die Identifikation mit dem Helden vermittelt werden. Vorbilder schaffen heißt dann, leuchtende, widerspruchslose Helden entwerfen, um damit zu „begeistern und noch ein Stück vorwärts (zu) reißen“ [58]. Ed. Claudius und Käthe Rülicke zeigten sich solchem Gestaltungsansatz verpflichtet. Notwendig erstarrt ihr Entwurf eines Leitbildes dabei in der Allegorie: das Besondere der einzelnen Gestalt ist nur noch Attribut des anspruchsvoll als wirklich behaupteten Gesellschaftsbildes, das durch sie vermittelt werden soll. Beide Gestaltungen des Garbe-Stoffes lassen daher jene „Wirklichkeitsarmut“ erkennen, die A. Seghers in der offenen Diskussion des 4. Deutschen Schriftsteller-Kongresses dann als Ausfluß „scholastischer Schreibart“ angeprangert hat [59].

Antizipation einer prinzipiell schon verwirklichten sozialistischen Gesellschaftsordnung und Auffassung der Geschichte als festgelegter Prozeß, der sich unabhängig vom Eingreifen des einzelnen vollzieht und den der einzelne entsprechend nur demonstrieren, aber nicht ändern kann, begründen den schwindenden Realitätsbezug dieser Literatur. Ihr hält Brecht eine Wirklichkeitsauffassung entgegen, die von der Offenheit der gegenwärtigen Situation ausgeht: „... Überall kämpft das Neue mit dem Alten, der Sozialismus mit dem Kapitalismus. Wir haben das günstigere Kampfgelände, aber wir sind nicht fertig mit dem Kampf.“ [60] Die einzelne Situation, die konkrete Gestalt erhält Eigenwert als je besondere zurück: allegorische Gestaltung weicht dann typischer Darstellung. Unbedingte Vorherrschaft des Allgemeinen, das dem dargestellten Einzelnen erst Bedeutung verleiht [61], bringt in die Beziehung zwischen Besonderem und Allgemeinem ein Element des Beliebigen ein, durch das das Allgemeine selbst zu einer relativen Größe wird [62]. Demgegenüber sieht Brecht ein Konkretisieren des Allgemeinen im Besonderen bei gleichzeitigem Modifizieren des Allgemeinen durch das Besondere vor. Entsprechend vermerkt er zum neuen Helden: „Dieser neue Mensch, aktives Mitglied seiner Klasse, mag die Erfüllung eurer Träume sein, aber er erfüllt sie gewiß in höchst unerwarteter Weise.“ [63] In seinen Entwürfen [64] zu einer dramatischen Gestaltung des Garbe-Stoffes weist Brecht auf eine prozeßhafte Wirklichkeitsauffassung schon durch die Wahl der Gattung, die konstituiert wird durch die Erfahrung der Welt als Konflikt. Eine Abkehr von allegorischer Darstellung lassen die Entwürfe in ihrer konsequenten Historisierung des Stoffes erkennen [65]: die Aktivistentat und ihre unmittelbare Vorgeschichte wird in den Rahmen der Geschichte der DDR vom Kriegsende bis zum 17. Juni 1953 eingeordnet [66]. Die Ausweitung der Perspektive bis zum 17. Juni läßt erkennen, daß Brecht im Unterschied zu seinen Vorgängern Konflikte nicht auszusparen, den einzelnen Fall vielmehr in seinem Zusammenhang mit grundlegenden Widersprüchen der sozialistischen Übergangsgesellschaft darzustellen sucht. Durch Historisierung sollen die handelnden Personen und soll insbesondere der Aktivist als Zentralfigur nicht in ohnmächtiger Auslieferung an einen vorgängig schon festgelegten Geschichtsprozeß gezeigt werden. Brecht notiert sich vielmehr nach Bekanntwerden mit der Geschichte Garbes:

„... dem Stoff entnommen, eine Linie: dieser Arbeiter richtet sich auf, indem er produziert. Zu untersuchen, was alles sich für ihn und bei ihm ändert, wenn er vom Objekt der Geschichte zu ihrem Subjekt wird — unter der Bedingung, daß dies nicht ein rein persönlicher Vorgang ist, da er ja die Klasse betrifft.“ [67]

Im Helden der Arbeit erkennt Brecht den Menschen, der Geschichte nicht mehr erleidet, sondern selbst geschichtsbildende Kraft entfaltet. Wird in die Verantwortung des einzelnen gestellt, daß das Notwendige geschieht, kann Parteilichkeit als gefordertes Prinzip der Darstellung auch nicht mehr nur kontemplativ im Sinne von Lukács aufgefaßt werden— darstellen der treibenden Kräfte der geschichtlichen Entwicklung, die sich unabhängig vom Einzelnen vollzieht [68] — sondern als Verbindung von Interpretation der Wirklichkeit und veränderndem Eingreifen in diese. Revolutionärer Optimismus, der damit gleichwohl gewahrt bleibt, wird so seines nur bestätigenden Charakters entkleidet und gewinnt zukunftsweisende Funktion.

Brechts Auseinandersetzung mit dem Garbe-Stoff fällt in die Zeit der stalinistischen Kulturpolitik zwischen 1951 und 1955. Sie zusammen mit der gleichzeitigen Aufnahme von Strittmatters Bauernkomödie „Katzgraben" in das Programm des Berliner Ensembles als opportunistische Antwort auf tagespolitische Forderungen nach einem Gegenwartsstück abzutun, hieße die grundsätzliche Frage nach Anlage und Möglichkeiten eines sozialistischen Gegenwartsstückes außer acht lassen, die sich Brecht mit diesem Thema stellte. Daß er das Stück nicht ausgeführt hat, kann nicht nur auf die problematische politische Situation der DDR zurückgeführt werden [69], in der sein Ansatz erheblichen Widerspruch hervorgerufen hätte, sondern auch auf seine Unsicherheit über eine angemessene dramatische Auseinandersetzung mit der eigenen sozialistischen Gegenwart. Über den schon angedeuteten Umriß hinaus ist zu vermerken, daß Brecht den Garbe-Stoff mit seinem Fatzer-Fragment, d. h. aber mit dem Typus des Lehrstückes in Verbindung setzt. Das Lehrstück wiederum hat Brecht 1956 in einer Äußerung über die „Maßnahme" als „Modell für das Theater der Zukunft" bezeichnet [70].

Der Begriff des „Lehrstücks" [71] umschreibt für Brecht nicht Thesenstücke, die einem rezeptiven Publikum Ideen des Autors möglichst wirkungsvoll vermitteln sollen, andererseits auch nicht Stücke, die den Zuschauer unmerklich dadurch belehren, daß sie ihn illusionierend in ihre eigene Welt hineinversetzen [72]. Brecht bezeichnet als sein Ziel vielmehr eine „erkennbar pädagogische Dramatik", die den Anzusprechenden aktiv dem Stück gegenüberstellt [73]. In idealer Form sieht er dies im „Lernstück" [74] gewährleistet, das primär nicht für Zuschauer, sondern für die Spielenden geschrieben ist, die durch die Aktualisierung des Stückes lernen sollen [75]. Brechts Entwürfe zu einem Garbe-Drama weisen nicht in Richtung dieser idealen Form des Lehrstücks, Ansätze zu der geforderten „erkennbar pädagogischen Dramatik" lassen sich jedoch bestimmen. Brecht versucht, eine Identifikation mit dem Helden abzuwehren, um so den Zuschauer dem Stück gegenüberzustellen: hierzu gehört, daß er dem Helden eine nur beschränkte Einsicht in den Zusammenhang des Geschehens zutraut [76], fernerhin, daß er ihn in eine zutiefst widersprüchliche Welt stellt, in der über richtiges und falsches Verhalten nicht schon im vorhinein entschieden ist. Der Held der Arbeit wird als Lernobjekt und nicht als Leitbild konzipiert und bleibt so frag-würdig, wie Brecht entsprechend in seinen Überlegungen zum Lehrstück immer wieder die wichtige Lernwirkung betont, die vor der Darstellung „asozialen" Verhaltens ausgehen kann [77].

Was an Ansätzen zu einem „didaktischen Theater" [78] in Brechts Entwürfen sichtbar wird, zeigt das Garbe-Drama des zeitweiligen Brecht-Schülers Heiner Müller in eigenständiger Weise ausgeführt.

5. Heiner Müller, „Der Lohndrücker" (1957)

Mehrfach betont Heiner Müller, daß sein Drama nicht Einfühlung, Identifikation mit einem als Vorbild entworfenen Helden erstrebe, sondern aktive Teilnahme, Auseinandersetzung und daß er dabei wie Brecht nicht eine Wirklichkeit darstelle, in der alle wesentlichen Entscheidungen schon gefallen sind — in diesem Sinne Wirklichkeit als Zustand — sondern Wirklichkeit als Prozeß. Der ersten Veröffentlichung des Stückes schickte er die Erläuterung voraus:

> „Das Stück versucht nicht, den Kampf zwischen Altem und Neuem, den ein Stückschreiber nicht entscheiden kann, als mit dem Sieg des Neuen vor dem letzten Vorhang abgeschlossen darzustellen, es versucht, ihn in das Publikum zu tragen, das ihn entscheidet." [79]

Das auffälligste Mittel, das diesem Gestaltungsansatz verpflichtet ist, läßt sich in dem Bestreben erkennen, die Gegensätze im Drama unvermittelt aufeinanderprallen zu lassen. Im äußeren Aufbau des Stückes wird dies im Fehlen aller überleitenden Partien bemerkbar. Müller drängt das Geschehen entschieden zusammen, das so verkürzte Drama teilt er gleichzeitig in 22 Kurzszenen auf, die die verschiedenen Aspekte des Themas in gedrängter Folge vorstellen. Das Miteinander von Gegensätzlichem, das die Folge der Kurzszenen bestimmt, strukturiert auch die einzelnen Szenen. Beispielhaft läßt dies die erste Szene erkennen:

> „(Kneipe. Straße mit Trümmerwand. Abend. Der Budiker steht hinter der Theke und trinkt. Geschke und Stettiner, an der Theke lehnend, trinken. Der Geheimrat sitzt an einem Tisch. Die Straße ist leer.)
>
> Geschke (betrunken) Ich habe alles kennengelernt: die Stempelstellen nach dem ersten Krieg, den Akkord und die Nazis mit Pauken und Trompeten und nach dem Schlamassel das neue Leben mit dem Leistungslohn. Aber das Bier, was der Arbeiterstaat ausschenkt, ist mir neu.
> (Stettiner lacht.)
>
> Budiker Arbeiterstaat, Arbeiterbier.
> (Geheimrat kichert.)

Geschke (zum Budiker) Wer ist die Vogelscheuche?
Budiker Das ist der Geheimrat.
Geschke Ein Bier für den Geheimrat.
(Budiker bringt das Bier.
Hebt sein Glas.) Trink, Geheimrat.
(Geheimrat weist das Bier zurück und mustert Geschke.)
Feiner Mann, der Geheimrat. Trinkt kein Arbeiterbier.
(Pause, danach zu Stettiner) Balke, der Neue, der das Maul nicht aufmacht, hat eine Prämie eingesteckt für die Erfindung mit der Leiste. Die Erfindung stimmt, man schafft mehr.
Stettiner Fragt sich für wen.
Geschke (trinkt aus) Wir müssen heraus aus dem Schlamassel. Was heißt da für wen? Gibst du noch eins aus?
Stettiner Glaubst du etwa, was über dem Werktor steht, ‚Volkseigener Betrieb', he? So dämlich bist du doch nicht, Geschke. Du bist doch auch Arbeiter.
Geschke Der Unternehmer ist jedenfalls weg.
Stettiner Davon kauf dir was. Noch ein Bierchen?
Geschke (schmeißt Geld auf die Theke, tippt an die Mütze und geht, unsicher) Fragt sich, wer hier dämlich ist.
Stettiner Zahlen. (Er tritt vor die Tür und ruft.) Zigarette, Geschke?
(Geschke hat die Straße überquert, bleibt stehen, dreht sich um.
Stettiner hat eine Zigarette in der ausgestreckten Hand.)
Komm her.
Geschke Für eine Zigarette den ganzen Weg? Nein.
(Stettiner steckt sich grinsend eine Zigarette an.)
Halben Weg. In Ordnung?
(Stettiner grinst. Geschke geht drei Schritte auf ihn zu, bleibt stehen. Stettiner raucht.)
Zwei Schritte gebe ich zu. (Er tut es; Pause.) Sei kein Unmensch, Stettiner.
Stettiner Zwei Zigaretten.
Geschke Ich hab gesagt: halben Weg.
Stettiner Zwei Zigaretten.
(Pause. Stettiner schmeißt Geschke eine Zigarette hin und geht. Geschke hebt die Zigarette auf, steckt sie ein und geht auch. Der Budiker hat zugesehen und nimmt lachend seinen Platz hinter der Theke wieder ein. Auf der Straße erscheint ein Plakatkleber und klebt ein Plakat mit dem Text: ‚SED — Partei des Aufbaus' an die Trümmerwand. Als er gegangen ist, kommt ein junger Mann, bleibt vor dem Plakat stehn, blickt sich um, reißt es ab und geht pfeifend weiter. Drei Arbeiter, müde, Aktentaschen unterm Arm, gehen über das am Boden liegende Plakat.)" (175 f.)

Müller entwirft eine Situation, in der gegensätzliche Kräfte vielfältig aufeinander reagieren. Soziale Unterschiede machen sich bemerkbar, das Jetzt wird mit früheren geschichtlichen Phasen verglichen (Historisierung), die Frage nach Versprechen und ihrer Einlösung, d. h. nach dem tatsächlich verwirklichten Sozialismus, wird gestellt. (Sie wird später wie bei Brecht zu der entscheidenden Frage nach Grundsätzen der Bezahlung und damit der Güterverteilung im sozialistischen Gesellschaftssystem zugespitzt. Schon durch den Titel wird dieses Thema als Grundproblem des Stückes aufgewiesen.) Verschiedene Einstellungen zur Arbeit und damit insgesamt zum neuen gesellschaftlichen System werden umrissen: der Aktivist Balke, der fragende und unsichere Geschke, der Arbeit schon unter dem Aspekt der Produktion von Gebrauchswerten zu sehen beginnt, Stettiner, der Arbeit nur als Mittel der Lebenserhaltung kennt und im Beharren auf dem Noch-nicht-Verwirklichten das Neue in Frage zu stellen sucht. Die Frage nach der Beziehung der Menschen zur Arbeit wird wiederholt in der Frage, wodurch die Beziehungen der Menschen untereinander bestimmt werden (Geste des Zigaretten-Anbietens). In sinnfälliger Pantomime charakterisiert dann noch einmal der Schluß die entworfene Situation als von Widersprüchen beherrscht, über deren Auflösung noch nicht entschieden ist.

Das Miteinander von Gegensätzlichem prägt Müllers Wirklichkeitsentwurf um so nachdrücklicher, als er getreu seinem Darstellungsansatz die Probleme, die er im Stück aufwirft, nicht auch bis zu ihrer glücklichen Lösung vorführt. Die so erreichte Offenheit des Geschehens, die von einem anspruchsvollen Leser-Bild ausgeht, fand in der DDR nicht nur Zustimmung. Heiner Müller bestätigt dies, wenn er noch fünfzehn Jahre nach Erscheinen des „Lohndrücker“ kritische Einwände gegen diesen als charakteristische Beispiele für die Situation des Dramas in der DDR anzuführen vermag. In der DDR-Zeitschrift „Theater der Zeit“ führte er 1972 aus:

„In einer Diskussion der Lohndrücker-Aufführung des Maxim Gorki Theaters 1957 wurde die Szene moniert, in der ein Arbeiter und ehemaliger SA-Mann um Aufnahme in die SED nachsucht. Es dürfe nicht in der Luft hängenbleiben, ob er aufgenommen wird oder nicht. Gegenkritik eines anderen Zuschauers: Wieso in der Luft. Wir reden doch darüber. Zwei Ansichten über Funktion und Wirkungsweise von Theater. In der Praxis hat sich, aus welchen Gründen immer, die erste durchgesetzt: Theater als Zustand. Es scheint mir an der Zeit, die zweite Ansicht in Erinnerung zu bringen, die Theater als Prozeß begreift.“ [80]

Darstellung einer von Widersprüchen geprägten Welt und eines noch offenen Geschehens erhält überzeugende Kraft und vermag den Zuschauer erst wirksam in die Auseinandersetzung miteinzubeziehen, wenn allen berufenen Positionen eine gewisse Berechtigung zuteil wird. Erst unter solcher Voraussetzung wird das häufig entworfene Schwarz-Weiß-Bild, in dem alle Gewichte schon verteilt sind, in einem tatsächlichen Aufeinanderprallen der Gegensätze aufgehoben. Der Aufbau der Figur wird damit zu einer Kernfrage des Stücks. Deutlich hebt sich Heiner Müllers Entwurf der Gegenspieler des Aktivisten von dem seiner Vorgänger ab. Schwierigkeiten beim Aufbau des Neuen werden nicht auf die Verstocktheit oder grundsätzliche Bösartigkeit der Gegenspieler zurückgeführt (wie Ed. Claudius beispielsweise den entschiedensten Gegner des Aktivisten als Inkarnation des Bösen zeichnet, der dann selbstverständlich auch als Westagent entlarvt wird), das Verhalten der Gegenspieler wird vielmehr auf Probleme zurückgeführt, die unabhängig von diesen bestehen und der sich diese allenfalls bewußt bedienen. Geschkes Zögern gegenüber dem neuen Gesellschaftssystem oder Stettiners Skepsis werden entsprechend nicht moralischer Beurteilung unterzogen, sondern durch äußere, materielle Bedingungen zu begründen gesucht [81]. Dasselbe gilt für Lerka, der deutlich als Gegenmodell des Aktivisten Balke konzipierten Figur. Heiner Müller faßt den Gegensatz lakonisch in der Szenenanmerkung zusammen: „Balke arbeitet, Lerka schuftet." (181) Lerkas ausschließliche Orientierung am privaten materiellen Nutzen gegenüber der Sorge um das Ganze, die der Aktivist an den Tag legt, wird jedoch nicht als schlechthin verwerflich gezeigt, sondern begründet (allerdings nachträglich, so daß schon ein negativer Eindruck über die Figur entstehen konnte):

„Lerka: ... ich war immer ein guter Arbeiter. Aber wenn's schneller gehen soll, als es geht — zehn Stunden Arbeit und zum Frühstück Trockenbrot und vier Kinder und eine kranke Frau." (184)

Ebenso sind in den Argumenten, mit denen Lerka Einspruch gegen sein Arbeitsverhalten abwehrt, falsche und richtige Einsichten gemischt:

„Lerka: Tempo oder Qualität. Alles können sie nicht haben.

Balke: Die Minute kostet [den Arbeiter] einen Groschen, Lerka. Aber der Ofen kostet mehr.

Lerka (nervös): Wer hat mir was zu sagen? Der Laden hier ist volkseigen, stimmt's? Ich bin das Volk, verstehst du. (Balke schweigt.)" (181)

Die Alternative Quantität oder Qualität wird nicht erst von Lerka formuliert, um sich zu entschuldigen, sie liegt vielmehr schon vor als Auseinandertreten von rein quantitativ ausgerichtetem Wirtschaftsplan und Bezahlungsverfahren auf der einen Seite und appellativem Aufrufen zu qualitativ besserer Arbeit auf der anderen Seite, das Peter Hacks dann zum Vorwurf eines eigenen Dramas („Die Sorgen um die Macht") erheben wird. Daß Lerka ferner Betriebsführung, Arbeitgeber und Konsumenten der produzierten Güter in einem anonymen „sie" zusammenfaßt, dem er sich gegenüberstellt, zeugt von noch entfremdeter Arbeitsauffassung. Zu ihr steht in eigentümlichem Widerspruch die Berufung auf das Selbstbestimmungsrecht des Arbeiters über die Arbeitsorganisation, das das neue gesellschaftliche System auszeichnet. Lerka erweist sich dieser Berufung als unwürdig, da er sie nur gelten lassen will, sofern sie ihn bestätigt. Indem er zu solchem Urteil herausfordert, legitimiert er aber gerade die Forderung nach tatsächlichem Verfügen der Produzierenden nicht nur über die Produktionsmittel, sondern auch über die Arbeitsorganisation. Heiner Müller läßt seine Figur ein richtiges Argument zum falschen Ziel einsetzen und thematisiert dabei zugleich das politisch brisante Problem, wieweit in sozialistischen Staaten die Vergesellschaftung der Produktionsmittel abstrakte Tatsache bleibt, da ihr nicht ein Mitbestimmungsrecht der Produzierenden über die Organisation ihrer Arbeit zur Seite tritt.

Das Verhalten der Neben-Figuren so zu begründen, heißt nichts anderes, als diese als Summe oder Folge ihrer historisch-soziologischen Voraussetzungen zu begreifen und nicht mehr nur psychologisch zu beschreiben. In einer so determinierten Welt kann das gesellschaftlich Neue, das der Held der Arbeit verkörpert, nicht mehr unvermittelt wie in den früheren Darstellungen als Ideal gesetzt werden. Die erzieherische Wirkung, die von solchem Entwurf eines idealen Vorbildes in der angespannten Situation der ersten Aufbaujahre vielleicht erhofft wurde, könnte Heiner Müller zudem nicht mehr erwarten. Er greift ferner auf eine Gestalt zurück, die in sehr verbreiteten Werken schon hinlänglich idealisiert worden ist, die Situation wiederum, in die er führt, ist bei Entstehung seines Werkes schon historisch. Aktualität und erzieherische Wirkung kann sein Stück daher nur erlangen, wenn er im vergangenen Wirken des Helden der Arbeit ein Modell sichtbar zu machen vermag, dem auch für den gegenwärtigen Zuschauer noch Gültigkeit zukommt. Heiner Müller leistet dies, indem er den Helden der Arbeit als schon vollendete Verkörperung der befreiten Arbeiterklasse zurückholt in den Akt des Sich-Befreiens durch Arbeit, wie dies Brecht vorgezeichnet hatte in der Überlegung:

„... dieser Arbeiter richtet sich auf, indem er produziert. Zu untersuchen, was alles sich für ihn und bei ihm ändert, wenn er vom Objekt der Geschichte zu ihrem Subjekt wird ..." [82]

Heiner Müller hatte dieses Thema selbst schon in der Formulierung gefaßt:

„Die das Neue schaffen, sind noch nicht neue Menschen. Erst das von ihnen Geschaffene formt sie selbst." [83]

Waren die Nebenfiguren als bloße Folgen ihrer gesellschaftlichen Voraussetzungen, mithin nur als „Objekte der Geschichte", zu charakterisieren, so erweist sich der Held selbst, solchem Ansatz entsprechend, sowohl als Folge wie auch als Träger und Motor der geschichtlichen Entwicklung. Daß er beides zugleich ist, begründet den zwiespältigen Eindruck, den er erweckt. Vorbildlich stellt er eine nicht mehr entfremdete Arbeitsauffassung vor. Der Rückblick in seine Vergangenheit läßt jedoch fragen, ob dies nicht nur als Frucht geschickter Anpassung an das jetzt Opportune aufzufassen ist. Den Entschluß zur weithin beispielgebenden Tat, von der gesagt wird, sie könne „beweisen, was die Arbeiterklasse leisten kann" (192), fällt der Held unmittelbar nachdem er die Unversöhnlichkeit seines neuen Parteisekretärs erfahren hat, der in faschistischer Zeit von ihm denunziert worden ist. Balkes Geschichte scheint sich dabei zu wiederholen: wiederum wird er im Interesse des Ganzen zum Denunzianten. Die zweimalige Denunziation hat Heiner Müller gegenüber der Vorlage neu eingeführt und so sein Bemühen unterstrichen, den Helden als widersprüchlichen Charakter zu zeichnen.

Wie dies schon zu Brechts Entwürfen zu erläutern war, bleibt auch Heiner Müllers Held frag-würdig und kann daher nicht als mitreißendes Vorbild, sondern „nur" als Lernobjekt fungieren. Heiner Müller greift selbst auf Brechts Lehrstück — Theorie zurück, wenn er solche Vorstellung fragwürdiger Figuren und Szenen fordert:

„Brechts These, daß die Gesellschaft aus der Vorführung asozialer Verhaltensmuster den größten Nutzen ziehen kann, mag utopisch sein, solange Theater sich aus der Teilung in Spieler und Zuschauer konstituiert, aber das Positive kann nicht mehr einfach über die Identifikation mit einem Helden transportiert ... werden." [84]

An die Stelle der Identifikation mit dem Positiven setzt H. Müller Herausforderung und Probe des Zuschauers in Auseinandersetzung mit einem Helden, der selbst dem Versuch verpflichtet ist. Als der mit seiner Arbeitsauffassung und Leistung weit Vorausweisende, stellt der Held der Arbeit einmal die Realität selbst auf die Probe: macht er sichtbar, was sein soll und — im begründeten Widerstand der Gegenspieler wie in den ihn selbst charakterisierenden Widersprüchen — was gegenwärtig ist und noch zu ändern ist. Ein solcher Gestaltungsansatz setzt den Widerspruch wieder als Motor der gesellschaftlichen Entwicklung ein. Im Verweigern fertiger Lösungen der auf solcher Grundlage entwickelten Probleme wird zum andern Eingreifen des denkenden Lesers bzw. Zuschauers gefordert, dessen gesellschaftliches Bewußtsein damit gleichfalls auf die Probe gestellt wird. Ein neues soziales System wird im Stück selbst wie beim Zuschauer mit Arbeitsauffassungen konfrontiert, die ihre Prägung durch Erfahrungen entfremdeter Arbeit erhalten haben; umgekehrt wird eine nicht mehr entfremdete Arbeitsauffassung vielfältig mit Situationen konfrontiert, die auf ein gesellschaftliches System verweisen, das Entfremdung hervorbringt. Der jeweils geschilderte Realitätsausschnitt, der nicht moralisch beurteilt, sondern soziologisch begründet wird, vermag das Versprechen in Frage zu stellen, das der Held der Arbeit verkörpert. Wirklichkeit wird damit aber nicht nur destruktiv entlarvt, denn gleichzeitig vermag der fragwürdige Held, der gleichwohl die zukunftsweisende Tat vollbringt, die nur rückwärts weisende Beurteilung einer Situation oder Handlung zu überwinden.

Den Widerspruch als Motor der gesellschaftlichen Entwicklung anerkennend und damit von einer dialektischen Wirklichkeitsauffassung ausgehend, gelingt H. Müller mit der Figur des Helden der Arbeit auch die geforderte optimistische Gestaltung. Zwar wird das „Positive" im Drama nicht mehr über die Identifikation mit dem Helden „transportiert", es wird aber doch an der Aufgabe festgehalten, ein Positives zu vermitteln. Beispielhaft entspricht H. Müllers Drama der für die Konzeption des sozialistischen Realismus grundlegenden Forderung, die „Wirklichkeit in ihrer revolutionären Entwicklung" darzustellen [85]. Mehrfach schon wurde darauf verwiesen, daß dies auch die beginnende Abrechnung mit dem Stalinismus zur Voraussetzung hat, die 1956 mit Chruschtschows Rede auf dem Zwanzigsten Parteitag der KPdSU sanktioniert worden war. Entscheidende Bedeutung für die literarische Situation in der DDR erlangte in diesem Zusammenhang der 4. Deutsche Schriftsteller-Kongreß (10.—14. 1. 1956), zu dessen zentralem Thema sich die Kritik der bisherigen schematischen Wirklichkeitsdarstellung und ein Neubestimmen realistischer Literatur erhob.

Schonungslos sprach A. Seghers in ihrem Referat [86] nicht nur die Schwächen der bisherigen Gegenwartsdarstellung in der Literatur der DDR aus, sondern wußte diese auch zu begründen. Der literarischen Bewegung, die als „Kampf gegen Formalismus ..." inauguriert worden war, wies sie eine tiefe Affinität zu eben formalistischer Schreibweise nach: die gleiche Wirklichkeitsarmut, die diese erkennen lasse, ergebe sich auch aus dem vielfältig geforderten Nach-Schreiben eines von politischer Seite schon festgelegten Wirklichkeitsbildes. Literarische Produktion verspiele damit gerade die ihr eigene Möglichkeit, noch nicht erkannte Wirklichkeit sichtbar zu machen. Was für solch literarisches Sichtbarmachen von Wirklichkeit zu fordern sei, entwickelten ausdrücklicher Lukács und Brecht. Am Verlust historischer Dialektik zugunsten einer Antizipation des Ideals eines vollendeten Sozialismus, das der gegenwärtigen gesellschaftlichen Erfahrung aber nur als Forderung gegenübergestellt werden konnte, wies Lukács [87] den vielfach tendenziösen Charakter der Gegenwartsliteratur der DDR auf. Im Sinne des Parteilichkeitsbegriffes [88], wie er ihn 1932, und des Begriffes der revolutionären Romantik [89], wie ihn Shdanow 1934 entwickelt hatte, erläuterte Lukács als „richtige" Auffassung der „Perspektive", im Gegenwärtigen die Elemente des Zukünftigen freizulegen, statt die Gegenwart in Vorwegnahme des zukünftigen Ideals aufzulösen. Seinem ursprünglichen Ansatz getreu, faßt Lukács in solcher Kritik des bisherigen opportunistischen Verständnisses von Parteilichkeit und Optimismus beide Kategorien zwar auf der Grundlage eines dialektischen Geschichtsbildes, gleichzeitig aber kontemplativ: den Schriftsteller bestimmt er als „Historiker des entstehenden Sozialismus", d. h. aber als Betrachter einer Entwicklung, die sich auch ohne ihn vollzieht. Im Unterschied hierzu faßt Brecht [90] die künstlerische Aneignung der neuen Welt selbst schon als kämpferische Praxis, für die es keine Beschränkung der anzuwendenden Kunstmittel geben dürfe. Als Entsprechung zu dem noch andauernden und noch nicht entschiedenen Kampf zwischen Altem und Neuem, der darzustellen ist „für Menschen, die Altes und Neues in sich haben“, fordert er nachdrücklich Anerkennen auch des künstlerischen Experiments. Dem Verschleiern der Kluft zwischen Ideologie und Wirklichkeit, das gerade als letztlicher Grund für die kritisierte literarische Entwicklung bestimmt worden war, blieb am weitestgehenden Becher [91] verhaftet: zweifellos auch eine Folge seiner sozialen Zwitterstellung als Schriftsteller und Angehöriger der politischen Führung als Kultusminister. Der kritischen Einschätzung der Gegenwartsliteratur durch seine Vorgänger beipflichtend, konnte er die „Größe“ der Literatur der DDR wesentlich nur als zukünftige Größe bestimmen [92] und konnte er ferner diese Größe nicht auf der Basis der Kritik an der bisherigen Literaturentwicklung begründen, sie dieser vielmehr nur appellativ gegenüberstellen.

Die Ereignisse in Ungarn und Polen bezeugten die politische Brisanz der Abrechnung mit dem Stalinismus. Sie wurden entsprechend auch als Begründung für neue restriktive Maßnahmen herangezogen. In der DDR erfolgt in diesem Zusammenhang die Verhaftung des Philosophie-Professors Harich. 1957 folgt ein Prozeß gegen Harich und seinen engeren Kreis, ferner die Auseinandersetzung mit Lukács, d. h. die angestrengten Versuche, ihn nach seiner Teilnahme am Ungarn-Aufstand als Revisionisten auch in seinen ästhetischen Schriften zu „entlarven“ [93]. Die Wirkung, die H. Mayers Thesen zur Gegenwartsliteratur auslösten, erhellt beispielhaft die sich wandelnde Situation. Auf der Konferenz der Literaturwissenschaftler in Berlin zog H. Mayer am 31. 5. 1956 die Summe der auf dem Schriftsteller-Kongreß geäußerten Kritik [94]. Kennzeichnend für die Literaturwissenschaft sei: Orientierung am Zweckmäßigen, Rechtfertigung auch schlechter Literatur als nützlich; die Literatur, die auf diese Weise gefördert worden sei, müsse als „Literatur der rot angestrichenen Gartenlaube“ bezeichnet werden. Mayers Thesen wurden heftig angegriffen; im November faßte er sie zu einem Rundfunkvortrag zusammen, die Ausstrahlung des Vortrags wurde abgesetzt, der Vortrag wurde dann aber in der Zeitschrift „Sonntag“ veröffentlicht [95], wofür die verantwortlichen Redakteure zur Rechenschaft gezogen wurden. (Sie wurden wegen Mitgliedschaft bei der Harich-Gruppe verhaftet.)

Die Forderung nach Parteilichkeit und Optimismus auf der Grundlage einer materialistisch-dialektischen Geschichtsauffassung erfüllend und einen mündigen Leser voraussetzend, der das jeweils Vorgestellte kritisch aufzufassen vermag, erhebt sich H. Müllers Drama zu einem gültigen Beispiel für jene literarische Position, die 1956 errungen worden war. Sein Stück wurde in der Phase neuer Restriktionen nach 1956 aufgeführt [96]: ein Beispiel für die Unzulässigkeit starrer Einteilung der DDR-Literaturgeschichte in verschiedene kulturpolitische Phasen. Die Kritik am sog. „didaktischen Theater", die mit Ulbrichts Rede auf dem 4. Plenum des ZK der SED im Januar 1959 offiziell sanktioniert wurde [97], sparte H. Müllers „Lohndrücker" zwar aus — Ulbrichts lobende Erwähnung des Stückes auf dem 5. Parteitag der SED 1958 zeigte hier ihre Folgen [98] — zog aber als „falsche Auffassungen von Volkstümlichkeit und Parteilichkeit" [99] all jene Errungenschaften wieder in Zweifel, die an H. Müllers Drama hervorzuheben waren. Zu einer Charakteristik des „Lohndrücker" ex negativo erheben sich so folgende Einwände gegen das didaktische Theater:

„. . . ein Betonen der Widersprüche und der Verzicht darauf, bis zu deren Lösung vorzudringen; ein Vorurteil gegen vertiefte Menschengestaltung, die gern durch das Zeigen sog. sozialer Verhaltensweisen (oft gerade der falschen!) ersetzt wird; eine Abneigung gegen die große dramatische Form, dafür impressionistische Auflösung des Geschehens in Episoden." [100]

Die Ablehnung des didaktischen Theaters, die sich dem Bemühen einordnet, die literarische Entwicklung nach der Entstalinisierung wieder zu kanalisieren, konnte sich eine Rückkehr zur Situation von 1951 und damit zum Stalinistischen Literaturmodell nicht zum Ziel setzen. Den kritisierten Auffassungen von Parteilichkeit und Volksverbundenheit im „didaktischen Theater" wurde vielmehr in der Konzeption des „Bitterfelder-Weges" ein qualitativ neuer Ansatz der literarischen Auseinandersetzung mit der sozialistischen Gegenwart gegenübergestellt. Wo sich trotz dieser neuen Konzeption eine beherrschendere Orientierung an dem früheren Versuch allegorischer „Übersetzung" der Wirklichkeit erkennen läßt, zeigt sich die Figur des „Helden der Arbeit" zum „Riesen" gewandelt, wie ihn P. Hacks gerade von dessen Abstand zur Realität her bestimmt:

„... Jede Zeit hat die Lieblingsfigur, die sie verdient; die Lieblingsfigur des sozialistischen Dramatikers ist der Riese. Der Riese, das ist der nicht durch die Fehler der Welt eingeschränkte Mensch." [101]

Der Konflikt eines so verstandenen „Riesen" mit der Welt steht im Mittelpunkt des mehrfach umgeschriebenen Dramas „Die Kipper" von Volker Braun [102]. Überhöhung der Hauptfigur und pathetische Sprache weisen dabei auf die Realitätsferne anspruchsvoller Behauptung, die auch Brauns erste lyrische Versuche kennzeichnet [103].

6. Der „andere" Held in der Literatur der Arbeitswelt der BRD: M. Mander, Der Glühofen (1969) [104]

Die literarische Konzeption des Helden der Arbeit erschloß die Stalinistische Phase der DDR-Literatur und die ihr folgende kritische Besinnung im Rahmen der politischen Entstalinisierung. Verschiedene Möglichkeiten, das Modell des sozialistischen Realismus zu verwirklichen, waren dabei zu beschreiben. Das Gemeinsame — gerade in dieser Gemeinsamkeit für die Literatur der DDR Charakteristische — wird nochmals bewußt, wenn den betrachteten Texten eine Gestaltung desselben Motivs aus einer westlichen Gesellschaft gegenübergestellt wird. Das ausgewählte Beispiel kann dabei nicht ausführlich aus seinen besonderen gesellschaftlichen und historischen Voraussetzungen erklärt werden, vordringliches Ziel soll es vielmehr sein, das charakteristisch andere dieses Textes festzustellen, das als Folge der unterschiedlichen historischen und gesellschaftlichen Erfahrungen angenommen werden kann.

Das vergleichbare Motiv ist in der außergewöhnlichen Situation zu erkennen: ein Arbeiter im brennenden Glühofen. „Johannes im Feuerofen" war als Titel für die Aktivisten-Reportage von Ed. Claudius vorgesehen [105], „Der Glühofen" überschreibt der österreichische Autor Mander seinen Text. Schon die Begründung der Situation läßt bezeichnende Unterschiede erkennen. Manders Held Zattl befindet sich nicht freiwillig im brennenden Ofen, selbsttätig hat sich auf seinem Prüfgang das Tor hinter ihm geschlossen, und ihn so in dem Ofen gefangen, der zu brennen beginnt. In solcher Situation läßt sich Arbeit nicht als Selbstverwirklichung des Menschen darstellen, die dem Helden wie in den früheren Beispielen im Aufbau eines neuen Ofens gelingt, sondern nur als dringendes

Gebot bloßer physischer Lebensrettung, die vom Helden die Zerstörung des Ofens verlangt.

Expressive sprachliche Bilder und kommentierendes Eingreifen des Erzählers verleihen dem — unerhörten — Einzelfall über sich hinausweisende Bedeutung. Ein Unfall dient als äußere Zurüstung, einen Arbeiter in der Situation äußersten Bedrohtseins durch das Produktionsmittel darzustellen, das er zu be-dienen hat. Diese äußere Zurüstung wird durch spätere Begründungsversuche überholt:

„Das Handeln Zattls ist seit dem Spleißen der Seilklemme und dem Niederbruch des Ofentors ohne Zögern und ohne Verwirrung. Sein Denken ist immer noch langsam, trocken, gezielt, beinahe unberührt vom Geschehen und von eigenwilliger Genugtuung erfüllt. Als sei etwas Erwartetes, ja Vertrautes eingetreten. Gegen die aufkommende Angst brandet ein Meer lindernder und ausgleichender Kühle aus seinem Innern. Er mißt und wiegt noch in äußerster Bedrohung.

Zattl empfindet, wenngleich verwundert, Ureigenes, Verwandtes in dieser Prüfung. Denn zu naheliegend war seit Jahren die Vorstellung der Gefangenschaft im Ofen, die ihn, wenn schon nicht antrieb, so doch mit einem wirksamen Vorgeformtsein für sein Geschick zeichnete: ein Rauschmittel, das den Glühwärter Zattl ebenso jahrelang vor dem Unglück geschützt hatte, wie es ihn nun in die entscheidenden Minuten über alle bewußte Willenskraft hinaus bereit und gefaßt entläßt! So meint der fiebernd durch die Schatten Tappende, er sei es gar nicht selbst, den das Schamottor in den Feuerofen gezwungen hat, er sei herausgehalten, unverletzbar, die Katastrophe habe sich ohne genügend erschütternde Anzeichen über ihn geworfen. Er glaubt nicht an das Entsetzliche, dämmt es ein mit aufquellendem Zutrauen, das noch aus pulverscharfen Schwaden Gläubigkeit saugen will: Zattl wird nie erwachen aus dieser unbeirrbaren Festigkeit, unsterblich bis zuletzt ...“ (14)

Der Einschluß im Ofen wird als schon immer erwartetes Geschick, als vorbedachte berauschende Möglichkeit vorgestellt; folgerichtig wird nicht nach äußeren Gründen, etwa nach unterlassenen Sicherheitsvorkehrungen, insgesamt nach Gründen in der Arbeitsorganisation gefragt; die Situation wird vielmehr schicksalhaft angenommen — sie bleibt entsprechend wiederholbar — und gedeutet nach dem biblischen Modell einer göttlichen „Prüfung“, in deren Bestehen der Heimgesuchte „Unsterblichkeit“ zu erlangen vermag. Zattl kann gegen das bedrohende Produktionsmittel ankämpfen, obwohl dieses als dämonisches Ungeheuer erscheint (vgl. insbesondere die Flammen-Metaphorik), da er dessen Funktionsweise bis in einzelne kennt. Die Sicherheit dieses Wissens befähigt ihn zum Zerstören des Ofens und nur im Akt des Zerstörens wird er als Herr des Produktionsmittels und seines eigenen Schicksals gezeigt. Sein gewaltiger Kampf offenbart zugleich aber seine große Ohnmacht. Der zum Sinnbild erhöhte Ausbruchsversuch des eingeschlossenen Arbeiters erscheint eigentümlich eingeschränkt: der Kampf wird nur gegen die Maschine geführt: nur das Abwürgen der Feuerung war offenbar in der gedanklichen Vorwegnahme der Situation bedacht worden. Nachdem dies in unerhörtem Kampf gelungen ist, wird jedoch bewußt, daß der entscheidende Akt der Rettung immer noch aussteht, daß dieser nur von außen kommen kann und soviel Überlegung voraussetzt, wie sie mit größter Wahrscheinlichkeit nicht erwartet werden kann.

Der Text zeigt damit nicht nur den Ausbruchsversuch eines Arbeiters aus tödlichem Eingeschlossensein durch Zerstören des Produktionsmittels, das ihn bedroht, er zeigt zugleich auch die letzliche Sinnlosigkeit solch dramatischen Einzelkampfes. Eine Schwebe zwischen Hoffnung und Angst wird damit erreicht, die die dargestellte Figur bestimmt und die der früher berufenen Ambivalenz zwischen Traumgeschehen und Realität entspricht:

„Zattl wankt durch die giftigen Schwaden, besonnen, immer wieder neu die rettenden Griffe setzend, fast erstickend: Klopfzeichen ans Tor; unter furchtbarer Qual: Klimmzüge zum Luftspalt; vor feuchten Gasschwaden fröstelnd: Rast und unermüdliche Planung! Immer noch trotzt in seinem Blick der Zweifel am Entsetzlichen: hartnäckige Zuversicht! Schlag auf Schlag seiner blasigen, blutigen Fäuste trifft ins offene Auge des Wahnsinns, das Zattl — sei es sterbend! — blenden wird, stumm, langsam, ohne Panik und Rasen, wie bei seinem zähen Tanz mit dem erwürgten Glühofen: denn seine Hoffnung ist so gewaltig wie die Angst." (16)

Die Ambivalenz, die die Darstellung bestimmt, erhellt auch die gesellschaftliche Funktion, die solch ein Text zu erfüllen vermag. Im Annehmen der dargestellten Situation als schicksalhaft geht der Text von einem Gesellschaftsbild aus, das er bei der Mehrheit seiner Leser erwarten kann. Größe gewinnt der geschilderte Held im Vermögen, sich gegen dieses Geschick aufzubäumen. Er macht damit aber nur das Unerträgliche bewußt, um sich sodann in dessen mythischer Überhöhung mit ihm zu versöhnen. Notwendig bleibt solche Negation der Negation aber wirkungslos, denn sie wird nicht von der Einsicht in die Voraussetzungen der vernichtenden Situation geleitet. Ohnmächtiges Sich-Aufbäumen in einer nicht-durchschauten Welt kündigt sich so als ein Leitthema der Literatur der Arbeitswelt in der BRD an. Die Auseinandersetzungen zwischen der Dortmunder Gruppe 61, der M. Mander angehört, und den Werkkreisen Literatur der Arbeitswelt wird u. a. um Voraussetzungen geführt werden, solch ohnmächtige — auch literarisch ohnmächtige und darum in den literarischen Markt leicht integrierbare — Kritik zu überwinden [106].

III. Die Realität als Probe

a) Literaturhistorische und literaturtheoretische Voraussetzungen: das literarische Modell des „Bitterfelder Weges"

Mit der Entstalinisierung hatte auch das stalinistische Literaturmodell [1] seine Leitfunktion verloren. Ein Ansatz, die kritisierte Realitätsferne der bisherigen sozialistisch-realistischen Literatur zu überwinden, war am Beispiel Heiner Müllers im „didaktischen Theater" erkannt worden. Dieser Ansatz traf jedoch auf ängstliche Kritik. In der zur Allegorie tendierenden Literatur war versucht worden, die Welt mit vorgegebenen Konstruktionsschemata zu erfassen, wobei sich diese aber notwendig als jeweils individuelle, empirisch faßbare Realität entzog. Die mit der Entstalinisierung einsetzende literarische Diskussion hatte den schematischen Charakter dieser Weltentwürfe aufgewiesen. Als Gegenreaktion zu solch „sozialistischem Idealismus" wurde jetzt ein neuer literarischer Naturalismus befürchtet [2]. In der Gestaltung von Widersprüchen, die im Stück selbst nicht gelöst werden, im Darstellen falscher sozialer Verhaltensweisen, wurde ein Beharren auf den noch nicht verwirklichten Versprechungen des Sozialismus erkannt. Parteilichkeit als Darstellen der Wirklichkeit in ihrer revolutionären Entwicklung werde damit in Frage gestellt; beim Leser werde eine gesicherte sozialistische Haltung vorausgesetzt, die nach der dargestellten widersprüchlichen Wirklichkeit nicht notwendig verlangt werden könne. Das Neue der Wirklichkeitsauffassung und des Leserbildes dieses ersten Versuchs, das stalinistische Literaturmodell zu überwinden, wurde damit zweifellos richtig erkannt. In den Notizen für seine Rede auf dem 4. Deutschen Schriftsteller-Kongreß faßt Brecht beides beispielhaft zusammen:

„... überall kämpft das Neue mit dem Alten, der Sozialismus mit dem Kapitalismus. Wir haben das günstigere Kampfgelände, aber wir sind nicht fertig mit dem Kampf ...

Sie mögen den Kampf des Neuen gegen das Alte als Thema haben, es beschreiben. Aber sie müssen es auch für Menschen alten und neuen Schlages beschreiben und für Menschen, die Altes und Neues in sich haben." [3]

Je weniger es politisch opportun erschien, die Entscheidung in diesem Kampf vom Leser selbst zu fordern, um so mehr mußte eine Literatur, die gerade dies zu ihrer Voraussetzung erhob [4], als naturalistische Beschränkung auf das einzelne, widersprüchliche Gegebene diskreditiert werden, das aus seinem Zusammenhang mit der notwendig sich vollziehenden geschichtlichen Entwicklung herausgerissen werde. Wurde dies als Gefahr eines neuen Naturalismus beschworen, war ein anderer Ansatz „realistischen" Erfassens der Wirklichkeit zu entwickeln, wobei „Realismus" durch die Aufgabe charakterisiert wird, in der Darstellung von Wirklichkeit „den gesellschaftlichen Kausalkomplex aufzudecken" und „die Realität den Menschen meisterbar in die Hand zu geben" [5]. Explizit formuliert und zum Programm erhoben wurde dieser Ansatz auf der Literatur-Konferenz in Bitterfeld vom 24. 4. 59 (Teilnehmer: Schriftsteller, sog. schreibende Arbeiter, Verlagslektoren, politische Funktionäre).

Der leitende Gesichtspunkt der neuen literarischen Konzeption war ein Jahr zuvor auf dem 5. Parteitag der SED bestimmt worden: Überwindung der noch vorhandenen Trennung von Kunst und Leben, der Entfremdung zwischen Künstler und Volk [6]. Zwei komplementäre Wege wurden hierzu propagiert, beide waren nicht neu, wurden jetzt aber zur Grundlegung eines neuen Literaturverständnisses herangezogen und hierauf aufbauend zu eigenen literarischen Bewegungen entfaltet, umrissen mit den Schlagworten „Schriftsteller an die Basis" und „Greif zur Feder, Kumpel". Zeigt sich die eine Bewegung dem Ziel verpflichtet, schon voraussetzbares gesellschaftliches Bewußtsein mit Erfahrung zu sättigen, so die andere, gegebene gesellschaftliche Erfahrung mit Bewußtsein zu durchdringen: gemeinsame Aufgabe wird damit die angemessene Verbindung von persönlicher, unmittelbarer Erfahrung und allgemeiner gesellschaftlicher Entwicklung als ein Problem realistischer Darstellung.

Verstärkte Auseinandersetzung mit der eigenen sozialistischen Gegenwart war von den Schriftstellern der DDR schon oft gefordert worden. Neu war jetzt, daß diese Auseinandersetzung aus dem theoretischen Bereich in jenen der unmittelbaren gesellschaftlichen Praxis verwiesen wurde: durch eigene Arbeit in der Produktion sollte den Schriftstellern eine qualitativ andere Realitätserfahrung vermittelt werden, die sie dann befähigen sollte, „das Neue in der gegenwärtigen sozialistischen Umgestaltung, in der Entwicklung des gesamten wirtschaftlichen und kulturellen Lebens, der neuen Beziehungen der Menschen, des neuen gesellschaftlichen Lebens zu gestalten".[7] Die gesellschaftliche Erfahrung des Schriftstellers wurde so zu einer öffentlichen Sache, was allerdings auch das Problem einer neuerlich möglichen Lenkung dieser Erfahrung heraufführte.

Die „Arbeiterkorrespondentenbewegung"[8] der Weimarer Republik war in der „Volkskorrespondentenbewegung" der DDR wieder aufgenommen worden. „Schreibende Arbeiter" gab es mithin schon vor der Bitterfelder Konferenz, mit dem Auftrag, „die Höhen der Kultur zu stürmen", wurde der neu propagierten Bewegung jetzt aber ein qualitativ anderes Ziel gewiesen. Diese Bewegung begründend — „Ohne die Erstürmung der Höhen der Kultur kann die Arbeiterklasse ihre großen Aufgaben, den Sozialismus zum Sieg zu führen, nur schwer erfüllen"[9] — konnte sich Ulbricht auf Positionen berufen, die Lenin vertreten hatte[10]. Lenin wendet sich dabei aber gegen Tendenzen in der Sowjetunion, die Entwicklung einer proletarischen Kultur durch einen radikalen Bruch mit der bürgerlichen zu begründen. In der DDR waren solche Tendenzen nicht gegeben, die betonte Bindung an die bisherige bürgerliche Kultur barg damit die Gefahr einer Selbstverleugnung der schreibenden Arbeiter, wie dies der Begriff der „Höhen" der Kultur schon andeutet.

Beide Ansätze, die Trennung von Kunst und Leben aufzuheben, der „Weg vom Dichter zum Arbeiter"[11] wie umgekehrt vom Arbeiter zum Dichter, nennen in den beiden Polen, die sie zu verschränken suchen und dabei doch gerade gegenüberstellen, schon ihre spezifische Problematik. Die historische Trennung zwischen Kunst und Arbeit wird zumindest in der Formulierung des Programms noch nicht überwunden. Künstlerische Produktion, die in die Lehre der materiellen Produktion geschickt wird, bzw. von der Basis der materiellen Produktion aus „erstürmt" werden soll, wird selbst noch nicht als spezifische Form der Produktion aufgefaßt — wie alle Produktion vom jeweiligen Stand der Produktivkräfte und deren Bezug zu den jeweiligen Produktionsverhältnissen bestimmt und als gesellschaftliche Praxis deren weitere Entwicklung mittragend. Es wird zu fragen sein, wieweit die im Programm noch nicht aufgehobene Trennung von Kunst und Arbeit in den literarischen Werken selbst schon aufgehoben zu werden vermag, und wieweit sich hieraus gerade spezifische Probleme der Rezeption solcher Werke ergeben. Ergebnisse, die das herrschende Literaturverständnis in der DDR in Frage stellen, werden dabei ebensowenig als Einwände gegen die literarische Konzeption gelten können, wie Werke, die dem formulierten Programm nicht zu genügen vermögen.

Das stalinistische Modell des sozialistischen Realismus zeigte sich wesentlich dem Darstellungsansatz der Allegorie verpflichtet, die sich — eingelöst als versuchende Vorwegnahme des sozialistischen Ideals — in scheinbarer Versöhnung mit dem geforderten revolutionären Optimismus darbot [12]. Die Bitterfelder-Konzeption als neue Verpflichtung auf die sozialistische Gegenwart holt solch versuchende Vorwegnahme des Ideals zurück in den Akt der Suche nach dem Ideal, der Probe auf die Wahrheit des sozialistischen Ideals in der Gegenwart. Der Dualismus der Allegorie soll einer dialektischen Auffassung der Wirklichkeit weichen. Das Besondere als das konkret Erfahrbare erschöpft sich dann nicht mehr im bedeutungsvollen Bezug auf das Allgemeine, dieses verstanden als Gesamtprozeß der gesellschaftlichen Entwicklung und dessen Ideal. Das Besondere vermag das Allgemeine vielmehr auch in Frage zu stellen, wie umgekehrt das Allgemeine unter solcher Voraussetzung den Charakter des Beliebigen in seinem Bezug zum Besonderen überwindet und damit erst die Voraussetzung erfüllt, das Besondere seinerseits nun in Frage zu stellen. Eine neue Annahme der Realität steht damit zur Debatte; das Bild der Realität ist nicht mehr fertig vorgegeben, sondern erst noch zu erarbeiten, womit die bestimmende Aufgabe der gestalteten Figuren wie der gestaltenden Schriftsteller genannt wird, deren Erfüllung dann selbst wiederum als ein Moment gesellschaftlicher Praxis zu begreifen ist. Ihre Leitfigur kann diese Literatur nicht mehr im fertigen „Helden der Arbeit“ finden, der das gesellschaftlich Neue, das sozialistische Ideal, schon machtvoll verkörpert, sie erkennt sie vielmehr im suchenden Helden, der seinen Ort in der Gesellschaft erst noch bestimmen muß, in diesem Sinne in der Gesellschaft erst noch „ankommen“ [13] muß. Der Ort der Ankunft, die sozialistische Gesellschaft, steht dabei weniger zur Debatte. Er ist aber erst real, wenn er und soweit er vom Helden angenommen wird: Die dargestellte Realität zeigt sich damit wesentlich von der Individualität der einzelnen Figur geprägt.

Als Antwort auf die kritisierte Realitätsarmut stalinistischer Literatur und die beschworene Gefahr eines ihr folgenden perspektivelos kritischen Ansatzes literarischer Gestaltung war eine neue Bestimmung von Realismus zu erarbeiten. Nach dem Bitterfelder-Ansatz sollte dies durch Befragen der Realität selbst gelöst werden, entsprechend der Maxime Brechts: „Über literarische Formen muß man die Realität befragen, nicht die Ästhetik, auch nicht die des Realismus“ [14]. Bezogen auf die Rücknahme des allegorischen Ansatzes heißt dies: die gültige Verbindung von Besonderem und Allgemeinem ist in der Realität selbst aufzusuchen. Literatur erweist sich damit als ein Moment des gesellschaftlichen Prozesses, der diese Verbindung immer neu zu leisten hat. Der jeweils einsinnig verlaufende Verweisungszusammenhang der Allegorie ist zu ersetzen durch Wechselwirkung. Besonderes und Allgemeines, jeweils gezeigter Realitätsausschnitt und Gesamtprozeß der gesellschaftlichen Entwicklung sind in einem wechselseitig sich bedingenden Wandlungsprozeß zu erkennen. Befragen der Realität ist als Prozeß vorzustellen, in dem sich Schriftsteller und Arbeitswelt, mit der er konfrontiert wird, ebenso gegenseitig prägen, wie schreibender Arbeiter und literarische Produktion, die ihm als kultureller Wert vermittelt wird. Erst wenn dies geleistet wird, überwindet Literatur ihre bisher vorwiegend ausgeübte bestätigende Funktion und vermag sie der Forderung zu genügen, Produktivkraft zu sein.

Mögliches Verfehlen des eigentümlichen Ansatzes der neuen literarischen Konzeption — früher schon in der letztlich noch beibehaltenen Trennung zwischen Kunst und Arbeit angedeutet — kann damit genauer bestimmt werden: überall dort meldet sich ein Verlust des dialektischen Ansatzes an, wo nur ein einseitiger Wandlungsprozeß vorgestellt wird, sei es, daß nur die Schriftsteller sich vor einer nicht weiter kritisierbaren Realität der Arbeitswelt, sei es daß nur die schreibenden Arbeiter sich vor nicht weiter kritisierbaren kulturellen Werten zu wandeln haben. In beiden Fällen diente Schreiben nur dazu, schon festgelegte Vorstellungen zu bestätigen, und tatsächlich entstand im Gefolge der Bitterfelder-Konzeption aus solchem Ansatz eine neue Flut bestätigender Literatur, die Kritik schon dadurch von sich abhalten konnte, daß selbst Ulbricht in seinem Bitterfelder Referat, das die neue literarische Konzeption gerade erst entwarf, solch einseitige Vorstellung des Wandlungsprozesses nahelegte [15]. Aber weder die programmatische Einführung noch die Werke, die hinter dieser zurückbleiben, können verbindliche Auskunft über die Leistung einer literarischen Konzeption geben: das können erst jene Werke leisten, die deren Spielraum umfassend auszunützen wissen.

Die literarische Bewegung des Bitterfelder-Weges kann unter der Leitperspektive „Die Realität als Probe" zusammengefaßt werden. Geht man von dem Ziel aus, den Dualismus allegorischer Wirklichkeitsdarstellung zu überwinden, so impliziert dies einmal, der jeweils empirisch erfahrbaren, historisch konkreten Situation als dem Besonderen Eigenrecht zuzuerkennen als Probe der gesellschaftlichen Erwartungen und Zielsetzungen, d. h. des Bildes der gesamtgesellschaftlichen Entwicklung als des Allgemeinen. Erkenntnistheoretisch würde derselbe Ansatz in der Frage formuliert: Wie weit vermag der sozialistische Anspruch die empirisch gegebene Realität zu erfassen? Mit solchem Ansatz wird zugleich die Frage nach der Rolle des subjektiven Faktors in der gesellschaftlichen Entwicklung neu gestellt [16] und kann gegenüber den Forderungen des Allgemeinen ein Recht auf Subjektivität reklamiert werden. Die Annahme der Realität kann damit als Konflikt vorgestellt werden, der in seinem Verlauf nicht von vornherein festgelegt ist. Die dramatische Gestaltung der sozialistischen Arbeitswelt wird hieraus ebenso neue Impulse empfangen, wie insbesondere der Bildungsroman, wenn es die Problematik dieser spezifisch deutschen Gattung kennzeichnet, bevorzugt das Bild einer „erpreßten Versöhnung" [17] des Individuums mit der Gesellschaft vorzustellen. Verlust der Realität stellt sich bei solchem Ansatz dann ein, wenn das Besondere, obwohl als Probe des Allgemeinen konzipiert — dies wäre der Unterschied zum früheren allegorischen Ansatz — dieses nicht in Frage zu stellen vermag: stattdessen vielmehr eine restlos aufgehende Gleichung vorgestellt wird. Der jeweils gestaltete Wirklichkeitsausschnitt vermag dann ohne Freisetzen widerständiger Kraft das geforderte Wirklichkeitsbild zu repräsentieren. Individuelle Bewegung erstarrt in solch widerstandsloser Übersetzbarkeit zum theatralischen Zeremoniell, dessen gesellschaftliche Funktion dann nur darin bestehen kann, eine schon etablierte Weltsicht zu bestätigen. Kunst spricht dann nicht nur die Erfahrung, sondern auch das schon Gewußte aller aus, statt befreiender Neusicht kann ihr dann nur noch illustrierende Wiederholung gelingen.

Setzt man beim Allgemeinen an, verlangt die Leitperspektive „Die Realität als Probe", konzipiert mit dem Ziel, allegorischen Dualismus der Wirklichkeitsdarstellung zu überwinden, komplementär zu dem zuletzt Entwickelten: Einbringen der Perspektive des Gesamtprozesses der gesellschaftlichen Entwicklung, um dadurch die jeweils erfahrbare Realität auf die Probe stellen zu können. Erkenntnistheoretisch würde dieser Ansatz in der Frage formuliert: wieweit vermag die empirisch gegebene Realität den sozialistischen Anspruch sichtbar zu machen? Der Exponent des Allgemeinen, sei dies der Schriftsteller, der vom historischen Materialismus als der Grundlage seiner literarischen Produktion ausgeht und insofern als „parteilich" zu bezeichnen ist, sei dies der Angehörige des Proletariats selbst als Träger der gesellschaftlichen Entwicklung in der gegenwärtigen historischen Phase, erkennt in solchem Einbringen des Allgemeinen die besondere Chance seiner Auseinandersetzung mit der jeweils erfahrenen gesellschaftlichen Situation und macht entsprechend auch diese „Probe der Realität" zum vornehmsten Inhalt seines literarischen „Experiments".

Aus der Orientierung auf das Experiment mit der Realität werden vor allem jene literarischen Gestaltungsformen neue Impulse erfahren, deren spezifischer Ansatz stets schon der Perspektive des Allgemeinen besondere Bedeutung zumißt. Hierzu sind insbesondere Formen der Reportage — Betriebsreportage oder Reportageroman — zu rechnen, ebenso aber auch proletarische Literatur, diese verstanden als Literatur, die von Angehörigen des Proletariats geschrieben wird, das in seiner historischen Rolle — aus marxistischer Sicht — gegenwärtig einzig dazu befähigt ist, ohne „falsches Bewußtsein" zur „Erkenntnis der objektiven wirklichen treibenden Kräfte der gesellschaftlichen Entwicklung [zu] kommen" [18].

Beim Ausgang vom Allgemeinen wird der neu konzipierte Ansatz literarischer Gestaltung in spezifischer Weise verfehlt, wenn das einzelne Gegebene aus der Perspektive des Gesamtprozesses nicht in Frage gestellt wird. Die Perspektive des Gesamtprozesses wird dann zwar als Probe des Einzelnen entworfen, hierin unterscheidet sich dieser Ansatz von allegorischer Darstellung, sie überformt das Einzelne aber völlig und stellt damit gleichfalls eine restlos aufgehende Gleichung her.

Eingelöst zeigt sich dies in einer Gestaltung des Einzelnen, die von allem abstrahiert, was der Perspektive des Gesamtprozesses widerspricht und so das jeweils Gegebene, losgelöst von seinen historischen Bindungen, als Repräsentation des sozialistischen Ideals vorzustellen vermag. Was Kunst dann ausspricht, ist in Gestalt übersetztes Wissen, Theorie, der noch keine Erfahrung antwortet; statt befreiendem Durchsichtig-Machen des Gegebenen in Orientierung auf den Gesamtprozeß der gesellschaftlichen Entwicklung kann ihr dann nur utopische Vorwegnahme des Ideals gelingen.

Gegenüber beiden Möglichkeiten, die neu konzipierte Auffassung der „Realität als Probe“ zu verfehlen, ist die „befreiende“ Wirkung der Kunst gerade darin zu bestimmen, daß sie das schon Erfahrbare aller — als das jeweils Besondere — ausspricht, so aber, daß sie damit gerade das noch nicht in das Bewußtsein Gelangte — als das Allgemeine — formuliert: dieses erprobend und von diesem aus das schon Erfahrbare auf die Probe stellend. Auf solche Aufgabe weist Kafka in seiner Deutung Picassos: „Er notiert bloß die Verunstaltungen, die noch nicht in unser Bewußtsein eingedrungen sind. Kunst ist ein Spiegel, der ‚vorausgeht‘ wie eine Uhr — manchmal.“ [19]

Mit der Konzeption des Bitterfelder-Weges zeigt sich damit das „Problem der Perspektive“ erneut zur Diskussion gestellt, wie es Lukács auf dem vierten Deutschen Schriftstellerkongreß 1956 aufgeworfen [20] und in der Deutung des Schriftstellers als „Historiker des entstehenden Sozialismus“ zusammengefaßt hatte [21]. Weder utopische Vorwegnahme noch harmonisierende Gleichsetzung, sondern kritische Reflexion des Möglichen in unmittelbarer Auseinandersetzung mit dem Wirklichen ergibt sich aus den erläuterten Voraussetzungen als Aufgabe der Literatur. In neuer Weise vermag Literatur damit „dokumentarisch“ zu werden, insofern sie — selbst ein Moment gesellschaftlicher Praxis — „Zeugnis ablegt“ von den lösbaren und noch nicht gelösten Widersprüchen, die die geschichtliche Phase vor dem realisierten Kommunismus durchziehen [22].

Das für die literarische Gestaltung in neuer Weise bestätigte Recht auf Subjektivität wirkt sich notwendig auch auf das Verständnis literarischer Wirkung aus und stellt so die Kategorie der Volksverbundenheit gleichfalls neu zur Diskussion. Anerkennen des subjektiven Faktors der geschichtlichen Entwicklung nicht nur als Folge (damit in Frage gestellt durch den gesamtgesellschaftlichen Entwicklungsprozeß) sondern als Folge bringend (damit diesen Prozeß selbst wiederum in Frage stellend), läßt Volksverbundenheit primär nicht mehr unter dem Aspekt größtmöglicher Wirkung fassen — was Reproduktion schon etablierter Sprach- und Vorstellungsmuster verlangte. Im Vordergrund steht jetzt vielmehr die Aufgabe, Lernprozesse auszulösen. Faßt man „Lernen“ allgemein als „Verhaltensänderung, die aus Erfahrung und Übung erwachsen ist"[23], gewinnen damit gerade solche Gestaltungsansätze Interesse, die die Erwartung des Lesers, statt sie zu bestätigen, in Frage zu stellen vermögen.

Angemessenes Einlösen des neuen Verständnisses von Perspektive und Volksverbundenheit, das sich in der Konzeption des Bitterfelder-Weges anmeldet, setzt für eine sozialistische Gesellschaft Parteilichkeit als Übereinstimmung mit den aus historisch-materialistischer Sicht bestimmten, entscheidenden Kräften der gesellschaftlichen Entwicklung voraus. Solcher Ansatzpunkt kann sich in der Konzeption des Bitterfelder-Weges gleichzeitig von dem Makel des bloß Kontemplativen befreien, der Lukács Parteilichkeitsbegriff anhaftet (dem parteilichen Schriftsteller bleibt es lediglich aufgegeben, die Entwicklung zu erkennen, die sich unabhängig von ihm vollzieht). Denn der Standpunkt der Parteilichkeit wird jetzt gerade dadurch gewonnen, daß der Schriftsteller zum „aktiven Mitkämpfer für den Aufbau der sozialistischen Gesellschaft"[24], der schreibende Arbeiter zum aktiven Kämpfer für die Bildung des neuen sozialistischen Bewußtseins wird.

„Befragen der Realität" als Weg, konzipiert unter der Leitperspektive „Die Realität als Probe", löst die erneute Verpflichtung literarischen Schaffens auf die sozialistische Gegenwart so ein, daß diese Gegenwart dabei selbst der Offenheit des Versuchs überantwortet wird. Damit wird deutlich, daß solcher Ansatz insbesondere — für die DDR ist im Rückblick sogar zu sagen „nur" — in einer Phase der gesellschaftlichen Entwicklung gedeihen konnte, der selbst wesentlich der Charakter des Offenen zukommt. „Realität als Probe" wird um so nachdrücklichere Forderung, als die Entwicklung der Realität selbst in das Stadium großer Versuche tritt. Die literarische Konzeption des Bitterfelder-Weges und mehr noch die ihr verpflichteten Werke sind entsprechend als Teilmoment der bedeutenden außen- und innenpolitischen, ökonomischen und ideologischen Wandlungsprozesse zu begreifen, die in der DDR von 1959 (Erste Bitterfelder Konferenz), bzw. — rechnet man die Vorgeschichte der Bitterfelder Konzeption mit ein — von 1956 (vierter deutscher Schriftsteller-Kongreß) bis 1965 (11. Plenum des ZK) stattfinden[25].

Von ihrem Ergebnis her kann diese Entwicklung als Prozeß der Selbstfindung und Selbstbegründung der DDR beschrieben werden. Die neue Qualität, die von der Literatur gefordert wird, bestimmt sich damit auch als die Qualität der Literatur eines selbständig werdenden Staates. Der Prozeß der Selbstfindung und Selbstbegründung verläuft dabei nicht in genügsamem Verharren bei dem Gegebenen: ihn kennzeichnet vielmehr, daß er Initiativen zu grundlegender politischer, ökonomischer und ideologischer Umgestaltung freisetzt. Literatur hat diesen Prozeß in bedeutsamer Weise mitzutragen: Offenbar kann die Konsolidierung des Staates nicht ohne ein nachdrückliches Erhöhen des sozialistischen Bewußtseins vorgestellt werden. Literatur der Arbeitswelt, schon thematisch bezogen auf den Bereich der entscheidendsten gesellschaftlichen Umgestaltungen, wird dabei das schärfste Bild dieses Entwicklungsprozesses vermitteln können.

Die neue Orientierung an der gegebenen Realität als Charakteristikum der Bitterfelder-Konzeption, die in einem sozialistischen Staat vor allem die Rückbindung an die Arbeiterklasse umfaßt, erklärt sich wesentlich aus dem Zusammenhang der Entstalinisierung. Stalin hatte, wie früher erläutert [26], mit der Einführung des zweiten Fünfjahres-Planes 1932 und endgültig dann mit dem ersten Unionskongreß der Sowjetschriftsteller 1934 die Diskussion um eine proletarisch-revolutionäre Literatur abgebrochen: der Sozialismus sei etabliert, im Produktionsbereich wie im Bewußtsein der Menschen, charakteristisch für die gesellschaftliche Situation sei daher nicht mehr Klassenauseinandersetzung, sondern Klassenharmonie. Damit gäbe es aber auch keine Basis mehr für eine klassenbewußte, proletarische Literatur: diese sei zu ersetzen durch eine sozialistisch-realistische Literatur. Mit der Ablösung vom Stalinismus war auch dieses harmonisierende Gesellschaftsbild zu revidieren. Ein ähnliches Bild zeigt später die Ablösung von Ulbricht. Rechtfertigung politischer Macht war jetzt wieder verstärkt in der Orientierung an der Arbeiterklasse zu suchen. Der politischen Führung der DDR kam diese „Proletarisierung" in mehrfacher Hinsicht entgegen: sie erleichterte den Rückbezug auf die eigene Tradition proletarisch-revolutionärer Literatur in einer Situation, da die DDR erstmals genötigt war, eine eigene literarische Konzeption zu entwickeln. Die Nötigung ergab sich dabei einmal aus der weitreichenden Orientierungskrise, die mit dem Ausfallen der Sowjetunion als Leitbild ausbrechen mußte. Sie ergab sich gleichzeitig aus der politisch notwendig gewordenen Absetzung von Lukács — der bis dahin in der DDR unbezweifelten literarischen Autorität — nach dessen Beteiligung am Ungarn-Aufstand. Sie ergab sich ferner aus der dringlich gebotenen Abgrenzung gegen

Forderungen eines kritischen bzw. humanen Sozialismus, wie sie in der DDR 1956 die Harich-Gruppe entwickelt hatte, wie sie dann mit noch größerer Breitenwirkung seit der Kafka-Konferenz in Liblice 1963 tschechische und bekannte westliche Kommunisten (insbesondere E. Fischer, R. Garaudy) erhoben und wie sie in den Vorlesungen Robert Havemanns „Dialektik ohne Dogma?" (1963/64) erneut in der DDR selbst zur Diskussion gestellt wurden. Das Bemühen um Selbstfindung und Selbstbegründung lenkte den Blick aber nicht nur rückwärts auf die eigene Tradition, sondern gleichzeitig auch vorwärts. Um dem Anspruch der Mündigkeit zu genügen, schien ein „beschleunigter Aufbau des Sozialismus" geboten [27].

Ersten, bedeutsamen Niederschlag fand das Bemühen um verstärkte Sozialisierung in dem anspruchsvollen Wirtschaftsplan, die BRD in den wichtigsten Produktionsbereichen bis 1961 einzuholen. Dieses Ziel wurde auf dem 5. Parteitag der SED 1958 festgelegt, es wurde bezeichnenderweise mit Nachdruck auf der Bitterfelder Literatur-Konferenz 1959 propagiert und dann Grundlage des 1959 verkündeten ersten Siebenjahres-Planes. Im Frühjahr 1960 folgte die mit starkem Druck vorangetriebene Kollektivierung der Landwirtschaft. Sie wurde als unerläßliche Voraussetzung begründet, den geforderten Produktionsaufschwung sicherzustellen.

Der verstärkten Sozialisierung im Produktionsbereich hatten dabei ebensolche Anstrengungen zur Bildung eines sozialistischen Bewußtseins zur Seite zu gehen. Eingeleitet wurde dies wiederum auf dem 5. Parteitag der SED mit Ulbrichts Verkündung der „10 Gebote der sozialistischen Moral". Die Förderung von „Brigaden der sozialistischen Arbeit" (deren Devise: „Sozialistisch arbeiten, leben, lernen") bezeichnet den nächsten Schritt. Die Verbindung der Literatur mit solchem immer stärker von sozialistischer Haltung geprägten Leben sollte dann die Konzeption des Bitterfelder Weges sicherstellen. Die andere Seite solcher Förderung „sozialistischen Bewußtseins" zeigte die Diskussion um das „Arbeitsgesetzbuch der DDR" im Winter 1960/61. Das Arbeitsgesetzbuch versagt den Arbeitern das Streikrecht und brachte in den Urlaubs- und Entlohnungsvorschriften einen Rückschritt gegenüber dem bisherigen Standard. Die Forderung nach Verbesserungen wurden mit der Bemerkung diskreditiert, sie zeugten von mangelndem sozialistischen Bewußtsein.

Mit der verstärkten Sozialisierung im Bereich der Produktion und der ideologischen Entwicklung sollte auch die Autorität der Partei, die seit der Entstalinisierung zunehmend in Frage gestellt war, wiederhergestellt werden. Das Signal setzte in diesem Zusammenhang die Verfassungsänderung von 1960, durch die nach dem Tod des Präsidenten Pieck das Präsidentenamt durch einen Staatsrat ersetzt wurde, dessen Vorsitz gleichfalls Ulbricht einnahm. Der Einfluß der Partei auf die Staatsführung war damit organisatorisch und personell festgelegt, äußerst fragwürdig blieb jedoch, ob durch solche Machtkonzentration die Isolierung überwunden werden konnte, in die die SED immer stärker geraten war.

Die Problematik des „beschleunigten Aufbaus des Sozialismus" wurde in empfindlichen Rückschlägen manifest, die dann gleichfalls noch in dem hier zu betrachtenden Zeitraum tiefgreifende Wandlungen der politischen und wirtschaftlichen Situation der DDR nach sich zogen. Die Beziehung der Bevölkerung zum sozialistischen Staat zeigt in dieser Phase die größten Schwankungen. 1958/59 sanken die Flüchtlingszahlen auf den niedrigsten Stand seit 1950, die Bevölkerung schien die Verhältnisse in der DDR anzunehmen. Mit der forcierten Produktionssteigerung, den Forderungen des neuen Arbeitsgesetzes, der weitreichenden Umstrukturierung der Eigentumsverhältnisse im Zuge der Kollektivierung der Landwirtschaft und der außenpolitischen Krise durch Chruschtschows Berlin-Ultimatum wurde jedoch eine neue Massenflucht bisher noch nicht gekannten Ausmaßes provoziert. Die Antwort hierauf war der Bau der Berliner Mauer am 13. August 1961. Die DDR-Führung hat den Mauerbau immer wieder als unumgängliche Notwendigkeit darzustellen gesucht. Die niedrige Flüchtlingsquote 1958/59 läßt jedoch keinen Zweifel, daß eine der Bevölkerung entgegenkommende Politik den Flüchtlingsstrom durchaus hätte drosseln können. Mit dem Bau der Mauer war eine grundsätzlich neue Situation geschaffen: das Verhältnis der Bevölkerung zum Staat war nicht mehr jederzeit kündbar. Die Annahme der Realität des sozialistischen Staates wurde damit zu einer Forderung, der nicht mehr ausgewichen werden konnte. Sie mußte nicht notwendig in Resignation enden, denn nach der politischen Konsolidierung, die der Mauerbau darstellte, folgte — insbesondere seit dem 6. Parteitag 1963 — eine Liberalisierungspolitik, die im literarischen Bereich schon zwei Jahre zuvor auf dem 5. deutschen Schriftstellerkongreß eingeleitet worden war. Der

Literatur, der in der qualitativ neuen Auseinandersetzung mit der Realität der DDR eine wichtige Funktion zuerkannt wurde, wie sie zuvor schon auf der Bitterfelder Konferenz beschrieben worden war, war damit von staatlicher Seite ein bedeutender Spielraum gelassen.

Auch auf wirtschaftlichem Gebiet führte der „beschleunigte Aufbau des Sozialismus“ zu empfindlichen Rückschlägen; das anspruchsvolle Ziel des Siebenjahres-Planes erwies sich bald als völlig irreal. Ein „neues ökonomisches System der Planung und Leitung“ (NÖSPL, eingeführt Juli 1963) versuchte in Adaption der Thesen des sowjetischen Nationalökonomen Liberman, den Schwierigkeiten durch verstärkte Demokratisierung, d. h. durch stärkeres Eingehen auf die Forderungen der Basis, Herr zu werden. In Abkehr von dem bisherigen starren Zentralismus der Wirtschaftsplanung erhielten örtliche Institutionen einen größeren Planungs- und Entscheidungsspielraum: auch und gerade auf wirtschaftlichem Gebiet vermochte damit das „Besondere“ das „Allgemeine“ in Frage zu stellen.

Die Planung selbst wurde stärker nach ökonomischen Kriterien ausgerichtet — eingeschlossen der „materielle Anreiz“ für den einzelnen Arbeiter — d. h. aber in Orientierung auf ein sich selbst regulierendes System anstelle einer einsinnig von oben nach unten verlaufenden Befehlsstruktur. Die Entwicklung der Kybernetik als Modell eines sich selbst regulierenden Systems, das die Störung in die Planung mit aufzunehmen vermag, konnte solche Umstrukturierung des Wirtschaftsgefüges wissenschaftlich begründen — umgekehrt erfuhr sie durch diese Umstrukturierung ihre ausdrückliche Rechtfertigung. Im ökonomischen Bereich war damit eine Situation geschaffen, wie sie im literarischen Bereich mit der Leitperspektive „Die Realität als Probe“ beschrieben worden ist.

Die Einführung des „Neuen Ökonomischen Systems“ bedeutet keine Rückkehr zum Kapitalismus [28]: das Privateigentum an Produktionsmitteln bleibt aufgehoben, die Produktion selbst bleibt grundsätzlich an Bedarfsdeckung nicht an Profitstreben orientiert. Das NÖSPL bedeutet vielmehr Anerkennung des Widerspruchs zwischen nicht-kapitalistischer Produktionsweise und bürgerlichen Verteilungsnormen, d. h. des Widerspruchs zwischen Plan und Markt als kennzeichnenden Widerspruch einer Gesellschaft im Stadium des Übergangs vom Kapitalismus zum Sozialismus [29]. Wiederum kann damit die gleiche Tendenz in der ökonomischen und literarischen Entwicklung festgestellt werden: Anerkennung der Realität als widersprüchliche Vereinigung von Altem und Neuem.

Die aufgewiesenen Wandlungsprozesse fordern nachdrücklich die Ausbildung eines differenzierteren Bildes der eigenen sozialistischen Gesellschaft. Der Entwurf einer durch Schwarz-Weiß-Zeichnung leicht durchschaubar gemachten Welt war damit nicht nur falsch, sondern auch politisch inopportun. Die in das Stadium bedeutsamer gesellschaftlicher Wandlung getretene Realität der DDR stellt damit auch den Schriftsteller auf die Probe, wieweit er ihr zu genügen vermag. Das beliebte Schema einer Literaturgeschichte der DDR — ständiger Wechsel zwischen staatlicher Restriktion der literarischen Entwicklung und Liberalisierung — erweist sich hier deutlich als zu eng, da es die sich wandelnden gesellschaftlichen Forderungen an den Schriftsteller nicht genügend zu erfassen vermag. Die Schriftsteller, die im Sinne der Bitterfelder Konzeption Schreiben als Erproben der Realität vollziehen, werden damit selbst auf die Probe gestellt: auch unter diesem Gesichtspunkt werden die zum Teil heftigen Diskussionen über einige Werke zu betrachten sein, die in dieser Phase entstanden sind. Die Schriftsteller wurden auf die Probe gestellt durch die gewandelte gesellschaftliche Realität: gleichzeitig erwuchs ihnen in der Bewegung der schreibenden Arbeiter eine neue Herausforderung; allerdings nur soweit, als die „Höhen der Kultur“, die die schreibenden Arbeiter „erstürmen“ sollten, nicht als unkritisierbare Werte vorgestellt wurden.

b) Text-Beispiele

1. „Rendez-vous mit der Zukunft“ [30] in der Reportage

Aneignen der gesellschaftlichen Realität war auf der Bitterfelder Konferenz als Aufgabe neu formuliert worden. Literarische Formen wie die Reportage, die im Rückgriff auf authentisches Material und in der Absage an alle Erfindung besondere Realitätsnähe versprechen, konnten damit erhöhtes Interesse gewinnen. Entsprechend bestimmt H. Hauptmann noch 1969 die Reportage als „auf dem Bitterfelder Weg vorangehende Form“ [31].

In der Aufbauphase der DDR standen dokumentarische Formen der Literatur in geringerem Ansehen. So hatte etwa A. Seghers

1950 Gelegenheit, die in den Landgebieten der DDR vollzogene Wandlung der gesellschaftlichen Verhältnisse kennenzulernen. Das unmittelbar Erfahrene strukturierte sich ihr dann jedoch zu „Geschichten“ [32]: der Aufbau einer fiktiven Welt schien nötig, um eine Situation als Realität darstellen zu können, in der der Kampf zwischen Altem und Neuem letztlich schon „zum Guten“ entschieden ist und in der entsprechend die Gewichte zwischen hemmend und fördernd, Gut und Böse eindeutig verteilt werden können. Wenn die Reportage nun als legitime künstlerische Form propagiert wird [33], zeigt dies nicht einen Umschwung von allegorischer Übersetzung der Wirklichkeit zu naturalistischer Detailansicht an, da die Besinnung auf das empirisch Gegebene in der Reportage gerade nicht auf ein Darstellen isolierter Tatsachen zielt. In seinem Aufsatz „Reportage oder Gestaltung“, dem bisher immer noch umfassendsten Ansatz einer Reportagetheorie, erläutert G. Lukács:

„Die richtige Reportage begnügt sich ja nicht damit, einfach Tatsachen darzustellen; ihre Schilderungen ergeben stets einen Zusammenhang, decken Ursachen auf, rufen Folgerungen hervor (darum ergibt die materialistische Dialektik als weltanschauliche Grundlage auch für die Reportage Möglichkeiten, die sie auf bürgerlichem Boden unmöglich haben kann).“ [34]

Die Reportage wird zum Kunstprodukt gerade dadurch, daß sie, statt der Illusion einer unvermittelten Wiedergabe von Tatsächlichem anzuhängen, aus den jeweils herausgegriffenen Fragmenten der Wirklichkeit ein Modell gesellschaftlicher Vorgänge herzustellen sucht. Problem einer angemessenen Verbindung des Besonderen und Allgemeinen, von dem aus der Ansatz der Bitterfelder Konzeption entwickelt worden ist, begründet so zugleich das spezifische Gestaltungsproblem der Reportage.

Wurde die Deutung der Reportage als eine „auf dem Bitterfelder Weg vorangehende Form“ in Anlehnung an Lukács Reportagetheorie entwickelt, so lassen sich umgekehrt vom Entwurf der Bitterfelder Konzeption aus die Gesichtspunkte herausarbeiten, die eine Kritik an Lukács Ansatz implizieren.

Der Blick auf die Reportagetheorie erhellt so das Problem der DDR-Literaturpolitik, das die Bitterfelder Konzeption mitbegründet hat: in der Literaturtheorie Lukács wesentlich verpflichtet zu sein, was nicht von heute auf morgen überwunden werden kann und doch aus politischen Gründen sich von Lukács’ literarischen Auffassungen absetzen zu müssen. Mit dem starken Betonen des jeweils herzustellenden Modells geht bei Lukács eine Abwertung des Einzelnen zu einem Beliebigen einher:

„Je besser die Reportage ist, d. h. auf je gründlicherem und umfassenderem Studium sie beruht ... desto stärker tritt zutage, daß die vorgebrachten Beispiele eben nur Beispiele, nur Illustrationen für die erkannten und dargelegten Zusammenhänge sind; desto austauschbarer sind sie mit anderen Beispielen aus dem großen Arsenal von Tatsachen, Beispielen und Illustrationsfällen, die der Verfasser der Reportage beobachtet, gesammelt und systematisiert hat.“ [35]

Solcher Herrschaft des Ganzen über das Einzelne, des vorgängigen Wissens über die individuelle Erfahrung, steht die Bitterfelder Konzeption ausdrücklich entgegen, die mit dem geforderten Ausgang von unmittelbarer Erfahrung der Arbeitswirklichkeit darauf zielt, das Besondere gerade als widerständiges Moment in das zu erarbeitende Wirklichkeitsbild einzuführen. Statt das Einzelne als austauschbares Beispiel zu benützen, findet die Reportage ihr Problem und ihren Reiz nun gerade darin, an diesem Einzelnen, das nicht durch ein vielleicht „stimmigeres“ Beispiel ersetzt werden kann, das Modell der gesellschaftlichen Realität herauszuarbeiten.

In Lukács' Ablehnung dokumentarischer Formen in erzählender Dichtung hatte Ottwalt schon 1932 die traditionelle Vorstellung eines „abgeschlossenen, in sich ruhenden und in sich vollendeten Kunstwerks“ erkannt, „vor dem der Leser sich automatisch in einen Genießer verwandelt“ [36]. Die Auffassung des Kunstwerks als einer selbständigen Totalität, vor der der Rezipient nur reagieren kann, konnte mit der Bitterfelder Konzeption insofern modifiziert werden, als diese das literarische Werk als „Probe“ der Realität begreift, die erst im Leser zum Abschluß gelangt, der genötigt wird, sich am aufgewiesenen Fall die gesellschaftlichen Zusammenhänge bewußt zu machen. Erst in der aktiven Rezeption wird so die Totalität, d. i. die objektive Wirklichkeit erfaßt. Solche Voraussetzung eines aktiven Lesers eröffnete der Reportage neue gestalterische Möglichkeiten, den geforderten Modellcharakter des gezeigten Realitätsausschnittes sicherzustellen (statt begrifflichem Kommentar z. B. bewußter Einsatz von Brüchen, Kontrasten, Form-Wechsel, Wiederholung etc.), gleichzeitig gestattet dies der Reportage erst, die spezifische Möglichkeit dokumentarischer Literatur wahrzunehmen, das ausgewählte faktische Material nicht nur zu beurteilen, sondern auch zur Beurteilung vorzulegen. [37]

Der literaturtheoretisch gebotene Rückgriff auf die Diskussion über die literarische Form der Reportage, die 1932 zwischen Lukács und Ottwalt in der Zeitschrift „Die Linkskurve" geführt worden war, läßt zugleich erkennen, daß mit der Anerkennung der Reportage als künstlerischer Form im Gefolge des Bitterfelder-Weges die Besinnung auf die eigene Tradition proletarisch-revolutionärer Literatur gefördert und so der Anspruch auf literarische Eigenständigkeit gegenüber der sowjetischen Entwicklung weiter begründet werden konnte. Die Berufung auf die eigene Tradition war dabei nicht auf die Literaturtheorie einzuschränken, konnte vielmehr mit dem Werk E. E. Kischs auf vorzügliche Beispiele sozialistischer Reportagen verweisen [38]. Bei Kisch fanden sich zugleich schon glänzende Muster des Genres der Sowjetunion-Reportagen [39], dem natürlicherweise auch in der DDR große Beachtung zuteil werden mußte [40]. Für den proletarisch-revolutionären Schriftsteller der Weimarer-Zeit hatte die Sowjetunion als erstes sozialistisches Land und als Vorkämpferin der sozialistischen Bewegung noch den Charakter eines von der eigenen Realität zutiefst getrennten Ideals, in der DDR konnte sie demgegenüber als erreichbar gewordenes Vorbild aufgefaßt und dargestellt bzw. zur Darstellung aufgegeben werden. Möglichkeiten der Sowjetunion-Reportage wie der Reportage insgesamt im Rahmen der Bitterfelder-Konzeption erhellt beispielhaft *K. H. Jakobs'* Reportage *„Bericht vom Grunde des Meeres"* [41].

Jakobs berichtet von einem Staudamm-Projekt. Aber nicht mit dem Bau des Staudammes setzt er ein, sondern mit der Frage nach dessen Wirkung. Die Verwandlung der Natur durch den Menschen, damit aber Arbeit als Selbsterzeugungsakt des Menschen, als Stoffwechsel mit der Natur zur Erhaltung des menschlichen Lebens, wird so zur Leitperspektive der Reportage erhoben.

„‚Dort hinten liegt die Stadt Toktogul', sagte Boris, ‚dort der Kolchos Kuibyschew. Siehst du dort die Straße? Das ist [ein] schon fertiger Teil der Straße Frunse—Osch. Dort macht sie dann einen Bogen, fällt zum Naryn ab, und siehst du dort die Brücke? Die ist erst vor kurzem fertiggestellt worden. Da hinten, wo die Gruppen von Bäumen stehn, sind auch Dörfer. Dann macht das Toktogul-Becken einen Knick, und es weicht dann noch vierzig oder fünfzig Kilometer weiter ostwärts. Und jetzt sieh dich mal rings im Kreis um. Alles, was du hier siehst, wird in wenigen Jahren unter Wasser stehn.'

‚Und die Straße?'

‚Kommt auch unter Wasser.'

‚Und die Brücke?‘
‚Kommt auch unter Wasser.‘
‚Aber die Stadt Toktogul hat doch zehntausend Einwohner, und sie . . .!‘
‚Kommt auch unter Wasser.‘
‚Alle Dörfer hier . . .‘
‚Kommen alle unter Wasser.‘
‚Und die Bewohner?‘
‚Werden ausgesiedelt.‘
‚Lassen sie sich denn das gefallen?‘
‚Ja.‘
‚Oder können sie nichts dagegen machen?‘
‚Jeder hat das Recht zu protestieren, wenn ihm etwas nicht gefällt. Über das Toktogul-Becken haben wir noch keine Beschwerde erhalten. Ich wüßte auch nicht, warum sich einer beschweren sollte, wenn er sieht, wie eine Wildnis urbar gemacht wird.‘
‚Aber die Äcker und das Vieh?‘
‚Die Äcker kommen unter Wasser, das Vieh wird ausgesiedelt. Denn wir brauchen Wasser, Wasser, Wasser, nichts als Wasser. Hier werden wir viel Wasser erhalten.‘
‚Wie lang wird das Toktogulsker Meer?‘
‚Einhundertzweiundsiebzig Kilometer.‘ “ (231 f.)

Mit der Bearbeitung der gegenständlichen Welt wird im Sinne des marxistischen Arbeitsbegriffes zugleich die Verwirklichung des menschlichen Gattungswesens zum Thema erhoben:

„Durch sie [die Bearbeitung der gegenständlichen Welt] erscheint die Natur als sein [des Menschen] Werk und seine Wirklichkeit. Der Gegenstand der Arbeit ist daher die Vergegenständlichung des Gattungslebens des Menschen: indem er sich nicht nur wie im Bewußtsein intellektuell, sondern werktätig, wirklich verdoppelt und sich selbst daher in einer von ihm geschaffenen Welt anschaut.“ [41a]

Voraussetzung der Selbstverwirklichung, die Aneignung der bearbeiteten Welt, ihr theoretisches und praktisches Erkennen als das Eigene, als die eigene, veräußerte Existenz [41b], sah Marx unter den Bedingungen kapitalistischer Produktionsverhältnisse entschieden gestört. In der Sowjetunion sind die Voraussetzungen solcher Aneignung — Verfügen der Arbeitenden über die Produktionsmittel, über die Organisation der Arbeit und über die Arbeitsprodukte — zumindest de jure gegeben. Selbstverwirklichung in der Arbeit, die nicht mehr zugleich auch Entwirklichung der Arbeitenden und damit Entfremdung beinhaltet, kann entsprechend zum herausgehobenen Thema der Sowjetunion-Reportage werden. Die vielfältigen Reportagen über gewaltige Industrie-Projekte der

Sowjetunion sind primär im Zusammenhang solchen Anspruchs zu erkennen und erst in zweiter Linie auf eine Industrialisierungseuphorie der Sowjetunion zurückzuführen. Als dokumentarische Form steht dieser thematische Anspruch allerdings in Spannung zur Frage nach der tatsächlich schon möglichen Selbstverwirklichung unter den Bedingungen der historisch gegebenen sozialistischen Verhältnisse.

Jakobs' Ansatz erklärt sich aus diesem Doppelaspekt. Der Autor schildert nicht ein gegenwärtig Vollendetes, sondern die Gegenwart aus der Perspektive der Zukunft. Schon der auf Überraschung gerichtete Titel deutet dies an. Als Vermittler zwischen Gegenwart und Zukunft fungiert der Plan. Jakobs erhebt ihn zur Grundlage seiner Darstellung, er geht damit vom spezifischen Charakter menschlicher Arbeit, der gedanklichen Antizipation des durch Arbeit zu produzierenden Gegenstandes [41c] aus. Den Arbeitenden selbst kommt aus solcher Sicht primär die Funktion zu, für die Verwirklichung des Planes zu bürgen. In ihrer Darstellung vor allem kann entsprechend die neue Qualität der Arbeit in einem sozialistischen Gesellschaftssystem aufgezeigt und überprüft werden. Jakobs versucht dies durch eine Gegenüberstellung zu verdeutlichen: ein technisches Problem, das eine westliche Expertengruppe für unlösbar erklärt, lösen die Arbeitenden hier in gemeinsamer Anstrengung durch eine „ebenso einfache wie geniale Idee“ (234). Die hervorgehobene Lösbarkeit auch unlösbar erscheinender Probleme schafft dem geforderten Optimismus Raum, die Verbindung von Genialität und Einfachheit weist auf den schöpferischen Charakter der nicht mehr als Mühsal aufzufassenden Arbeit und wird in dieser Funktion bei der Beschreibung des Bauprojektes mehrfach variiert.

Der so intendierten Darstellung nicht-entfremdeter Arbeit steht allerdings entgegen, daß Arbeiter in dieser Reportage gar nicht gezeigt werden. Die politische Führung der Sowjetunion wird als Initiator des Projektes hervorgehoben, als Bürge für dessen Verwirklichung tritt lediglich der Chef-Ingenieur in den Blick. Nur aus größter Ferne werden Arbeiter wahrgenommen:

> „...Und irgendwo hängt an einem Fädchen ein Punkt von Mensch. Bereitet er eine neue Sprengung vor? Untersucht er die Felswand nach Abbröckelungen? Vor Staunen wage ich nicht danach zu fragen.“ (235)

Brechts „Fragen eines lesenden Arbeiters“ bleiben ungestellt, an ihrer Stelle wird nach den Zukunftsplänen des Chef-Ingenieurs gefragt. Gegenüber den Leitern und Repräsentanten des Ganzen gerät der einzelne Arbeiter außer Sicht. Solcher Auffassung von „Parteilichkeit“ scheint auch die oben zitierte Darstellung der Menschen zu bestimmen, die durch den geplanten Stausee zur Aussiedlung gezwungen werden. Die provokativen Zwischenfragen des Reporters stellen das Bild widerspruchsloser Zustimmung aller Betroffenen zu dem gesellschaftlich Notwendigen jedoch in Frage. Dieses offizielle Bild bleibt fragwürdig und vermag damit gerade den Leser in die Offenheit der Entscheidung zwischen gesellschaftlich Notwendigem und persönlichem Anspruch zu stellen. Die folgende ausführliche Beschreibung des Staudamm-Projektes zeigt sich entsprechend der Aufgabe verpflichtet, dem Leser Hilfen zur „richtigen“ Entscheidung bereitzustellen.

Der Zusammenhang der Reportage mit der Bitterfelder-Konzeption wird damit einsichtig, ebenso die in diesem Rahmen eröffnete Möglichkeit, die festgelegte Perspektive der Sowjetunion-Reportage zu überwinden (Darstellung einer vorbildlichen, da schon vollendeten sozialistischen Gesellschaft, entsprechend Gefahr allegorischer Übersetzung der Wirklichkeit) ohne die didaktische Aufgabe der Darstellung eines Vorbildes zu vernachlässigen. Die dargestellte Wirklichkeit erscheint in zweifacher Hinsicht offen. Die Gegenwart wird aus der Perspektive der Zukunft gesehen, wobei die Gegenwart weder ausgelöscht, noch als das ganz Andere der Zukunft gegenübergestellt werden muß, da durch den Ausgang der Reportage vom Arbeitsplan und durch ihre Konzentration auf den Bürgen dieses Planes eine tätige Vermittlung zwischen Gegenwart und Zukunft aufgewiesen werden kann. Die dargestellte Wirklichkeit ist ferner in ihrer gesellschaftlichen Bedeutung noch nicht endgültig gewertet; die Aufgabe der Wertung erfüllt der Reporter nicht stellvertretend, gibt sie vielmehr an den Leser dadurch weiter, daß er ihm mehrere Möglichkeiten der Wertung anbietet. Die Perspektive des Einzelnen oder Besonderen, die der Text nicht ausführt, wird damit gerade vom Leser herausgefordert. Bezeichnenderweise unterscheidet sich Jakobs' Reportage hierin zugleich am entschiedensten von Reportagen über dasselbe Projekt in der Zeitschrift „Sowjetunion heute“, die in der BRD erscheint [42].

1970 und 1973 berichtete die Zeitschrift ihren Lesern in der BRD von dem Staudamm-Projekt in Kirgisien; beide Berichte zeigen gegenüber Jakobs' Reportage charakteristische gemeinsame Züge. Weder Arbeit in ihrer allgemeinen Bedeutung — Verwandlung der Natur durch den Menschen — noch die neue Qualität der Arbeit in einer sozialistischen Gesellschaft, sondern das Schicksal einzelner Arbeiter bildet das thematische Zentrum beider Reportagen. An den Erfahrungen und der Haltung der Einzelnen soll die Bedeutung des Ganzen erarbeitet werden.

„‚Liefern Sie uns eine lyrisch angehauchte Fotoreportage vom Bau', sagte man uns in der Redaktion und schickte uns mit diesem Geleitwort nach Kirgisien zum Großbau-Vorhaben des Toktogul-Wasserkraftwerkes. Offen gestanden, hielten wir nicht allzu viel von einer ‚lyrischen' Bau-Reportage, denn wo Technik das entscheidende Wort spricht, dürfte für Lyrik wenig Platz bleiben. Der Zufall kam uns jedoch zu Hilfe. Während eines Gesprächs auf der Baustelle machte man uns mit einem jungen Paar bekannt und damit erhielten wir den Stoff für eine romantische Story." [43]

Folgt hier eine Parallelisierung der Geschichte des Staudammbaues mit einer Liebesgeschichte, so wird drei Jahre später der Bau als Bewährungsprojekt für Jugendliche vorgestellt.

Beide Reportagen konzentrieren sich auf das Schicksal und die Sichtweise einzelner Arbeiter. Beide Reportagen heben sich von der zuvor betrachteten auch in dem gemeinsam ab, worin sie die Besonderheit dieses Bauprojekts bestimmen. Beide greifen sie die zum Sensationellen stilisierbare Verbindung von Bauarbeit und Alpinistik auf, die hier aufgrund des unwegsamen Geländes zu leisten war. Nicht nur als Bauarbeiter, sondern zugleich auch als Kletterer hatten und haben sich die Arbeiter zu bewähren. Was hier so nachdrücklich hervorgehoben wird, ist die Verbindung von Arbeit und Sport, die dem Leser der BRD als Ansatz einer Deutung industrieller Arbeitswelt allerdings vertraut sein dürfte. Wird doch mit Begriffen wie „Tarifpartner", „Lohnrunde", „faires Angebot" eine Nomenklatur aus dem Bereich des Sports verwendet, die industrielle Arbeitswelt als sportliche Begegnung gleichberechtigter Partner vorstellen will, bei der sich jeder freiwillig an die Spielregeln hält. Die Reportagen, die sich an solchem Vorstellungsmuster orientieren, haben darauf verzichtet, die besondere Qualität der Arbeit einer sozialistischen Gesellschaft herauszuarbeiten, ihr Darstellungsziel kann höchstens noch darin bestehen, den Nachweis zu führen, daß das dem Leser von anderer Seite schon vermittelte Bild einer harmonischen, von sportlicher Fairness bestimmten Arbeitssituation in der Sowjetunion idealiter Wirklichkeit geworden sei. Auch die Konzentration der Reportagen auf das Schicksal einzelner Arbeiter erweist sich in solchem Rahmen gerade nicht als klassenkämpferischer Gegenentwurf zu Jakobs' Darstellung, sondern als Beschränkung auf private, menschliche Schicksale, die die apolitische Tendenz der Darstellung weiter unterstützt.

Verzicht auf klassenkämpferische Auseinandersetzung, Orientierung an einem Harmonie-Bild der Gesellschaft, hier gewählt, um den westlichen Leser zu gewinnen, ohne ihn zuvor durch Darstellen des Andersartigen zu provozieren, widerspricht dem Wirklichkeitsbegriff der Bitterfelder Konzeption. Möglichkeiten und Problematik, die Arbeitswelt der DDR auf der Grundlage dieser Konzeption in der Reportage darzustellen, erhellt beispielhaft *F. Fühmanns* Betriebsreportage *„Kabelkran und Blauer Peter“* [44]. Fühmann verfaßte die Reportage nach einem längeren Aufenthalt in der Rostokker Werft. Die Reportage fand in der DDR große Anerkennung [45] und erhielt dann zusätzliches Interesse dadurch, daß Fühmann einige Jahre nach ihrem Erscheinen den Weg der Wirklichkeitserkundung grundsätzlich in Frage gestellt hat, dem sie verpflichtet ist [46].

An Fühmanns ernsthaftem Bemühen, den neu geforderten Realismus in praktischer Auseinandersetzung mit der Arbeitswelt zu leisten, kann nicht gezweifelt werden. Seine Darstellung erhält Glaubwürdigkeit gerade dadurch, daß er das erfahrene Fragwürdige bei Ausführung des Bitterfelder-Weges nicht überspielt, sondern ausdrücklich thematisiert, wobei seine abschließende Skepsis gerade durch den Anspruch begründet wird, den er an die neue literarische Konzeption stellt. So verwahrt er sich dagegen, „den Bitterfelder-Weg nicht als Auftrag zur Eroberung eines neuen Landes, einer neuen ästhetischen Provinz“ zu sehen, „sondern als schmalen Weg einer bestimmten Lebensänderung für einen bestimmten Genretyp: Der Schriftsteller gehe in einen Betrieb oder in eine LPG und schreibe dann einen Roman“ [47].

Fühmann hält sich eng an Regina Hastedts Reportage „Die Tage mit Sepp Zach“ [48], die Ulbricht auf der Ersten Bitterfelder Konferenz als leuchtendes Vorbild herausgehoben hatte. Die Realität der Arbeitswelt wird dargestellt im Prozeß ihrer Kenntnisnahme. Dies erlaubt, den Reportierenden selbst in zentraler Funktion in die Reportage einzubeziehen. Fühmann gelingt es so, seine bisherige Thematik und seinen bisherigen Darstellungsansatz auch in neuem Umkreis beizubehalten. Zu Unrecht hat die Literatur-Kritik bisher eine tiefe Kluft zwischen Fühmanns erzählerischem Werk und seiner Reportage nachzuweisen gesucht, um dadurch Fühmanns Bitterfelder Versuch als Umweg darzustellen. Fühmann bleibt bei seinem biographischen Ansatz, ebenso bei seinem bevorzugten Thema der Wandlung der Person in neuer gesellschaftlicher Situation, auch das hierin sich Raum schaffende psychologische Interesse bleibt erhalten: die äußere Handlung tritt zurück gegenüber der Darstellung des inneren Zustandes des Reportierenden, wobei selbst das typische Fühmann-Motiv nicht fehlt: Bewältigen von Vergangenem, das als Trauma in die Gegenwart hereinsteht.

Durch Selbstthematisieren als Gestaltungsprinzip der Betriebs-Reportage versucht Fühmann den Doppelaspekt zu berücksichtigen, der nach der Bitterfelder-Konzeption gefordert war: unvermitteltere Erfahrung der gesellschaftlichen Realität als Herausforderung für den Schriftsteller, der am Produktionsprozeß teilnehmende Schriftsteller als Herausforderung für diese gesellschaftliche Realität. Fühmanns Ansatz birgt den Nachteil, daß alle dargestellte gesellschaftliche Realität durch das Medium des Reporters gebrochen erscheint, äußere Realität entsprechend als subjektiver Bewußtseinszustand aufgelöst zu werden vermag. Die Selbstthematisierung beinhaltet zugleich aber eine bedeutsame thematische Erweiterung: mit ihr wird nicht nur nach der Realität der Werft sondern auch nach der Möglichkeit einer Kenntnisnahme dieser Realität für den ursprünglich außenstehenden Schriftsteller gefragt und damit die Bitterfelder Konzeption selbst zur Debatte gestellt. Die gesellschaftliche Produktion, an der der Schriftsteller in neuer Weise Anteil nehmen soll, umfaßt für Fühmann so nicht nur den Bereich unmittelbarer industrieller Produktion, sondern auch deren literarische Widerspiegelung. In solchem Versuch, die Trennung von Kunst und Arbeit aufzuheben, bestätigt sich der oben angedeutete Anspruch, den Fühmann in der Bitterfelder-Konzeption über deren Initiatoren hinaus erkennt. [49]

Fühmann vermag diesem Anspruch nicht zu genügen. Zwar gibt er nicht wie andere vor, seine besondere Voraussetzung als Schriftsteller völlig auslöschen zu können, er vermag sich aber als Schriftsteller nur so in Beziehung zum industriellen Produktionsbereich zu setzen, daß er dabei die Position des völlig Ohnmächtigen übernimmt und sich entsprechend in der Rolle des Tolpatsches schildert. Seine spätere Kritik am Bitterfelder-Weg gründet vor allem darin, daß er zumindest für den Schriftsteller seiner Herkunft und Erfahrung diese Position als die einzig mögliche bestimmt.

Fühmann kann aus solcher Voraussetzung nicht auf widerständigen Einzelerfahrungen beharren, er entgeht damit einer möglichen Tendenz zu einem neuen Naturalismus; in der Rolle des Ohnmächtigen bleibt er jedoch auf die Erklärung anderer angewiesen, die er dann weitgehend bei den Vorgesetzten und der Betriebsführung sucht. Das einzelne Erfahrene zeigt sich ihm damit aber vornehmlich in der offiziellen Perspektive: die Gefahr einer schematischen Wirklichkeitsdarstellung scheint nicht zu bannen. Fühmann entrinnt ihr gerade durch seine Selbstthematisierung als Ohnmächtiger. Die Perspektive, die er anlegt, bleibt stets als die Perspektive einer Seite bewußt und damit kritisierbar. Fühmann eröffnet die Möglichkeit kritischer Auseinandersetzung, diese selbst bleibt jedoch dem Leser überlassen, Fühmann begünstigt sie nicht, er schränkt sie vielmehr noch dadurch ein, daß bei seinem Ansatz das gesellschaftlich Neue nur am Autor überprüfbar bleibt, an seinem Lernprozeß, da er als stets Unwissender das Neue für die Arbeitenden selbst nicht zu überprüfen vermag.

Die Wahrnehmung der Arbeitswelt aus der Position des Ohnmächtigen bestimmt die Reportage durchgängig. Der Reporter führt sich als Nichts-Könner ein, der zudem Angst vor der neuen Realitätserfahrung hat.

„‚Was willst du denn auf der Werft arbeiten?', fragte mein Freund.
‚Das weiß ich ja selbst nicht', sagte ich, ‚ich kann ja nichts!'
‚Macht nichts', sagte mein Freund, ‚da fängst du eben von der Pike auf an, am besten bei den Schlossern.'
Ich sagte, mir sei alles recht, nur möge man Rücksicht auf meine Schwindelanfälligkeit nehmen, und mein Freund sagte, er kenne einen Meister bei den Schiffsschlossern gut und werde sich bemühen, mich dort unterzubringen.
Dann ging er, und ich blieb mit jenem Gefühl zurück, das man Lampenfieber nennt." (196 f.)

Fühmann läßt sich das schon häufig gebrauchte Darstellungsmittel nicht entgehen, seine Fremdheit gegenüber der Industrie-Welt durch Vitalisieren der Maschinen zu versinnlichen:

„Bruno stellte mir die einzelnen Maschinen vor, die hier standen wie Büsche und versteinerte Tiere in einem Eisenwald. ‚Das ist eine Kantmaschine, siehst's ja selbst', sagte er und wies auf ein langgestrecktes brusthohes Ding, unter dessen flachlippigem Schnabel ein starrer grüner Lappen mit zwei Fühlhörnern hing. Ich nickte. Finger weg, dachte ich. ‚Hier ist die Handschneidemaschine', sagte Bruno und wies auf einen schädellosen Kiefer, der im Gelenk ein Auge trug. Die Kanten des Kiefers glänzten scharf, und ich sagte: ‚Hände weg!' — ‚Richtig', sagte Bruno, und er stellte weiter vor: die Bohrmaschine, ein Insekt mit geschwollenem Rüssel, und die Metallsäge und den Kantenschneider und die Schleifmaschine mit ihrem Facettenauge und die große Schneidemaschine, und er sagte bei jeder, man sehe ja, wie klar alles daran sei." (202)

Ihren äußeren Höhepunkt findet diese Ohnmachtshaltung im Rückruf eines kindlichen Alptraumes, zu dem ihn der neue Arbeitsplatz, der dunkle Laderaum eines Schiffes, nötigt. In der Erfahrung, diesen Alptraum mit Hilfe der Arbeitskollegen bannen zu können, soll zweifellos die lebensverändernde Kraft der neuen gesellschaftlichen Realität, soll Arbeit als Selbstbefreiung dokumentiert werden. Trotz Überwindung der ersten Fremdheit und wachsendem Vertraut-Werden mit Maschinen und Arbeitsprozessen verharrt der Reporter jedoch an entscheidenden Punkten in der Haltung des Unwissenden. Die Einordnung der Einzeleindrücke in einen Zusammenhang als wesentliche Aufgabe des Reporters leistet Fühmann nicht aus eigener Anstrengung: er läßt sich den Zusammenhang von den jeweils übergeordneten Leitern erklären. Die Einzelerfahrung bleibt daher entweder blind, factum brutum, oder Teilstückchen eines vorgegebenen Bildes: nie vermag so von ihm eigenständige Erkenntnisleistung auszugehen. Die Perspektive der Realität als Probe, mit der die Bitterfelder-Konzeption bestimmt worden war, wird derart gegenüber der Realität gar nicht wahrgenommen, erfaßt vielmehr einseitig nur den Schriftsteller, der seine Ohnmacht gegenüber dem Bereich industrieller Produktion erfährt und sich, so Fühmann in seiner Kritik 1964, daraufhin auf seinen „angestammten" Bereich besinnt.

Das Typische der Arbeitswelt, so erläutert Fühmann 1964, erfahre der Schriftsteller nur, wenn er selbst eine Handwerksausbildung absolviert habe und für längere Zeit als Arbeitsuchender und nicht als Schriftsteller in einen Betrieb gehe [50]. Fühmann verlangt damit echte Gleichstellung des Reporters mit den Arbeitenden und scheint so dem Prinzip zuzustimmen, das in der BRD insbesondere G. Wallraffs Industrie-Reportagen bestimmt. Der formal vergleichbare Ansatz zeigt sich jedoch in einem jeweils verschiedenen Gesellschaftsbild begründet. Wallraff geht für seine Industrie-Reportagen davon aus, daß in der gesellschaftlichen Situation der BRD das Streben, Öffentlichkeit über den Bereich industrieller Arbeitswelt herzustellen, detektivisches Verhalten verlange. Dieser

Ansatz ergibt sich aus einer Gesellschaftsdeutung, die den Widerspruch zwischen Arbeitern und Eigentümern der Produktionsmittel als grundlegend für die gegenwärtige Situation erkennt. Wenn Fühmann in seiner Reportage nicht in gleicher Weise als Detektiv ansetzt, sondern offen als Schriftsteller auftritt und sich von der Werksleitung den Arbeitsprozeß in seinem Zusammenhang erklären läßt, so kann dies noch nicht als Naivität ausgelegt werden. Dieses Verhalten erklärt sich vielmehr aus einer anderen Deutung der gesellschaftlichen Situation. Da die Arbeitenden selbst Besitzer der Produktionsmittel sind, kann es keinen Widerspruch mehr zwischen Arbeitern und Besitzern der Produktionsmittel geben. Wenn Fühmann in der Folge auch für die DDR den Wallraff'schen Ansatz empfiehlt, scheint er damit auch den Anspruch auf gesellschaftlichen Wandel in der DDR zurückzunehmen — in diesem Sinne wurde seine Kritik am Bitterfelder-Weg in der BRD mit Interesse registriert[51]. Solcher Schlußfolgerung ist jedoch entgegenzuhalten, daß Fühmanns Rücknahme nur in literarischer Erfahrung gründet, nicht in einem Urteil über die Realität der Arbeitswelt, da er diese in seiner Position der Ohnmacht gar nicht erreichen konnte.

In ihrem Ansatz wies sich Fühmanns Reportage als konsequente Einlösung der Bitterfelder-Konzeption aus. Statt detektivischer Erkundung der Arbeitswelt wie in westlichen Gesellschaften setzt sich der Schriftsteller in Behauptung seiner spezifischen Voraussetzungen mit dem Produktionsbereich auseinander, um in dieser Auseinandersetzung zu lernen und die Realität in praktischer Absicht an seinen Ansprüchen zu messen. Da Fühmann die Behauptung seiner spezifischen Voraussetzungen aber nur zur Manifestation seines Ungenügens gegenüber den Forderungen gerinnt, die der neue Realitätsbereich an ihn stellt, vermag er weder die ideologischen Prämissen seines Darstellungsansatzes zu überprüfen (aufgehobener Widerspruch zwischen Arbeitenden und Eigentümern der Produktionsmittel und damit aufgehobene Entfremdung), noch Wirklichkeit als wechselseitige Probe von gegebenem, erfahrbarem Einzelnen und zu erarbeitendem Gesamtprozeß der gesellschaftlichen Entwicklung darzustellen.

In der Form des Romans lassen sich von jeder Seite dieses Wechselprozesses aus neue Ansätze der Wirklichkeitsdarstellung bestimmen. Am sinnfälligsten treten sich diese in neuen Entwürfen des Betriebs- und Bildungsromans gegenüber. Erlangt für den Betriebsroman dabei die Perspektive des Ganzen der gesellschaftlichen

Entwicklung neue Bedeutung, so für den Bildungsroman das neu begründete Recht des Einzelnen, das ein Recht auf Subjektivität einschließt.

2. „*Eroberung der Wirklichkeit*" *im Roman*

a. Der Betriebsroman zwischen Illustration und Entwurf

Ausgehend von Lukács' Gegenüberstellung des Typischen der Reportage und des „Dichterisch-Typischen" kann versucht werden, eine nur thematisch orientierte Bestimmung des Betriebsromans zu überwinden. Den Aufweis des Typischen sieht Lukács in der Reportage dadurch gewährleistet, daß alle berichteten Einzeltatsachen in einen wissenschaftlich erarbeiteten Zusammenhang eingeordnet werden. Das Typische zeigt sich so in dieser Gattung unabhängig vom vorgestellten Einzelfall und Individuum in dem wissenschaftlich begründeten Gesamtbild der gesellschaftlichen Situation und Entwicklung. Als wahrhaft konkret bestimmt Lukács erst das Allgemeine, womit er glaubt, Engels' Ausspruch über die wissenschaftliche Methode auch für die Reportage reklamieren zu können: „Das allgemeine Gesetz, der Formwechsel der Bewegung ist viel konkreter als jedes einzelne ‚konkrete' Beispiel davon [52]." Das „Gestaltet-Typische", das „Dichterisch-Typische", das dem Roman aufgegeben ist, sieht Lukács demgegenüber in der gestalteten Verknüpfung individueller Schicksale erreicht:

> „Die konkrete Gesamtheit der dichterischen Gestaltung verträgt nur Individuen und individuelle Schicksale, die in ihrer lebendigen Wechselwirkung einander beleuchten, ergänzen, vervollständigen, verständlich machen, deren individuelle Verknüpftheit miteinander das Ganze typisch macht." [53]

Für eine derartige Unterscheidung, die Dichtung gegenüber Publizistik am Bilde eines in sich geschlossenen Kunstwerks mißt und für einen derartigen Romanbegriff, der sich am Ideal einer Gesellschaft autonomer Individuen orientiert, vermag der Betriebsroman eine spezifische Herausforderung darzustellen. Verweist er als Roman auf den Gestaltungsansatz bei individueller Welterfahrung, so scheint seine weitere Spezifizierung nur den Schauplatz der Handlung anzugeben, im Rahmen eines sozialistischen Gesellschaftssystems, bzw. aus marxistischer Sicht, wird mit dem Produktionsbereich jedoch mehr als nur ein Milieu bezeichnet. Mit ihm wird der integrale Faktor der gesamtgesellschaftlichen Entwicklung thematisiert, mithin die Perspektive des Ganzen unmittelbar in den Roman eingebracht. Die Herausforderung des Betriebsromans, sein spezifisches „Erobern" der Wirklichkeit [54] und damit sein Entwurf des Typischen gründet entsprechend in dem dialektischen Verhältnis zwischen Individuum und gesellschaftlichem Produktionsprozeß, dem im Werk Gestalt zu geben, ihm schon von der Gattung her aufgegeben ist. Figurenaufbau und Handlungsverlauf werden ihm in der Auffassung vorgezeichnet, daß die „Weise der Produktion ... schon eine bestimmte Art der Tätigkeit dieser Individuen, eine bestimmte Art, ihr Leben zu äußern, eine bestimmte Lebensweise derselben" ist. [55]

Mit der Rückführung persönlicher Entwicklungen und gesellschaftlicher Beziehungen auf den Bereich materieller Produktion wird allerdings noch kein neuer Gestaltungsansatz bezeichnet, entsprechend hat auch der Betriebsroman in der DDR-Literatur schon vor dem Entwurf des Bitterfelder-Weges einen festen Platz inne. Wie am Beispiel Ed. Claudius' erläutert, folgen die Betriebsromane, die dem stalinistischen Literaturmodell verpflichtet sind, [56] jedoch einem simplifizierenden sozialen Schema: zwischen der Entwicklung des Produktionsbereichs und jener der Figuren wird eine mechanische Beziehung hergestellt. „Die ‚Neugeburt' des Menschen in der sozialistischen Produktion wird zu einem mechanischen Vorgang: Je rascher das [jeweils beschriebene industrielle] Werk wächst, desto schneller reifen die Menschen in diesem Werk." [57]

Die Bitterfelder-Konzeption wurde als Versuch erläutert, solch vulgärsoziologischen Ansatz zu überwinden. Die Perspektive des gesellschaftlichen Gesamtprozesses, die mit dem besonderen Schauplatz des Betriebsromans sichergestellt wird, fungiert nun nicht mehr als Übersetzung, sondern als Herausforderung der jeweils vorgestellten individuellen Welterfahrung. Erst jetzt kann sich die verändernde Kraft der Arbeit wirklich erweisen, da sie in der mit einem neuen Schwergewicht versehenen individuellen Erfahrung des Produktionsbereichs tatsächlichen Widerstand anzutreffen vermag. Den Wirklichkeitsentwurf des Betriebsromans charakterisiert unter solcher Voraussetzung wechselseitiges Sich-in-Frage-stellen von „subjektivem Faktor" und „treibenden Kräften der gesellschaftlichen Entwicklung“ [58], von Erfahrung und Wissen, Illustration und Entwurf. Der Betriebsroman stellt diesen Prozeß aber nicht nur dar; als Teil der gesellschaftlichen Produktion, der eine spezifisch bewußtseinsbildende Aufgabe zu erfüllen hat, steht er selbst in ihm. Entsprechend erweisen sich die Romane, die sich dem neu eröffneten Wirklichkeitsbild besonders konsequent verpflichteten, am nachhaltigsten auch als Provokation. Unter den Betriebsromanen, die im Umkreis der Bitterfelder-Bewegung entstanden sind, [59] zeichnet sich in den Kapiteln, die von W. Bräunigs „Wismut“-Roman veröffentlicht werden konnten [60], der weit gespannteste Entwurf ab. Seine Wirkung in der DDR bezeichnet dann folgerichtig auch die Grenze, die Literatur als gesellschaftlicher Produktivkraft in dieser Phase der Geschichte der DDR-Literatur gesetzt war.

W. Bräunig, Rummelplatz [61]

Als herausragendes Beispiel vermag W. Bräunigs Betriebsroman das Typische, nicht das Durchschnittliche, sichtbar zu machen. Noch vor Kenntnis des Werkes weist schon der Lebenslauf des Autors auf Typisches für die literarische Situation der DDR. Bräunig kommt aus der Arbeiterschicht (1934 geboren, gelernter Schlosser, dann Monteur, später als Papiermacher und Bergmann tätig), den Weg zur Literatur findet er als „Volkskorrespondent“, seine Ausbildung zum Schriftsteller erhält er am Institut für Literatur „Joh. R. Becher“ in Leipzig (1958—1961).

Das Joh. R. Becher-Institut war 1955 zur Förderung des literarischen Nachwuchses eingerichtet worden [62]. Es hat sich inzwischen als Durchgangsstelle für fast alle jüngeren Autoren der DDR erwiesen. Die Idee der „schreibenden Arbeiter“ fand hier ihre erste institutionelle Verkörperung, gleichzeitig war mit diesem Institut die Möglichkeit geschaffen, auf die Entwicklung des literarischen Nachwuchses wirksam Einfluß zu nehmen. Das durch Stipendien ermöglichte Studium umfaßt drei Jahre: erstes Jahr: allgemeinbildendes Studium, zweites Jahr: Literatur-Studium, drittes Jahr: schriftstellerisches Praktikum in Betrieben (Redigieren von Betriebszeitungen etc.). Bewerber werden insbesondere aus talentierten Mitarbeitern in den „Zirkeln schreibender Arbeiter“ ausgewählt, die in größeren Orten und Betrieben bestehen.

Bräunig ging nicht nur den repräsentativen Weg von der materiellen Produktion zur Literatur, er schien diesen auch in vorbildlicher Weise zu gehen. Aufgrund seiner Begabung wurde er selbst Assistent am Institut für Literatur in Leipzig, das Bitterfelder-Schlagwort „Greif zur Feder, Kumpel!" hatte er formuliert, wobei es nur für sein geschärftes literarisches Bewußtsein spricht, daß er es 1964, als man sich zur ersten Erfolgsbilanz des Bitterfelder-Weges rüstete, als voreilig kritisierte[63]. Das Kapitel „Rummelplatz" aus seinem „Wismut"-Roman kann ferner zweifellos zu den bisher gültigsten Erzählungen aus der DDR gerechnet werden.

Zum Erobern neuer Wirklichkeitsbereiche, das Bräunig als genuine Aufgabe des Schriftstellers bestimmt[64], setzt er in diesem Text schon durch die Wahl bisher tabuierter Bereiche zum Thema an. Bräunig spart den Bereich des Sexuellen nicht aus, vor allem aber bricht er mit einem politischen Tabu. Sein Text führt zurück in die Aufbauphase der DDR, als Schauplatz werden die Bräunig aus eigener Arbeit bekannten Uran-Bergwerke im Erzgebirge gewählt. Dieser Uran-Bergbau war und ist bis heute in sowjetischer Hand (die Umbenennung des Trägers „sowjetische AG" in „deutsch-sowjetische AG" 1954 hat daran nichts geändert), er stellt mithin eine Art fortgesetzter Demontage der Siegermacht dar. Lange Zeit waren die Abbaugebiete dem kontrollierenden Einfluß der deutschen Behörden weitgehend entzogen: da die Sowjetunion gleichzeitig zwar die ökonomische, nicht aber die politische und rechtliche Ordnungsmacht vorstellte, konnte sich ein ex-territoriales Leben entwickeln. Sinnfällig unterstreicht der Text diese Situierung außerhalb verbindlicher Gesellschaftsordnungen in der Figurenwahl (wie es scheint eine Ansammlung von Glücksrittern, Außenseitern, zumindest Nicht-Integrierten) und in der Wahl des äußeren Handlungsrahmens, des Rummelplatzes:

„Leierkastenmusik, plärrende Blechlautsprecher. Der Platz hinter der Bermsthaler Kirche flackert, er lärmt, er bäumt sich. Die Leichen sind ausquartiert, die Gräber evakuiert, vor zwei Jahren schon, als hier ein Schacht getäuft werden sollte. Es wurde aber nichts aus dem Schacht, niemand weiß, warum. Schlacke wurde aufgeschüttet, glattgewalzt, ein Platz für Kundgebungen und Volksbelustigungen. Diesmal heißt der Rummel Weihnachtsmarkt.

Hinter dem Platz lauert die Dunkelheit. Zwei Farben nur hat die Landschaft, weiß und grau, das Dorf ist schmutzig am Tag und finster am Nachmittag, abends ist es ein böses, geschundenes, heimtückisches Tier, zu Tode erschöpft und gierig. Es ist ein Tier auf der Lauer, ein Tier in der Agonie, es hat sich verborgen in der Dunkelheit, es schweigt. Der Platz aber ist hell, er täuscht Wärme vor und Lebendigkeit. Ein Triumphbogen eröffnet ihn, aufgestockt auf den Resten der Friedhofsmauer, aus großen Latten genagelt und schreiend bemalt. Links ein kerzentragender Bergknappe in der Paradeuniform des versunkenen Silberbergbaus, mit schwarzglänzendem Arschleder und hölzernem Gesicht, fröhliche Weihnacht. Rechts ein Wismutkumpel, markig, erzig, ich bin Bergmann, wer ist mehr!

Der Platz aber ist hell, und die Menschen hier hungern nach Helligkeit stärker und verzweifelter als anderswo. Im Gebirge sind sie fremd, untertage sind sie allein, allein mit sich und dem Berg, allein mit ihren Hoffnungen, ihren Zweifeln, ihrer Gleichgültigkeit, allein mit der Dunkelheit und der Gefahr. Die Dunkelheit ist um sie und in ihnen, und ist auch kein bestirnter Himmel über ihnen, da ist nur der Berg mit seiner tödlichen Last und seiner Stille. Als Glücksritter sind sie aufgebrochen, als Gestrandete, Gezeichnete, Verzweifelte, als Hungrige. Sie sind über das Gebirge hergefallen wie die Heuschrecken. Jetzt zermürbt sie das Gebirge mit seinen langen Wintern, seiner Eintönigkeit, seiner Nacktheit und Härte. Wenn nichts sie mehr erschüttern kann, nach allem was hinter ihnen liegt, das Licht erschüttert sie. Wenn sie nichts mehr ernst nehmen, das ‚Glück auf' nehmen sie ernst.

Uralte Verlockung der Jahrmärkte. Locker sitzen die Fäuste in den Taschen, die Messer, die zerknüllten Hundertmarkscheine, der Rubel rollt. Zehntausende kamen gezogen, und in ihrem Gefolge kommen die Rollwagen und die Spielbuden, kommt das Schaubudenvolk, kommen die Gaukler und die Gauner, die Narren und die Nutten. Und auch jene, die schon Fuß gefaßt haben oben an den Prozenttafeln, jene, die schon Hoffnung in die Täler tragen und ein Fünkchen Gewißheit, auch sie können sich der Lockung nicht ganz entziehen. Sie mischen sich unter die anderen, die vielen, ein Strähnchen zu erhaschen vom Glück, bestaunen gläubig den Talmiglanz, wissen noch, daß dies nur Ersatz ist für anderes, oder haben es noch vergessen. Allabendlich wälzen sich Menschenströme in die Schaubudengassen, stauen sich an den Karussells, am Bierzelt, an der Preisboxerbude. Allabendlich stehen sie vor den Lautsprechern des Riesenrades und der Berg-und-Tal-Bahn, stampfen den Schlagertext, wippen in den Kniekehlen, grölen in die Nacht. Schnapsflaschen kreisen, Mädchen kreischen auf, zeigen auf der Luftschaukel ihre Schenkel, die Röcke hochgeschlagen vom Fahrtwind. Es gibt Papierblumen zu gewinnen an Wurf- und Ratzbuden; in den Losbuden Gipsfiguren, nackte Porzellanmädchen, Aschenbecher und Blumenvasen. Bockwürste werden verkauft, Heißgetränke, Grog und Bier und Wodka. Die Wismut ist ein Staat im Staate, und der Wodka ist ihr Nationalgetränk. Hinter den Buden blüht der Schwarzhandel, geliebt wird auf umgestürzten Grabsteinen, auf vergessenen Bänken, an einem Baum gelehnt. Hin und wieder bricht eine Schlägerei aus, dann strömen sie herbei von allen Seiten, bilden einen Ring, feuern die Kämpfer an oder schlagen selber zu. Polizisten lassen sich nach Einbruch der Dunkelheit nur selten sehen. Und wennschon, dann allenfalls weitab vom Schuß." (295 f.)

Vereinigung von Gegensätzlichem gibt sich als Gestaltungsprinzip der Szene zu erkennen: Rummelplatz und Dorf, Freizeit und Arbeit, Geborgenheit in der Masse und Alleinsein im Berg, hektisches Leben und Tod, Volksbelustigung und politische Kundgebung, Vergangenheit (Bergknappe des Silber-Bergbaus) und Gegenwart (Wismutkumpel) werden aufeinanderbezogen. Alle diese Gegensätze finden ihren Fluchtpunkt in der Gegenüberstellung von Dunkelheit und Licht, in ihr wird auch der Übergang zur Gestaltung der Figuren geschaffen. Äußerer Schauplatz und Figur werden nicht im trennenden Vergleich aufeinanderbezogen, sondern im Verschmelzungsvorgang der Metapher vereinigt: die Menschen hungern nach Helligkeit, die Dunkelheit ist um sie und in ihnen. Im Einschmelzungsvorgang der Metapher, der die Anschauung der miteinander verbundenen Vorstellungsbereiche zurücknimmt um den Gewinn besonderer Dynamik, wird das Leitthema der Szene, Erschütterung durch das Licht, auch im Textgeschehen verwirklicht.

Dynamik als Gestaltungsziel und Erschütterung als Leitthema verbieten eine Deutung der genannten Gegensätze in starrem Gegenüber. Auch ihre metaphysische Erhöhung, die die Licht-Metaphorik nahelegt, wird so abgewendet. Die Menschen hungern nach Licht, das Licht, das erscheint, bleibt jedoch Talmiglanz wie das Thema Liebe auf den sinnlichen Bereich beschränkt bleibt und als Beschränkung aufgewiesen wird („Ingrid mit dem Talmikettchen", 303). Solches Durchschauen des Scheins gelingt allerdings nur dem Erzähler. Die dargestellten Personen charakterisiert demgegenüber, daß Geblendet-Sein vom Schein und Durch-Brechen des Scheins für sie in dynamischem Verhältnis stehen. Ineinander, nicht antagonistisches Nebeneinander von Gegensätzen kennzeichnet Bräunigs Weltentwurf. Den immer neu sich vollziehenden Übergang vom einen zum andern betont nachdrücklich das grammatikalisch auffällig gesetzte doppelte „noch" des Satzes: „Sie ... bestaunen gläubig den Talmiglanz, wissen noch, daß dies nur Ersatz ist für anderes, oder haben es noch vergessen." (296) Wofür der Talmiglanz Ersatz ist, wird nicht erläutert, hier führt kein allwissender Erzähler. Die Frage beunruhigt die Figuren, sie wird an den Leser weitergegeben: die Hilfe, die der Autor ihm gibt, ist die Erzählung selbst. Die Situation, die der Erzähler vorstellt, ist offen, damit in Bewegung: dies begründet ihre Problematik, ebenso aber ihr Vermögen, das Gegebene zu überwinden. Überzeugend führt der Rummelplatz, der von dem Widerspruch zwischen Erscheinung und Wesen lebt, die Frage nach der Wirklichkeit ein, die im Durchbrechen des Scheins, in der richtigen Vermittlung von Erscheinung und Wesen stets neu zu erobern ist. Er führt sie ein als Motor für das Handeln der Figuren und als Thema des Textes insgesamt, der damit explizit aufnimmt, was Bräunig und was die Bitterfelder Konferenz als entscheidende Aufgabe literarischer Darstellung bestimmt hatten.

Mit der „Erschütterung durch das Licht" ist das Prinzip genannt, das die aufgewiesenen Gegensätze in dynamische Beziehung setzt. Zur Handlung verdichtet sich diese Erschütterung in einem doppelten Aufbruch: einem inneren Aufbruch der Hauptfigur, der wie das Aufbrechen einer Wunde den Krankheitsherd sichtbar macht als Voraussetzung für die Wandlung. Ihm folgt, durch ihn begründet, ein äußerer Aufbruch der „Horde" um den Helden zu einer neuen Selbstbestätigungsstat.

Ein innerer Monolog enthüllt den tiefgreifenden Widerspruch, der die Hauptfigur beherrscht: den Widerspruch zwischen Selbstbestätigung, die in der Arbeit gefunden wird und unerfüllter Lebenserwartung, die fatalistisch auch in die Zukunft als Bild eines Lebens ohne Aussicht projiziert wird:

„Der Steiger hatte das schnell herausgefunden: dieser Loose war ein Bolzer, aber einer mit Verstand in den Händen, und das war selten. Er war kantig und unverträglich, ein Saufaus und Radaubruder, in der Arbeit jedoch war ihm nichts nachzusagen. Der Steiger war auf jeden Mann angewiesen und auf jede Hand — also stellte er Loose an Arbeitsplätze, an denen es darauf ankam, an denen es hart zuging und einer zupacken können mußte. Loose hatte das natürlich gemerkt, und er sah auch, daß der Steiger mit Kleinschmidt glimpflicher umsprang, ja, daß er geradezu einen Narren gefressen hatte an ihm, obwohl er weniger Leistung brachte. Er dachte: das ist so die ausgleichende Arbeiter- und Bauern-Gerechtigkeit. So ein Professorensöhnchen, wenn das in den Schacht kommt, dem wird der Staubzucker pfundweise in den Hintern geblasen. Dagegen unsereiner — kein Hahn kräht danach, ob man sich das Blut aus den Rippen schwitzt und die Knochen abschindet und den Nischel einrennt. Unser wertes Wohlbefinden interessiert im neuen Deutschland keinen Hund. Und dennoch war Loose stolz darauf, daß keiner sich seinetwegen eine Zacke aus der Krone brechen brauchte, dennoch gefiel ihm dieses Leben, er nahm die Herausforderung an.

Und nur manchmal, wenn der Alkohol sein Blut schneller durch die Adern jagte und die Bilder ihn bedrängten in schroffem Wechsel, dann brach etwas auf in ihm, brach hervor aus dem Innersten und gab Ruhe erst dann, wenn er es mit immer schärferen Schnäpsen betäubte, wenn er das Bewußtsein ertränkte in Fünfundvierzigprozentigem. Einst hatte er davon geträumt, ein kühner Forscher und Entdecker zu werden, Heldentaten zu vollbringen und Abenteuer zu bestehen, in die Stratosphäre vorzudringen und auf den Grund der Meere wie Piccard, Afrikaforscher wollte er werden, Jagdflieger, U-Boot-Kommandant, Mount-Everest-Bezwinger, er hatte die Abenteuerhefte und Kriegsbücher verschlungen und dem verzauberten Klang fremder Namen nachgelauscht, Narvik, Tobruk, Deutsch-Südwestafrika, ... Aber nicht die Tage der Siege brachen an, sondern die Russen kamen, zogen ein auf Panjewagen und in ausgefransten Mänteln, sie paßten genau in die Landschaft, wie sie nun war: Hunger, Seuchen, Ruinen, Flüchtlingstrecks. Sanglos, klanglos traten da die Helden ab über Nacht, die Hakenkreuze stahlen sich aus den Fahnen, ... Übrig blieb eine Welt ohne Glanz und Schminke und ohne Hoffnung auch. Es pfiff nun eine Tonart, die hieß: wer nicht arbeitet, der soll auch nicht essen, eine gar einleuchtende Melodei, und am lautesten betete sie, wer sich noch nie nach Arbeit gedrängt hatte, und auch fürderhin mit zwei linken Händen durchs Leben zu kommen gedachte. Der Blockwart wurde Straßenbeauftragter mit Brotkartenmonopol, HJ-Turnlehrer Grasselt wechselte zur Antifa-Jugend und kommandierte bau-aufbau-auf, auch der Stiefvater hatte bald wieder ein Pöstchen, die Care-Pakete verzehrten sie heimlich und hißten öffentlich den Freifahrschein für die neue Zeit, denn es muß einer Geld oder Macht oder wenigstens Ansehen haben, um andere für sich arbeiten lassen zu können. Immer wirst du unten bleiben, mit der Nase im Dreck, Peter Loose, wirst dein Leben lang schuften in harter Mühle und dich für ein paar Stunden entschädigen auf den Rummelplätzen der Welt, beim Wodka, an der warmen Haut eines Mädchens, denn es fehlen dir ein paar Kleinigkeiten, ohne die man nicht hochkommt. Ein bißchen Anpassungsfähigkeit fehlt dir und ein bißchen Arschkriecherei, ein bißchen Gebetsmühlendreherei und ein bißchen fortschrittsträchtige Skrupellosigkeit, du hast auch keinen, der dir ermöglicht hätte, die Oberschule zu besuchen wie Kleinschmidt, denn in deinen Kreisen hat man gefälligst mitzuverdienen vom vierzehnten Jahr an. Sehen wirst du, wie sie emporkommen neben dir, und haben dir nichts voraus als eben diese Kleinigkeit. Mehlhorn, ja, der wird sich anbiedern bei der Macht, bis sie ihm gehört, während du deine Träume ausschwitzen wirst und vergessen. Die Kriecher und Musterknaben werden ins Kraut schießen, zu hohen Preisen werden die Jesuiten gehandelt werden, und für deinesgleichen werden sie die Mär vom befreiten Arbeitsmann herunterbeten von Sonnenaufgang bis Sonnenuntergang, vom Schöpfer aller Werke und Herrscher dieses Landstrichs, auf daß du bei der Stange bleibst und dir die Brust voll Ruhm und Hoffnung schaufelst, Ruhm, den sie einheimsen, Hoffnung, die sie gepachtet haben. Darauf einen Dreistern mit Hammer und Sichel, Peter Loose, sto Gramm auf die Gegenwart und sto Gramm auf die Zukunft.“ (298 ff.)

Der nicht gelöste Widerspruch zwischen Lebensentwurf und Realität der Arbeitswelt, die zwar positiv angenommen, aber um ihren Zukunftshorizont verkürzt erfahren wird, bricht in Loose auf. Ihm antwortet der äußere Aufbruch der Horde, bei dieser motiviert durch die Erzählung und Erinnerung unterdrückter Bestätigung ihrer sexuellen und anarchischen Kraftentfaltung. Hatte sich der Erzähler zuletzt an die beschränkte Sicht Looses gebunden, so versucht er, diesen äußeren Aufbruch vorwegzudeuten:

„Hei, da johlte die Horde! Bewegte fleißig die Kinnladen. Und das Badergassengespenst japste, und das Radieschen bekam den Mund nicht zu. Die Stimmung war nun perfekt. Liebling lallte schon, und angetrunken waren sie alle, Heidewitzka pöbelte den Zeltwirt an, Kaschau schoß Bierdeckel nach entfernten Köpfen, die Horde johlte bei jedem Treffer, johlte, weil keiner aufmucken wollte, denn sie waren hier die stärkste Partei: irgendetwas mußte nun geschehen. Ein Faß mußte aufgemacht werden, ein Königreich für ein Faß! Es war just die Stimmung, die noch ganz vor kurzem die glorreichen Heldentaten gezeugt hatte, von der Maas bis an die Memel und von Danzig bis Burgund, just diese Stimmung. Woher aber sollten sie ihr Faß nehmen, der unbefriedigte Schipper dreitausendelf, der zum Dreckfresser degradierte Jungsiegfried, woher? Woher, wenn die Menschheit plötzlich nur so vor Friedfertigkeit strahlte? Wenn die Moral ihr aus allen Knopflöchern quoll? Wenn sie ihre Ruh haben wollte und alles niedersegelte, was nur irgend aus der Norm ragte? Da saßen sie nun, die Spätgeborenen des großdeutschen Schlußverkaufs, und eine Epidemie in Frömmigkeit war ausgebrochen über Nacht, und die Impotenten freuten sich halbtot, da saßen sie nun und suchten den entgötterten Himmel ab und den gestohlenen Horizont, suchten die Abenteuer und den enormen Wind und suchten in Wahrheit ein Vaterland.

Und die Horde brach nun auf.

So brach die Horde auf, brach auf zur Überschlagschaukel, den Rekord zu brechen, den Peter Loose hielt mit zweiundzwanzig Überschlägen." (301 f.)

„Entgötterter Himmel", „gestohlener Horizont", „Abenteuer", Schiff-Metaphorik („niedersegeln", „Schiffschaukel") insbesondere aber die Rede vom „enormen Wind" weisen auf Brechts „Ballade von den Seeräubern" und deren berühmten Refrain:

„O Himmel strahlender Azur!
Enormer Wind, die Segel bläh!
Laßt Wind und Himmel fahren! Nur
Laßt uns um Sankt Marie die See!" [65]

Wie Brecht aus der Erfahrung einer entgötterten Welt anarchische Hemmungslosigkeit gestaltet, rauschhafte Bejahung des Lebens, die alle Grenzen sprengen kann, gerade weil sie den Untergang miteinbezieht, damit letztlich ein anarchisches Sich-Aufbäumen im gegenwärtigen Untergang, so geht auch Bräunig vom Motiv der Trunkenheit, des rauschhaften Ausbruchs aus. Rausch als Ekstase und Abenteuer bezeichnen als Außer-Sich-Sein, als Ausbrechen aus dem alltäglichen Lebenszusammenhang traditionell verbürgte Wege, zu sich selbst, ins Zentrum des Lebens zu gelangen. Gegenüber dem in der Negation noch bewahrten metaphysischen Verständnis dieses Zentrums bei Brecht konkretisiert Bräunig das Gesuchte jedoch historisch und politisch als „Vaterland", das nach der geschichtlichen Katastrophe des Faschismus neu gesucht werden muß. Explizit formuliert er dieses Verständnis in seiner Antwort an ein öffentliches Protestschreiben einiger Wismut-Arbeiter:

„Es geht mir nicht um eine bloße Darstellung der Schwierigkeiten — das wäre mir kein vollgültiger Realismus —, es geht mir um die *Überwindung* der Schwierigkeiten, dargestellt in aller mir möglichen Ehrlichkeit und Deutlichkeit: Wie anders sollten Wert und Größe unserer Gegenwart sichtbar werden? Wie soll eine literarische Gestalt „groß", „bedeutend" werden, wenn sie nicht konfrontiert wird mit der ganzen Schwierigkeit und Härte dieses Kampfes, sondern sich sozusagen durchsetzt nebenher? Und anders: Was müssen das für Kerle gewesen sein, die mit allem fertig wurden, mit jenen aus der Bahn geworfenen Gestalten, die im „Rummelplatz" dargestellt sind, wie auch mit wesentlich schwierigeren und größeren Problemen; und die den Anfang eines Vaterlandes hinbauten mitten hinein in die Zerstörung und Deformierung, die der Faschismus hinterließ? Was muß das für eine Sache sein, die solche Menschen hervorbringt, erzieht, formt? Ich glaube, daß der Leser sich die Antwort am Ende selbst geben wird." [66]

Ein derart konkretes Verständnis von „Vaterland" sichert Bräunig in seinem Text dadurch, daß bei ihm im Unterschied zu Brechts Ballade der Mangel konkret beschrieben worden ist, auf den der äußere Aufbruch antwortet.

„Heidewitzka, wie er so den Kahn bestieg, hatte alles in allem ungefähr einen Liter Schnaps im Bauch, und Loose hatte nicht viel weniger. Dennoch traten sie erstaunlich munter an. Der Schaukelbesitzer hatte sich seitlich abgesetzt, an der Bremse stand nun Spieß. Ganz schön Fahrt machten die beiden, hatten schon den toten Punkt, wegblieb der Platz unter ihnen und raste heran, abebbte der Lärm und schwoll, nun gab's den bekannten Knacks im Trommelfell, wie wenn der Förderkorb in den Schacht fährt, Taubheit blieb über schrillem Pfeifton, Fahrtwind plus Druck, und die Halterung knirschte, und die Horde riß die Augen auf, unheimlich Fahrt machte Loose, Heidewitzka hing schon ein wenig klamm in den Seilen, Looping the loop, orientierten sich nach Hell-Dunkel und zählten: dunkel oben hell unten ein, dunkel oben hell unten zwei, und im Abseits zählte die Horde, zählte einundzwanzig, zweiundzwanzig, dreiundzwanzig, und Loose versuchte die Gesichter zu unterscheiden, Ingrid suchte er vor allem, aber ein bißchen auch den langen Kleinschmidt, es war aber nichts zu machen, es war alles eins, und hatte vor sich Heidewitzkas verkrampftes Gesicht, das war verdammt käsig, und er dachte: Hoffentlich fällt ihm nicht das Frühstück aus dem Gesicht, und dann dachte er: Wieviel Runden haben wir denn jetzt? Aber das wußte er nicht mehr. Und von unten beobachtete der Schaukelbesitzer. Hoffentlich machen die Stenze da keinen Murks, dachte der Schaukelbesitzer. Hoffentlich übernehmen sie sich nicht. Die ganze Bande brüllte, und die Leute draußen rissen Maul und Nase auf. Als ob das eine Sensation wäre. Er, der Schaukelbesitzer, hatte schon Burschen erlebt, die ihre dreißig Runden glatt wegdrehten. Allerdings nicht mit einem Liter Sprit im Bauch. Der eine hing ja ganz schön klamm im Gestänge. Dem wurde es schlecht, das war klar. Wenn der Schaukelbesitzer an der Bremse stünde, er würde jetzt abbremsen. Er kam aber nicht durch, die Menge stand wie eine Mauer. Dreißig, brüllte jemand. Und sie kamen noch einmal hoch und noch ein zweites Mal. Jetzt war aber endgültig Sense. Jetzt kam der Kahn zurück. Verdammt noch mal, der hing ja da drin wie eine Leiche! Der Kopf fiel herunter, ward vorwärts wieder hochgerissen, sackte wieder weg! Der Stenz an der Bremse hatte jetzt auch etwas gemerkt, er zog, was das Zeug hielt. Die Menge kreischte, und der Schaukelbesitzer brach nun mit Gewalt durch die Mauer. Da stand der Kahn. Loose stand da, keuchte, stieg langsam aus; Heidewitzka lehnte käsig an der Zugstange, stieg nun mit einem Bein auf die Bordkante, löste die verkrampften Finger, schlaff hing der Unterkiefer herab, aber das konnte Loose nicht mehr sehen, denn er war schon die Stufen herunter, sah nicht, wie Heidewitzka zusammensackte, wie er vornüberfiel in steifer Drehung, wie er auf die Trittleiste schlug, er hörte nur die Menge aufschreien und sah ihre verzerrten Gesichter, und dann sah er, wie Heidewitzka die Stufen herabrutschte auf den Schlackeboden.

Kleinschmidt und der Schaukelbesitzer waren als erste heran. Dann kam auch Spieß. ‚Wasser', befahl der Schaukelbesitzer. ‚Da am Hydranten!'

Loose brachte einen Eimer und ein schmieriges Handtuch. Heidewitzka lag mit dem Kopf in einer gelblichen Lache, die Augen geschlossen. Hinter dem Ohr sickerte Blut. Es roch nach Schnaps und Schweiß und Erbrochenem. Loose wischte dem Bewußtlosen vorsichtig das Gesicht ab." (305 f.)

Das im Aufbruch Gesuchte wird an der Überschlagschaukel nicht erreicht. Ohne aufdringliches Kommentieren eines Erzählers wird dies schon in der Kreisfigur der Überschlagschaukel manifest. Die sich selbst genügende und in diesem Sinne vollendete Figur des Kreises erscheint als leere Bewegung, die nicht vorwärts bringt. Die frühere Licht-Metaphorik wird in sie aufgenommen als mechanischer Wechsel von Hell und Dunkel, aus dem keine Befreiung und Erhöhung erwächst; nicht nur Brecht, auch die schlesischen Mystiker als Licht-Sucher werden so widerrufen. Und selbst der früher eingebrachte Aspekt der Arbeit zeigt sich in dieses Kreisen einbezogen, das als ohnmächtige, ziellose Kraftanwendung erscheint, als Ergebnis eines Aktivisten- und Rekorddenkens, das am falschen Objekt zum Ausbruch gelangt.

Die abschließende, bildhaft gegenwärtige Ernüchterung macht die Schein-Verwirklichung dieses äußeren Aufbruchs manifest. Soweit Bräunigs Kritiker dies noch wahrnahmen, wurde ihm hieraus der Vorwurf des Verharrens im Ausweglosen und damit pessimistische Weltsicht vorgeworfen. Solcher Vorwurf verkennt, daß der Auflösungsprozeß des äußeren Aufbruchs nicht in einem „Überschlag" nun auch des Lesers in den Beginn zurückmünden kann: dies hindert die konkrete Begründung des Aufbruchs, deren Fehlen es umgekehrt Brecht ermöglicht hatte, Ausfahrt und Untergang zu einem unabänderlichen, mythischen Geschehen zu erhöhen. Einer Kreisrückbiegung steht ferner das positive Bild des anderen Loose entgegen, der in der Arbeit im Berg Selbstbestätigung findet. Dieses Bild erhält sich im Text unangefochten. Als einzig nicht negierte Position weist es den Weg: die im rauschhaften inneren wie äußeren Aufbruch gesuchte Lebenserfahrung ist in solcher Arbeit aufzuheben. Der Text bringt damit auch das Gegengewicht zu der Weltsicht ein, die in ihm beherrschend sich vordrängt, verleiht ihm allerdings nicht ausschlaggebende Kraft. Daß er sich dessen enthält, bestätigt die hier erreichte Überwindung alles Tendenziösen, das in einem mechanischen Aufeinanderbeziehen von Entwurf eines erfüllten Lebens und Realität der Arbeit gelegen hätte. Der im Text vollzogene Negationsprozeß läßt keinen Zweifel, daß ein „Aufheben" dieses Lebensentwurfs in der Realität der Arbeit die immer neue Begründung dieser Realität der Arbeit vom Entwurf eines Lebens aus verlangt, der dem Menschen die Möglichkeit der Selbstverwirklichung seines Wesens eröffnet. Diesen Entwurf in der Negation zu vergegenwärtigen, zielt statt auf Einstimmen oder Bestätigen des Lesers auf dessen Provokation. Die tatsächliche Wirkung des Textes zeigt, daß Bräunig damit den Spielraum der Interpretation der Wirklichkeit überschritten hatte, der mit der Bitterfelder Konzeption eröffnet worden war. Die Kritik an Bräunig, eingeleitet mit dem Brief einiger Wismut-Kumpel, den das „Neue Deutschland" am 7. 12. 65 veröffentlichte, mündete in das Scherbengericht des 11. Plenums des ZK vom 16. bis 18. Dezember 1965, das mit dem nachdrücklichen Verdikt solcher Wirklichkeitsauffassung, die in der Konsequenz des Bitterfelder-Literatur-Modells gelegen hatte, dieses selbst zu widerrufen begann.

Bräunigs Leistung, die Frage nach der Wirklichkeit im Entwurf einer widersprüchlichen und aus dem Widerspruch Bewegung gewinnenden, damit aber keineswegs zerrissenen Welt zu stellen, konnte so lange nicht anerkannt werden, als die Kritik das einzelne Mitgeteilte isolierte, statt es aus dem Negationsprozeß zu deuten, aus dem der Text seine Dynamik gewinnt.

Isolierte Betrachtung von Details begünstigt den Vorwurf des Naturalismus, der allerdings statt das betrachtete Objekt zu treffen, auf die Methode der Betrachtung zurückfällt. M. Zimmering und Fr. Selbmann sprechen diesen Vorwurf aus [67], unausgesprochen liegt er den Stellungnahmen all derer zugrunde, die unter Berufung auf ihre eigene Erfahrung hervorheben, daß die dargestellten Einzelheiten als Einzelne zwar möglich oder sogar faktisch verbürgt seien, ihre Zusammenstellung aber kein gültiges Gesamtbild ergebe [68], Bräunig sich auf das Untypische beschränke, was notwendig eine falsche, pessimistische und unsozialistische Tendenz heraufführe [69].

Die Kritik an Bräunig kann in mehrfacher Hinsicht als aufschlußreich gelten. Soweit sie den Vorwurf des Obszönen erhebt, bringt sie keinen neuen Gesichtspunkt in die alte Diskussion um obszöne Literatur ein [70]. Die Entrüstung über diesen Aspekt erweist sich näherem Zusehen jedoch als nur vorgeschoben. Die heftige Kritik an isolierten Details bezeugt vielmehr ein nachhaltiges Irritiert-Werden durch das genau bezeichnete Mißverhältnis zwischen Anspruch und Wirklichkeit, das diese Details nicht nur für eine vergangene, sondern auch noch für die gegenwärtige Situation leisten. Die nicht gelösten Mißverhältnisse können nur als tabuierte in die Gegenwart integriert werden, im Aufgreifen von Tabus stellt sie Bräunig erneut zur Diskussion. Er bricht mit dem festgelegten Bild der Sowjetarmee und ihrer Aufnahme bei der Bevölkerung und er bricht mit dem festgelegten Bild der Arbeiter, die die ökonomische Grundlage des neuen Staates geschaffen haben: die Frage nach den politischen und materiellen Bürgen des gegebenen gesellschaftlichen Systems wird damit neu gestellt, dieses selbst so als fragwürdig ausgewiesen. Die Angriffspunkte des eingeleiteten Negationsprozesses sind jedoch selbst schon zuvor als Negationen ausgewiesen worden. Eine Betrachtung allerdings, die, provoziert durch tabuisierte Details, das Werk als Ganzes aus dem

Blick verliert, kann den positiven Charakter solcher Negation der Negation nicht mehr wahrnehmen.

Das demonstrative Durchstoßen vorgegebener Schemata der Wirklichkeitsauffassung stellte aber nicht nur ein neues Bild der Wirklichkeit zur Diskussion, sondern, in der demonstrativen Abkehr von allegorischer Wirklichkeitsdarstellung, die die Kritik als Abgleiten in das entgegengesetzte Extrem des Naturalismus registrierte, das Darstellen von Wirklichkeit selbst. Bräunigs Text wurde nicht nur in literaturkritisch naiver Weise auf einzelne in ihm ausgesprochene Urteile reduziert, die dann am opportunen Bild der Wirklichkeit gemessen und als politisch schädlich verworfen wurden. Was Adorno dem in der Literatur-Kritik zum Opportunisten gewordenen Lukács vorhält — das Kunstwerk spricht keine Urteile, Urteil wird es als Ganzes durch das Verhältnis, in das es seine Elemente rückt [71] —, dort jeweils wird es anerkannt und doch gegen Bräunig gewendet, wo seiner Darstellung insgesamt Verharren an der Oberfläche der Wirklichkeit und in der Folge Mangel an Parteilichkeit vorgeworfen wird [72]. Solcher Einwand läßt sich gegenüber Bräunigs Text nur erheben, wenn von der Erwartung ausgegangen wird, alles Erscheinende müsse literarisch so dargestellt werden, daß in ihm jederzeit das intendierte Gesamtbild der Wirklichkeit sichtbar werde. Einzelnes und Ganzes, gegenwärtige Erfahrung und Gesamtprozeß der gesellschaftlichen Entwicklung erscheinen bei Bräunig nicht in dem geforderten Verhältnis der Einheit, sondern des Widerspruchs: die Kritik deutete dies als Fehlen der Perspektive des Ganzen. Auch diese Diskussion ist alt, sie wiederholt die Realismus-Debatte der Dreißiger Jahre [73] und gibt ein neues Beispiel für die Ungleichzeitigkeit politischer und ideologischer Entwicklung darin, daß es die Lukács-Position ist, von der aus Bräunig kritisiert wird. Lukács verlangt von der Kunst, Wesen und Erscheinung als die zwei Seiten der Wirklichkeit für den Rezeptiven stets in unzertrennbarer Einheit vorzustellen [74], im Einordnen der Oberflächenerscheinungen in den gesamtgesellschaftlichen Zusammenhang den Widerspruch zwischen Erscheinung und Wesen letztlich aufzuheben. Orientiert sich Lukács' Kunstbegriff so an der Leitvorstellung der Harmonie und Totalität, vor der der Zuschauer nur passiv reagieren kann, so betont Brecht den Widerspruch zwischen jeweils erfahrbarer Erscheinungseite der Wirklichkeit und „gesellschaftlichem Kausalkomplex" [75], der erst den Raum für eingreifendes, auf Veränderung zielendes Denken eröffnet. Das Auseinanderfallen von Wesen und Erscheinung soll dem Leser bewußt werden und ihn provozieren. Die Bitterfelder Konzeption zielte darauf ab, das Bild der Wirklichkeit als harmonischer Einheit von Wesen und Erscheinung zu überwinden, da es, nicht selbstverständlich sich einstellend, nur allegorisch dargestellt werden konnte und entsprechend der Abstand zu den kanonisierten Beispielen realistischen Erzählens aus dem 19. Jahrhundert unüberwindlich bleiben mußte. Die Kritik des 11. Plenums des ZK 1965 stellte gerade die Werke in Frage, die versuchten, die Möglichkeiten dieser Konzeption umfassend auszunützen. Brechts Ansatz der Wirklichkeitsdarstellung hatte für diese Werke Bedeutung gewonnen. Mit der Abgrenzung gegen Lukács war dies auch politisch begründet. Die Kritik wies diesen Ansatz jedoch weiterhin für eine Darstellung der sozialistischen Wirklichkeit als unangemessen zurück. Gegenbeispiele nichtkritisierter literarischer Auseinandersetzungen mit dem Wismut-Bergbau bestätigen nochmals die Bedeutung, die Bräunigs Text zuzusprechen ist.

Martin Viertel, Wismut [76]

Der Autor, geb. 1925, zeigt in seinem äußeren Lebensweg viel Gemeinsames mit Bräunig. Er kommt aus einer Arbeiterfamilie des Erzgebirges, kennt den Wismut-Bergbau aus eigener Erfahrung, sein Weg vom Arbeiter zur Literatur führt über das Leipziger Literatur-Institut (1956—1959, d. h. er besucht es z. T. gleichzeitig mit Bräunig). Viertels Text erschien beispielhaft genug, um ihn im Zeichen der Bitterfelder Bewegung in eine repräsentative Anthologie aufzunehmen.

Thematischer Bezugspunkt des veröffentlichten Romankapitels ist auch hier ein doppelter Aufbruch: der Aufbruch der Arbeit-Suchenden zum Wismut-Bergbau („Es war wie ein Aufbruch vor der Sintflut“ (322), kommentiert der Erzähler) und, als demonstrative Aktion, ein politischer Aufbruch, der die Versöhnung mit der Siegermacht und dem von ihr eingeführten gesellschaftlichen System einleitet. Die Darstellung der Wismut-Arbeiter scheint auf den Topos der Glücksritter festgelegt. M. Viertel verwendet diesen Topos jedoch in charakteristisch anderer Weise als Bräunig. Das Bild eines Lebens ohne Aussicht wird auch hier als Ausgangserfahrung der Glücksritter entworfen:

„... ‚Das Leben ist eine lange Schmiere, verstehst du. Und in zwanzig Jahren sieht alles anders aus als heute. Besser oder schlechter. Sollen wir uns darum scheren? Oder hat jemals einer zu dir gesagt: ‚Herr Paul Sowieso, finden Sie die Welt, so wie sie eingerichtet ist, in Ordnung? Oder fehlt es Ihnen an Verschiedenem, müßte man etwas ändern, damit es Ihnen recht gefällig wäre?' Hat das je einer zu dir gesagt? Kein Teufel hat es getan. Mein Alter hat einmal eine Kneipe besessen, so eine lumpige Klitsche, weißt du. Und er tat immer sehr geschwollen, weil er mich auf die Oberschule schicken konnte. Mit Ach und Krach bin ich durch diesen Laden geschaukelt. Dann, als wir einrücken mußten, neunzehnhundertdreiundvierzig war das, haben sie uns das Abitur hinterhergeschmissen wie einer Hexe den Besen. Dieser Wisch nützte mir in dem Schlamassel draußen so wenig wie das heilige Gesangbuch meiner Großmutter. Sollte da noch einer über den Sinn seines Lebens nachdenken? Na also. Aber als alles vorüber war, vor zwei Jahren, und ich aus der Gefangenschaft kam, hatte ich Vorsätze mitgebracht. ‚Hartmut Kringel', sprach ich zu mir, ‚jetzt wird etwas Gescheites angefangen.' Pustekuchen! ‚Studieren?' haben die da oben gesagt. ‚Unmöglich.' Bloß weil man Alter eine Kneipe hatte, oder was weiß ich, was den neuen Herrschaften nicht behagte. Zwei Jahre bin ich nun hin und her gerutscht. Mal beim Ami, mal hier. Und wie du siehst, bin ich jetzt kostenlos ins Erzgebirge gereist. ‚Lernen Sie erst einmal arbeiten', rezitierte mir der Herr Wachtmeister zu Hause sein Sprüchlein. Kein Schwanz fragte danach, ob mein Leben verpfuscht ist.' " (324 f.)

Der dies sagt, ist schon zuvor festgelegt als Negativfigur und wird im weiteren Gang des Textes diese Charakterisierung bestätigen. Seiner Aussage ist damit jegliche herausfordernde Wirkung genommen. Der eindeutig negativen steht eine ebenso eindeutig positive Figur gegenüber: neben moralischen Vorzügen sich insbesondere ausweisend durch Parteizugehörigkeit. Viertels Glücksritter agieren in einer letztlich schon festgelegten Welt. Sie stellen nicht die Frage nach der Wirklichkeit neu, sondern es steht allein zur Frage, ob sie sich, konfrontiert mit einer ohne sie schon festgelegten Entwicklung, bewähren oder versagen. Personen können sich in der so festgelegten Welt nur in der Weise wandeln, daß sie bei vorgegebener Scheidung der Welt vom Einfluß der einen Seite sich lösen und unter den Einfluß der anderen Seite geraten. Eine derartige „Entwicklung" in positiver Richtung bildet die Handlung. Sie kulminiert im politischen Aufbruch. Der bisher landsknechthafte Gesinnung zeigte, hißt zum Jahrestag der Oktoberrevolution eine Rote Fahne im grundsätzlich sowjet- und sozialismusfeindlichen Dorf und löst damit eine Kettenreaktion des Gesinnungswandels aus. Der Erzähler rückt dies in die Perspektive einer Wiederholung der Oktoberrevolution im kleinen. Ihm unterläuft damit einmal der historische Fehler, die russische Revolution nicht als Klassenauseinandersetzung zu deuten. Er verharmlost so die Geschichte, gleichzeitig bezeugt er in dem, was er selbst darstellt, ein Ausweichen auf Scheinkonflikte. Er konstruiert eine Auseinandersetzung zwischen Wismut-Arbeitern und rückständigen, religiös-sektiererischen Dorfbewohnern. Ausgespart bleibt demgegenüber die Bedeutung der neuen sowjetischen Besitzer der Produktionsmittel und Arbeitgeber für die Arbeitenden, ebenso die Frage nach der Erfahrung der Arbeit als Probe des gesellschaftlichen Systems, das die unmittelbar anwesende Siegermacht repräsentiert. In der fraglos angenommenen sozialistischen Wirklichkeit erscheint die sinnbildliche Identifikation mit der Siegermacht notwendig als Opportunismus.

M. Viertels Welt wirft keine neuen Fragen auf, illustriert vielmehr ein schon verbürgtes Muster neu. Sein Text bezeugt Schreiben nicht als Wagnis, wie dies Christa Wolf ihren Schriftstellerkollegen auf dem Scherbengericht des 11. Plenums als die unlängst von allen noch bejahte Forderung entgegenhielt [77].

Christa Wolf wagte als einzige, der wohlfeil gewordenen Verurteilung Bräunigs entgegenzutreten. Ihre Verteidigung bleibt in der Sache allerdings fragwürdig. Wie Bräunig selbst in einer Rechtfertigung, die das „Neue Deutschland" am 17. 12. 65 veröffentlichte, hob sie hervor, daß das inkriminierte Werk „kein Wismut-Roman, sondern der Roman der Entwicklung eines jungen Menschen ist, der die tiefsten Tiefen durch die Hilfen der Partei überwindet und zu einem klaren Menschen wird, der heute ganz klar bei uns ist" [78]. Das Bild der Wirklichkeit, das das Rummelplatz-Kapitel im Bewußtmachen des Widerspruchs zwischen Wesen und Erscheinung entwirft, wird so zurückzunehmen gesucht in einer positiven Gesamtentwicklung, die noch *im* Werk gestaltet werde. Solche Verteidigung hat den spezifischen Ansatz der Wirklichkeitsdarstellung, der hier erreicht worden war, schon aufgegeben. Sie orientiert sich wieder an der Lukács-Norm einer Einheit von Wesen und Erscheinung, die dem Leser in der Totalität des Kunstwerks ausgeführt vorzustellen sei.

Der argumentative Rückgriff auf das Schema des Entwicklungsromans bei Bräunig wie bei Christa Wolf läßt erkennen, daß in dieser literarischen Form ein Ausgleich zwischen offiziellem Wirklichkeitsbild und vom Autor neu geleisteter Eroberung der Wirklichkeit weniger problematisch erscheint. Seine Bestätigung findet dies in zwei bedeutenden Romanen der Bitterfelder Konzeption, „Beschreibung eines Sommers" von K. H. Jakobs und „Spur der Steine" von Erik Neutsch, die beide Thematik und Schema von Betriebs- und Entwicklungsroman miteinander zu verbinden suchen.

Die Verteidigung des „Rummelplatz"-Kapitels durch Bräunig und Chr. Wolf bleibt ferner notwendig abstrakt, da der vorliegende Text die Erfahrung des Produktionsbereichs und Versuche seiner Bewältigung in den Mittelpunkt stellt und den Figuren nur hiervon abgeleitete Bedeutung zuzusprechen ist. Allerdings erweisen solche Überlegungen, daß die Grenzen zwischen Betriebs- und Entwicklungsroman fließen. Setzt der Betriebsroman die Realität der Arbeitswelt in produktive Spannung zur Entwicklung einer Figur, so daß ihm Darstellen des Produktionsbereichs in Darstellen des Menschen mündet, der sich mit diesem auseinandersetzt, so kommt, soll die Entwicklung einer Figur entworfen werden, auf der Grundlage eines sozialistischen Gesellschaftsbildes der Konfrontation dieser Figur mit der Arbeitswelt notwendig besonderer Vorrang zu.

b) „Ankunftsliteratur" und sozialistischer Bildungsroman

Von dem Schema seines Handlungsverlaufs ausgehend, kann der Entwicklungsroman als Roman der Sozialisation bestimmt werden, der damit endet, daß sich das vorgestellte Subjekt „in die bestehenden Verhältnisse und die Vernünftigkeit derselben hineinbildet" [79]. Die Adaption dieses Schemas in einer sozialistischen Gesellschaft erscheint einfach und naheliegend. Thema wird jetzt die Hineinbildung des Individuums in sozialistische Verhältnisse, dem gewandelten Rahmen entsprechend werden die prägenden Erfahrungen nicht mehr im ästhetischen und ethischen, sondern im sozialen Bereich, insbesondere im Bereich der sozialen Produktion gewonnen. Der historischen Entwicklung der DDR folgend, steht anfangs die Wandlung einer bisher von bürgerlichen bzw. faschistischen Vorstellungen geprägten Figur zu sozialistischem Verhalten im Vordergrund, während mit der politischen Konsolidierung der DDR die Wandlung einer Figur vom unbewußten zum bewußten Träger der sozialistischen Gesellschaft vorrangiges Thema wird. Von A. Seghers' „Der Mann und sein Name" (1952) [80] bis zu Br.

Reimanns „Ankunft im Alltag“ (1961) spannt sich der Bogen eines in seiner Struktur gleichbleibenden Genres. Der Begriff der „Ankunft“ charakterisiert es umfassend[81]. Er bezeichnet das statisch vorgegebene Ziel, an dem sich der sich Entwickelnde auszurichten hat, ohne daß diese Einwirkung auch umkehrbar wäre. Solche Entwicklung bleibt notwendig mechanisch, sie wird nur als Resultante der gesellschaftlichen Voraussetzungen aufgefaßt, die im Produktionsbereich unmittelbar erfahren werden. Der „gesellschaftliche Kausalkomplex“[82] legt die seelische Entwicklung fest. Arbeit erfährt das dargestellte Individuum entsprechend nur als Ort der Läuterung (Seghers) oder des Bewußtwerdens (Reimann), nicht aber als Motor der gesellschaftlichen Entwicklung. Die Eingliederung des einzelnen in den Bereich der gesellschaftlichen Produktion verläuft so nur als Probe des einzelnen, Kritik an den vorgegebenen sozialen Verhältnissen wird allenfalls in der Darstellung des Opfers bzw. des Verlustes eingebracht, den der einzelne in der „Versöhnung“ mit der Wirklichkeit zu leisten hat bzw. erfährt.

Am Ende der Entwicklung steht die Deckungsgleichheit von individueller Perspektive und Partei als Anwalt des Ganzen: der einzelne hat das Ganze verinnerlicht, ist Sprachrohr, Reflex: Allegorie des Ganzen. Solches Zerreißen der dialektischen Vermittlung von Einzelnem und Ganzem setzt ein Bild der Geschichte als eines notwendigen und unabänderlichen Prozesses voraus, der sich unabhängig vom einzelnen vollzieht, vor dem der einzelne nur reagieren kann. Dem Schriftsteller bleibt nur die Aufgabe, diesen Prozeß sichtbar zu machen; dem Stand der gesellschaftlichen Entwicklung entsprechend wird er so zum „Historiker des entstehenden Sozialismus“[83]. Die „Ankunftliteratur“ der Fünfziger Jahre zeigt sich damit ganz Lukács' Verständnis von „Parteilichkeit“ verpflichtet. Ihre Wirkungsmöglichkeit wird weiter durch das anspruchsvolle Ziel eingeschränkt, im Bildungsweg eines Individuums die gesellschaftliche Totalität sichtbar zu machen. Die Übernahme von Lukács' Auffassung, daß im literarischen Werk eine spontane Einheit von Einzelfall und Allgemeinem zu leisten sei, mußte sich dabei verhängnisvoll auswirken, wenn dieses Allgemeine, d. i. das Wesen der gegebenen gesellschaftlichen Verhältnisse, in der nicht weiter befragbaren Gesellschaftslehre der Partei erkannt wurde. Die einzelne Figur, die Situationen in denen sie sich zu beweisen hat, ihre Erfahrungen etc. mußten damit notwendig zu „Beweisen" einer dem Autor wie dem Leser vorgegebenen Theorie werden. A. Seghers hat die notwendig sich einstellende „Wirklichkeitsarmut" [84] solchen Gestaltungsansatzes kritisiert [85], jenen nicht wenigen Kritikern mußte er jedoch zusagen, die den Wirklichkeitsbezug eines literarischen Werkes an der Entsprechung seiner Details zum vorgegebenen Bild der Wirklichkeit bemessen.

Mit dem Recht auf Subjektivität, das die Bitterfelder Konzeption implizit zugestanden hatte, war die Möglichkeit eröffnet, das bisherige Bild eines nur in einer Richtung verlaufenden Einwirkungsprozesses zu überwinden. Je größeres Eigenrecht dem einzelnen zuteil wurde, um so nachdrücklicher konnte die Annahme der Realität, die der Entwicklungsroman vom Subjekt aus thematisiert, als Konflikt vorgestellt werden, der probend nicht nur die jeweils einzelne Gestalt, sondern auch das Ganze der auf diese bezogenen gesellschaftlichen Verhältnisse umgreift. Das Thema des Romans erschöpft sich damit nicht mehr in der Entwicklung *durch* die sozialistische Gesellschaft, die den sich Wandelnden in der Rolle des Objekts beläßt, sondern schließt nun die Bildung eines jeweils eigenen sozialistischen Bewußtseins ein, das den Helden auch als Subjekt des Gesellschaftsprozesses vorzustellen vermag. Die Bedeutung von Chr. Wolfs Roman „Der geteilte Himmel" ist in dem Versuch zu solchem Ansatz der Wirklichkeitsdarstellung zu erkennen.

Christa Wolf, Der geteilte Himmel [86]

Was auf der Ebene des Stofflichen als Eigenart dieses hoch ausgezeichneten [87], ebenso aber auch heftig kritisierten Werkes [88] hervorgehoben wurde, bleibt weitgehend im Rahmen des Konventionellen. Das Erwachen, das „Zu-sich-selber-Kommen des Menschen" [89] kann für die DDR-Literatur schon als Topos gelten. Auch die prägende Wirkung eines vorbildlichen Arbeiters (Meternagel) war etwa in Br. Reimanns Roman „Ankunft im Alltag" beispielhaft schon vorgebildet. Der Aufbau des Romans aus zwei Handlungssträngen — zu den Erfahrungen im Industriewerk tritt eine Liebesgeschichte — kann gleichfalls nicht als neu gelten, die Möglichkeit, beide Bereiche so deutlich zu scheiden, zeugt eher von einem Unvermögen der Autorin zur Integration. „Ihre Geschichte ist banal" (11), so schätzt die Heldin sie selbst ein und als Banalität erfährt sie auch der Leser. Aus abgegriffensten Versatzstücken wird eine Liebesgeschichte aufgebaut („Sein Blick hatte sie getroffen wie ein Stoß“ (19), „Das Zimmerchen mit all seinem Kram und mit seinen beiden Bewohnern wurde zur Gondel einer riesigen Schaukel, die war irgendwo in der blauschwarzen Himmelskuppel festgemacht...“ (31)). Für sich genommen bliebe diese Geschichte Trivialliteratur, die durch Hereinnahme eines politisch brisanten Themas — Republik-Flucht und Mauerbau — Spannung zu erzeugen sucht: die Zerrissenheit der Liebenden wird in der Zerrissenheit der beiden deutschen Gesellschaftssysteme gespiegelt, die endgültige Trennung wird mit dem Mauerbau augenfällig besiegelt. Die Darstellung der Arbeitsbrigade als eines eigenständigen spannungsvollen sozialen Organismus sagt nichts Neues, ihre Bedeutung erschöpft sich vielmehr in dem hier spürbaren Verzicht auf Schönfärberei, wie dies etwa auch Erik Neutschs Roman „Spur der Steine“ auszeichnet.

„Sie merkte: Die Brigade war ein kleiner Staat für sich. Meternagel zeigte ihr nun die, welche an den Fäden zogen und die, welche sich ziehen ließen; er zeigte ihr die Regierer und die Regierten, die Wortführer und die Opponenten, offene und versteckte Freundschaften, offene und versteckte Feindschaften. Er machte sie auf Unterströmungen aufmerksam, die ab und zu in einem scharfen Wort, einem unbeherrschten Blick, einem Achselzucken gefährlich nach oben trieben.“ (52)

Den Rahmen des Konventionellen durchbricht Chr. Wolf in diesem Zusammenhang allenfalls darin, daß die Entscheidung der Heldin für das sozialistische System und gegen ihren Geliebten, der in den Westen geflohen ist, nicht negativ aus Ablehnung westlicher Lebensform, sondern positiv in Bejahung der neu gewonnenen Beziehungen zum Leben in der DDR gefällt wird[90]. Daß diese Deutung möglich ist, obwohl es sich auch Chr. Wolf nicht versagt, ihre Heldin wenigstens für einen Tag West-Berlin erleben zu lassen und dabei kein Klischee spart, um das trostlose, entfremdete Leben in einem kapitalistischen System zu schildern, gründet in dem spezifischen Gestaltungsansatz und der Erzählweise des Romans, und hierin allein gewinnt der Roman seine Bedeutung. Erst die Frage nach der ästhetischen Struktur des Werkes, nach der Unterordnung seiner Elemente unter sein Formgesetz, vermag dessen Eigenart zu erhellen — solche selbstverständliche Einsicht scheint in der Literaturkritik der DDR um so sicherer außer Blick zu geraten, je bewußter ein Werk politisch brisante Themen aufgreift. Auch die Diskussion um Chr. Wolfs Roman zeigt wesentlich a-literarischen Charakter, was in der DDR nur von wenigen Kritikern bemängelt wurde. Mit Recht hält D. Schlenstedt fest:

„Es ist charakteristisch, daß die schematische Kritik, die die Parteilichkeit Chr. Wolfs anzweifelt, sich an Einzelzügen festhält, die Bewegungsrichtung, die ästhetische Struktur der Geschichte, auf der die Gesamtaussage beruht, nicht begreifen kann." [91]

Chr. Wolf hat das Schema des Entwicklungsromans nicht nur mit neuen sozialistischen Inhalten ausgefüllt, sie wendet es vielmehr in spezifisch anderer Weise an.

Das äußere Geschehen steht in ihrem Roman gar nicht zur Debatte, daher kann auch mit Versatzstücken gearbeitet werden: es erfolgt keine Zuspitzung auf ein Entwicklungsziel oder eine Entscheidung: die Entscheidung der Heldin steht am Beginn und bleibt stets gegenwärtig. Die Erzählerin wählt dabei nicht nur die Retrospektive, wie dies beispielsweise auch K. H. Jakobs („Beschreibung eines Sommers") getan hat, um der jeweils vorgestellten Gegenwart aus dem Wissen um das Ende Tiefendimensionen zu verleihen, zur Retrospektive tritt vielmehr entscheidend das Durchbrechen des zeitlichen Kontinuums. Die Entwicklung der Figur stellt sich nicht mehr als mechanische Addition von Einwirkungen vor, die jeweils vorgestellte Erfahrung wird vielmehr in ein ständig sich verschiebendes Kräftefeld gegenwärtiger, vergangener und zukünftiger Einwirkungen eingeordnet. Nicht der Bildungsweg der Figur steht so zur Diskussion, sondern die reflexive Bewältigung alles Geschehenen, äußerlich motiviert durch den psychischen Zusammenbruch der Heldin nach der Trennung von ihrem Geliebten. Durch Rationalisieren der bisherigen Erfahrungen soll der Zusammenbruch überwunden werden. Die einzelne Figur wird als Ort widerstreitender Erfahrungen gefaßt, der Widerstreit dieser Erfahrungen im Bewußtsein der Figur wird letztlich Thema des Romans. Das Aufarbeiten des Vergangenen wird dabei als Wiederaufnahme eines scheinbar schon entschiedenen Prozesses vollzogen, Ausdruck einer Wirklichkeitserfahrung, die Chr. Wolf später als Grundvoraussetzung des Schreibens bestimmen sollte:

„Zu schreiben kann erst beginnen, wem die Realität nicht mehr selbstverständlich ist ... So wäre es richtig, daß wir, schreibend, die Welt neu erfinden müssen? ..." [92]

Aufarbeiten, Bewältigen des schon Entschiedenen kann auch affirmativ vollzogen werden: die Retrospektive dient dann nur dazu, die Logik des Ganzen aufzuweisen. Einzelne Bemerkungen des Erzählers weisen in diese Richtung, so wenn als Verfahren der Heldin berichtet wird, das Geschehene reflexiv so weit von sich zu entfernen, „daß sie es von Anfang bis Ende übersehen kann" (115). Ist auf der Ebene der Handlung die Entscheidung auch von Beginn an schon gefallen, so doch noch lange nicht in dem wiederaufgenommenen Prozeß, dieser wird vielmehr kompromißlos geführt. Das Eigenrecht, das die Bitterfelder Konzeption der Erfahrung, Vorstellung und dem Anspruch des einzelnen zugesprochen hatte, sofern, wie es bei Chr. Wolf auch gegeben, in einer neuen, aktiven Teilnahme am Gesellschaftsprozeß begründet wurde [93], ermöglicht dabei eine charakteristische Umkehr. Nicht nur hat die einzelne Figur angesichts der gesellschaftlichen Erfordernisse zu bestehen, auf der Grundlage der von Beginn an gegenwärtigen Entscheidung hat sich diese gesellschaftliche Realität vielmehr auch vor dem Richterstuhl des einzelnen, der den Bewältigungsversuch unternimmt, als annehmbar zu erweisen. Der erzählerische Ansatz eines ständigen Ineinanderspiegelns erinnerter Wirklichkeitsausschnitte erhebt sich derart zu einer gültigen Erfüllung der in der Bitterfelder Konzeption aufgegebenen „Realität als Probe". So erschöpft sich die Figur des unermüdlich und selbstlos um den Fortschritt der Produktion kämpfenden Meternagel nicht in einer Leitbild-Funktion als „Held der Arbeit" — solche Leitbilder hatte zuletzt noch Br. Reimann entworfen. Ihre Funktion erfüllt diese Figur vielmehr erst als Anwalt für das gesellschaftliche System des Sozialismus und als Garant möglicher Selbstverwirklichung des Menschen in der Arbeit in dem Prozeß, den die Heldin über ihre bisher erfahrene Wirklichkeit zu führen sucht.

Solcher Gestaltungsansatz ermöglicht Chr. Wolf den Entwurf eines differenzierteren Bildes der Wirklichkeit, als dies vielfach wahrgenommen worden ist. Kein äußeres Geschehen steht im Mittelpunkt, sondern ein Bewußtseinsprozeß, in dem die Frage nach der gegebenen sozialistischen Wirklichkeit neu gestellt wird. Dabei werden nicht nur fatalistische Geschichtsauffassung (192) und Skepsis gegenüber dem sozialistischen Gesellschaftssystem, die der Geliebte der Heldin vermittelt, gegen positive Erfahrungen der Selbstverwirklichung im Arbeitsprozeß ausgespielt. Die Probe der Realität, die im Bewußtsein der Perspektiv-Gestalt unternommen wird, erweist solch einfache Entgegensetzung als unangemessen. Was sich anfangs scheinbar einheitlich gegenüberstellen läßt, zerfällt im Fortgang des Prozesses selbst wiederum in disparate Bereiche. Zu dem Bild der Trennung vom Geliebten tritt gebieterisch das Komplementäre der erfahrenen Selbstverwirklichung in der Liebesbeziehung. Diese Erfahrung wiederum wird erweitert in der Erfahrung möglicher Selbstverwirklichung im Arbeitsprozeß, die dann aber konfrontiert wird mit der ihr widerständigen Erfahrung immer noch gegebener entfremdeter Arbeit.

In der Frage nach möglicher Entfremdung auch im gesellschaftlichen System des Sozialismus und nach der Möglichkeit ihrer Überwindung im Rahmen dieses Systems gibt sich der Fluchtpunkt und zugleich die herausfordernde Kraft des Bewußtseinsprozesses zu erkennen, den der Roman gestaltet [94]. Mit zwingender Anschaulichkeit wird das Thema Entfremdung in dem traumatischen Erlebnis eingeführt, das sich als Leitmotiv durch das Werk zieht: das Werk insgesamt kann als nichts anderes als die reflexive Durchdringung dieses Erlebnisses bestimmt werden. In der immer neu durchbrechenden Angst, in dem Gefühl des Ausgeliefert-Seins an ein fremdes Geschehen und in der Hoffnungslosigkeit der Heldin kehrt auf persönlicher Ebene wieder, was im Bereich der Produktion selbst als Bedrohung der Arbeitenden durch das Produkt ihrer Arbeit erfahren worden war:

> „Sie sagt niemandem, daß sie Angst hat, die Augen zuzumachen. Sie sieht immer noch die beiden Waggons, grün und schwarz und sehr groß. Wenn die angeschoben sind, laufen sie auf den Schienen weiter, das ist ein Gesetz, dazu sind sie gemacht. Sie funktionieren. Und wo sie sich treffen werden, da liegt sie. Da liege ich ...
>
> Ihre Geschichte ist banal, denkt sie, in manchem auch beschämend. Übrigens liegt sie hinter ihr. Was noch zu bewältigen wäre, ist dieses aufdringliche Gefühl: Die zielen genau auf mich." (10 f.)

Mit der Frage der Entfremdung weitet die Erzählerin den Prozeß ihrer Figur zu einer Probe der gesellschaftlichen Realität der DDR aus. Sie übernimmt dabei ein Thema, dessen politische Brisanz in der im gleichen Jahr in der CSSR eröffneten Kafka-Diskussion manifest werden sollte. Fünf Jahre später hat Chr. Wolf mit ihrem zweiten Roman „Nachdenken über Christa T." erneut zu einer Probe der gesellschaftlichen Wirklichkeit angesetzt. Wiederum steht, worauf der Titel schon weist, ein Bewußtseinsprozeß im Mittelpunkt. Die Position des einzelnen, der diesen Prozeß führt — die Erzählerin und der Bezugspunkt ihres Nachdenkens — erscheint aber privater, d. h. im Wortsinne: um die Dimension des Öffentlichen beraubt: der Bereich der Arbeitswelt bleibt weitgehend ausgespart. Von der Seite der gesellschaftlichen Produktion kann entsprechend in diesem Prozeß wenig ins Feld geführt werden, der Bildungsroman hat so seine spezifisch „sozialistische" Komponente verloren. Der Prozeß selbst steht unter der Perspektive des Scheiterns: nicht die Entscheidung für das sozialistische Leben, sondern der gewollte Tod entbindet hier das Nachdenken: den Optimismus des ersten Romans hat ein elegischer Grundton abgelöst. Zweifellos dokumentiert solche Fortführung des Themas zugleich ein Stück Geschichte der DDR.

E. Strittmatter, Ole Bienkopp

Auch der zweite Bildungsroman, um den in der DDR 1963/64 heftige Diskussionen geführt worden sind, hat seine Bedeutung keineswegs im Stofflichen, etwa in den vorgestellten Figuren, ihren Handlungen und Erfahrungen. In einer wiederum weitgehend a-literarischen Debatte wurde jedoch, wie schon bei Chr. Wolfs Roman erläutert, vor allem an isolierten Aspekten des Stoffes (z. B. Darstellung der Partei etc.) Anstoß genommen. Nicht gegebene Entsprechungen einzelner Inhalte zur empirisch nachprüfbaren Realität wurden dem Autor vorgehalten, womit nicht nur von einem Verständnis von Literatur als Illustration anderweitig ermittelten Wissens ausgegangen, sondern auch an der für Strittmatter charakteristischen, naiven Weltsicht vorbeiargumentiert wurde. Bei Strittmatter sind objektive Unterschiede stets identisch mit subjektiven: die Reichen sind stets böse, die Armen stets gut, schon in ihrem Namen führen die Figuren zumeist ein Aushängeschild mit sich, das sie umfassend charakterisiert; vor allem aber erscheinen sie reduziert in ihren Reaktionen: sie erweisen sich letztlich als ungelenke Puppen, die stets nur aus einem Punkt bewegt werden.

Strittmatter zeichnet den Lebensweg eines eigenständig Denkenden, aber auch eigensinnigen Neuerers, der in Konflikt mit einer verhärteten Parteibürokratie gerät und in diesem Konflikt zuletzt zerbricht. Kritik am Dogmatismus kann darum aber noch nicht als Angelpunkt des Werkes bezeichnet werden[95], dieses erhält seine spezifische Bedeutung vielmehr aus dem erzähltechnisch geschaffenen Ansatz zu dieser Kritik. Strittmatter entwirft eine vorwegnehmende Figur: während beispielsweise offiziell noch der ländliche Privatbesitz als Wirtschaftsgrundlage propagiert wird, setzt sich Bienkopp schon für bäuerliche Kollektivwirtschaft ein: eine Konstellation, die wenig später auch P. Hacks in seinem Drama „Moritz Tassow“ aufgreifen wird. Strittmatter gestaltet die hieraus folgende Auseinandersetzung aber für einen Leser, der die Zwangskollektivierung der Landwirtschaft gerade miterlebt hat. Die vorwegnehmende Figur, die notwendig mit ihrer Zeit in Konflikt geraten muß, ist so gleichzeitig auf der Höhe des offiziell geforderten Bewußtseins des Lesers zu erkennen. Was als vorweggenommene Zukunft erschien, behauptet sich damit als Realität. Die vorgestellten Repräsentanten der Realität, die diesem Zukunftsbild entgegengetreten sind, werden dann aber nachdrücklich in Frage gestellt. Die Übereinkunft der vorwegnehmenden Figur mit dem gegenwärtigen Leser impliziert ein umfassendes Ins-Recht-Setzen des einzelnen gegenüber dem Anspruch des gesellschaftlichen Ganzen, durch das im Sinne des Bitterfelder Weges eine neue Probe der gegebenen gesellschaftlichen Realität eingeleitet wird. Das Werk selbst kann diese Probe aufgrund seiner naiven Weltsicht zwar nicht leisten, es vermag sie aber als Provokation an den Leser weiterzugeben. Strittmatter gelingt es damit, einen Prozeß, der im Werk nur vereinfacht geführt wird, dem Leser zu übertragen, der ihn auch in der jeweils gegebenen historischen Situation zu entscheiden hat: er leistet damit im Roman, was auf der Bühne dem Einreißen der vierten Wand, d. h. dem aktiven Einbeziehen des Zuschauers in den vorgestellten Prozeß gleichkommt. Es erscheint nicht zufällig, daß solche Aktivierung des Lesers zahlreiche politisch besorgte Kritiker auf den Plan gerufen hat.

3. *Das Drama der „sozialistischen Rede“*

Der überzeugendste Versuch, den Dualismus allegorischer Wirklichkeitsdarstellung in einem dialektischen Ansatz aufzuheben, war für die Zeit vor dem Entwurf der Bitterfelder Konzeption an den Stücken des „didaktischen Theaters“ aufzuweisen[96], die am ehesten auch den Anspruch erheben konnten, in der Nachfolge Brechts gedeutet zu werden. So zeichnete es Heiner Müllers Lehrstück aus, Darstellung der Wirklichkeit in ihrer revolutionären Entwicklung, worin schon Shdanow die Eigenart sozialistisch-realistischer Literatur bestimmt hatte, konsequent auch zum Programm der literarischen Auseinandersetzung mit der sozialistischen Gegenwart zu erheben. Auffassung der Wirklichkeit als Prozeß, Anerkennen des Widerspruchs als Motor der gesellschaftlichen Entwicklung, erhielten damit konstituierende Bedeutung für den literarischen Produktionsprozeß. Im Beharren auf der Diskrepanz zwischen geschichtlichem Anspruch und erfahrbarer sozialistischer Wirklichkeit forderten diese Dramen Kritik heraus, die dann auch vor allem ein Fehlen optimistischer Zukunftsgewißheit erkennen zu können glaubte [97]. Heiner Müller bestätigt dies als herrschenden Gesichtspunkt der Kritik, wenn er nach einer Diskussion mit Regisseuren und Schauspielern des Maxim Gorki Theaters über sein Stück „Die Korrektur" festhält:

„... Fehler in ‚Korrektur': Das ‚noch' ist nicht gesetzt. Es kann auch vom Zuschauer nur gesetzt werden, wenn ihm das nächste ‚schon' gezeigt wird ... Das Publikum, dem diese Sehhilfe verweigert wird, liest so nicht einmal das ‚schon' heraus, sondern nur ein ‚immer noch'." [98]

Mit dem Entwurf der Bitterfelder Konzeption konnten die Einwände gegen das „didaktische Theater" in einer neuen Realitätserfahrung begründet werden. Damit wurden zugleich die Voraussetzungen geschaffen, die Theater-Diskussion in der DDR in fruchtbarer Weise fortzuführen.

Der Bitterfelder Weg forderte vom Schriftsteller eine unvermitteltere Auseinandersetzung mit dem Bereich der gesellschaftlichen Produktion, um so seine Kenntnis der „treibenden Kräfte der gesellschaftlichen Entwicklung" zu vertiefen. Die aktive Teilnahme am gesellschaftlichen Produktionsprozeß mußte die Aufmerksamkeit zugleich aber auf die noch nicht gelösten Widersprüche der erfahrbaren gesellschaftlichen Realität lenken. Die neu befestigte Grundlage des marxistischen Geschichtsbildes gab dem Thematisieren gerade dieser Widersprüche größeren Raum. Damit wurde erstmals in der DDR eine literarische Konzeption entworfen, die ihre Eigenart gerade aus der Aufgabe bezog, das häufig beklagte Nachhinken der Literatur hinter der gesellschaftlichen Entwicklung zu überwinden. Als appellative Forderung an die Schriftsteller wurde diese Aufgabe zwar schon mit der Einrichtung des neuen Gesellschaftssystems erhoben, zugleich aber durch ständige Berufung auf ein letztlich mechanisches Widerspiegelungsmodell immer wieder unterlaufen. Die Teilnahme des Schriftstellers an der gesellschaftlichen Produktion entsprechend dem Bitterfelder Modell eröffnet demgegenüber ein Verständnis literarischer Produktion als Teil der gesellschaftlichen Produktion [99]. Der neuen Erfahrung der Arbeitswelt wird so zugleich die Aufgabe zugeordnet, beizutragen zu dem Ziel, die Trennung von Kunst und Arbeit aufzuheben.

Die spezifischen Wandlungen in Figurenaufbau und dramatischem Konflikt, die sich gegenüber den früher betrachteten Lehrstücken Brechts und Heiner Müllers aus der Bitterfelder Konzeption ergeben, sind in diesem Zusammenhang zu bestimmen. Die Widersprüchlichkeit der gesellschaftlichen Realität als spannungsvoller Einheit von Altem und Neuem wird nun nicht mehr berufen, um die Widersprüchlichkeit einer Figur zu bestätigen — aus solchem Ansatz war das historisierende und soziologisierende Verfahren Heiner Müllers bei der Bearbeitung des Garbe-Stoffes zu bestimmen gewesen — im Zentrum stehen jetzt vielmehr die Widersprüche der gesellschaftlichen Realität selbst. Aus der Zuordnung zu diesen bestimmt sich erst die Eigenart der dramatischen Figuren und des dramatischen Prozesses insgesamt.

Verbindet das Drama des Bitterfelder Weges mit dem früheren „didaktischen Theater“ die Auffassung der Welt als Konflikt statt Orientierung an dem vielfach geforderten Harmonie-Bild der Gesellschaft, so ist dieser Konflikt doch in charakteristischer Wandlung zu erkennen. Der Konflikt des „didaktischen Theaters“ entsprang der Forderung, den Anspruch des Ganzen, des gesamtgesellschaftlich Notwendigen, das der vorausweisende und vorwegnehmende Held verkörperte, in der jeweils gegebenen, beschränkten Situation zu verwirklichen. Demgegenüber wird der Anspruch des Ganzen nun an dem einzelnen gemessen, das aus seinen spezifischen situativen Voraussetzungen Eigenrecht reklamiert, seinen Anspruch gleichzeitig allerdings auch gegenüber der Forderung des Ganzen zu begründen hat. Erst aus solcher Voraussetzung scheint es dann auch möglich, die jeweilige dramatische Figur nicht nur als Objekt, sondern auch als Subjekt der gesellschaftlichen Entwicklung vorzustellen.

Die vorausweisende, maßstabsetzende Tat findet in solchem Zusammenhang geringeres Interesse. Im Zentrum des dramatischen Geschehens steht nun das Befragen der Realität selbst als einer widersprüchlichen Einheit vergangenheits- und zukunftsorientierter Kräfte. Die Probe der Realität, die in Christa Wolfs Roman „Der geteilte Himmel“ als Bewußtseinsprozeß einer einzelnen Figur vorgestellt wird, erscheint hier zum Drama ausgefaltet. Die Verständigung über die Realität wird zum Drama. Dessen Gründung in einer Auffassung der Wirklichkeit als Konflikt bestätigt sich dabei schon darin, daß die Verständigung über Dramen dieses Ansatzes sich gleichzeitig als gesellschaftliches Problem erweist. Wie schon die Beispiele aus den bisher betrachteten Gattungen zeigten, lösten auch unter den Dramen die Werke, die die Bitterfelder Konzeption am anspruchsvollsten auszuschöpfen suchten, zugleich die breitesten literarischen Diskussionen in der DDR aus. Mit Ausnahme der Diskussion um Bräunigs Text, der jene um Biermanns Lyrik beizuordnen wäre, handelt es sich bei all diesen Werken — und auch dies findet sich bisher nur selten in der Geschichte der Literaturkritik in der DDR — um echte Diskussionen. Die Werke forderten kontroverse Stellungnahmen heraus, die Diskussion diente der Urteilsfindung, nicht der Bestätigung einer vorab schon festliegenden Bewertung.

In der Einheit von thematischem Vorwurf und gesellschaftlicher Wirkung, die das Drama der Verständigung über die Realität zurückholt in das gesellschaftliche Problem der Verständigung über derartige Dramen, erhält zugleich das Verständnis literarischer Produktion als Teil der gesellschaftlichen Produktion praktische Wirksamkeit. Dies schließt eine gewandelte Auffassung von Parteilichkeit und Volksverbundenheit ein, die beide in ihrer Verwirklichung durch das „didaktische Theater“ kritisiert worden waren [100]. Gesellschaftliche Wirklichkeit, über die Verständigung erreicht werden soll, ist nun, den Autor mit eingeschlossen, in einem Versuchsfeld zu erkennen, das seinerseits dadurch bestimmt wird, daß „Volksverbundenheit“ der Literatur nicht im Sinne größtmöglicher Wirkung verstanden, sondern auf die Aufgabe bezogen wird, Lernprozesse einzuleiten im Sinne der neu erarbeiteten Einschätzung der gegebenen gesellschaftlichen Situation.

Zwei Dramen und deren Rezeption in der DDR sollen ausführlicher betrachtet werden, das erste nachdrücklich optimistischer Zukunftsgewißheit verpflichtet, „Die Sorgen um die Macht“ von

Peter Hacks, das zweite einen dunkleren Horizont entwerfend, „Der Bau" von Heiner Müller. Beide Texte zeigen das Drama der Verständigung über die Realität zugespitzt zur Konfrontation wahrer sozialistischer bzw. sozialistisch wahrer Rede mit gesellschaftlich wirksamer, aber verlogener Rede.

Peter Hacks, Die Sorgen um die Macht

Mit dem zwischen 1958 und 1962 entstandenen Drama „Die Sorgen um die Macht" wendet sich Peter Hacks erstmals der sozialistischen Wirklichkeit der DDR zu [101]. P. Hacks war 1955 auf Einladung Brechts nach Ostberlin übergesiedelt. Er war bisher durch vier Historiendramen hervorgetreten; in Ostberlin wurde er Dramaturg am Deutschen Theater. Entstehungs- und Wirkungsgeschichte des Dramas bezeugen den provozierenden Charakter dieser Auseinandersetzung mit der Gegenwart. Angeregt durch den offenen Brief dreier Stahlarbeiter im „Neuen Deutschland" (26. 2. 58), ging Hacks 1958 in eine Brikettfabrik des Bitterfelder Reviers, um Stoff für sein Stück zu sammeln. Mit dem Exposé gewann er einen Wettbewerb des Henschel-Verlags für Stücke, die sich mit dem DDR-Alltag beschäftigen. Nach einer Probeaufführung der ersten Fassung am Deutschen Theater Berlin (Frühjahr 1959) wurde Hacks zur Weiterarbeit an das Theater der Bergarbeiter Senftenberg verwiesen, um das Stück in Auseinandersetzung mit Schauspielern umzuarbeiten, die dem dargestellten Milieu näher standen. Dort wurde 1960 eine neue Fassung des Stücks aufgeführt, 1962 folgt die Uraufführung der dritten Fassung am Deutschen Theater, um die dann ein halbes Jahr in Zeitungen und Zeitschriften, ebenso aber auch auf Parteitagungen ausführlich diskutiert wurde. [102] Die Diskussion endete mit einer Selbstkritik des Intendanten Langhoff [103], die dessen Rücktritt aber nicht mehr verhinderte. Zu gleicher Zeit wurde auch P. Hacks' dramaturgische Mitarbeit am Deutschen Theater gekündigt.

Dem Stil epischen Theaters gemäß, eröffnet P. Hacks sein Drama mit einem Prolog, der Thema und Handlungsverlauf im voraus zusammenfaßt, beides so dem Zuschauer als Gegenstand der Betrachtung und Reflexion darbietend. Besonderes Interesse kommt diesem Prolog insofern zu, als schon hier Auffassung des Themas und sprachliche Gestaltung des Stückes in ihrer spezifischen Eigenart deutlich werden.

„Fidorra Max, ein junger Brikettierer,
Gewinnt, mit Geld und guten Worten, Herz
Und Bett von Hede Stoll, Sortiererin
In einer Glasfabrik. Fidorra ist reich,
Stoll arm, warum? In der Brikettfabrik
Machen sie elende Briketts, wurmstichige
Preßlinge, Affen ihrer Gattung, aber
Von denen viel, und viel ist einträglich;
Und liefern diese schlechten, vielen und
Einträglichen Briketts der Glasfabrik,
Deren Maschinen sich den Magen dran
Verrenken und stillstehn. Also ist Stoll arm
Durch Schuld Fidorras, ist Fidorra reich
Auf Kosten Stolls. Doch Zeit und Ändrung kommt.
Denn neunzehnsechsundfünfzig, im Oktober,
Setzt Eifer mächtig ein der Kommunisten
Und Anstrengung, die Güte der Briketts
Zu bessern, was bedeutet, erst die Güte
Zu bessern der Partei. Und ab von oben
Nach unten rolln die Kämpfe, deren das Gute
Bedarf in einem guten Land. Sie enden
Siegreich. Die Männer alle werden redlich,
Und auch Fidorra tut für seine Freundin,
Was er nicht für den Sozialismus täte.
Aufblüht die Liebe unterm rußigen Mond,
Hart in die Wagen schellen die Briketts,
Und großen Fortgang nimmt die Glasfabrik.
Doch auf Betrug verzichtend, verzichten die
Brikettkumpel auf Lohn. Das geht drei Monat,
Dann geht das nicht mehr. Das Gewicht des gern
Gebrachten Opfers nimmt beim Tragen zu.
Müd werden die Beschlüsse, wach die Triebe.
Und los von neuem brichts, klirrend und blutig,
Und jeder muß jetzt seinen Kopf festhalten,
Denn weniger wird nicht genommen als
Sein Kopf und ganzes Denken. Hie gut, hie viel.
Und viel, viel, viel, schreit die Regierung, ders
Um Katarakte geht von Energie;
Sie murmelt auch von Qualität was, aber
Lobt dich für Menge. Gute Gründe pflastern
Den Weg des Irrtums. Wohin geht Fidorra?
Fidorra Max ist arm, Hede Stoll reich.
Sie kauft, schafft an, bezahlt. Wer zahlt, herrscht.
Die Würde dieses deutschen Proletariers
Ist tief verletzt. Ganz unvermögend steht er.
Und mit der Kraft des Gelds entschwinden ihm
Des Geists, der Muskeln und der Lenden Kräfte.
Schlimme Verknotung: diese Liebe scheitert
Daran, daß einer Geld hergab aus Liebe.

Was kann allein die Liebe retten? Geld.
Und doch entscheidet er sich gegen Geld
Und gegen Liebe, und doch wird ihm Liebe:
Ihm, der um mehr als Liebe Liebe wegwirft.“ (302 f.) [104]

Der Prolog nennt als Thema ein Produktionsproblem in seiner gesamtwirtschaftlichen Verflechtung, das dargestellt wird als Sorge der zur Macht gekommenen Arbeiterklasse, folgend den Ausführungen Ulbrichts, die der ersten Fassung als Motto vorangestellt worden waren:

„Die Festigung der Arbeiter- und Bauernmacht und Leitung der Wirtschaft, die Erfüllung der Produktionsaufgaben machen der Arbeiterklasse und den Werktätigen auch Sorgen. Das ist nun einmal so, denn wer die Macht hat, hat auch bestimmte Sorgen.“ [105]

Das Stück wird einmal durch den Versuch charakterisiert, komplexen ökonomischen und politischen Zusammenhängen dadurch dramatische Sinnfälligkeit zu verleihen, daß sie in die persönlichen Beziehungen zweier Figuren exemplarisch „übersetzt“ werden. Der Einschränkung im Aufdecken gesellschaftlicher Kausalzusammenhänge, die sich hieraus ergibt, steht gleichzeitig ein Anspruch auf repräsentative Darstellung der Wirklichkeit entgegen, der mit der auffälligen Orientierung der Sprache an der Versform des klassischen deutschen Dramas in der sprachlichen Gestalt begründet wird. Aus der Verschränkung dieser beiden Ansätze der dramatischen Gestaltung ergibt sich wesentlich die Problematik dieses Dramas.

Peter Hacks thematisiert Probleme der sozialistischen Planwirtschaft, die politische Brisanz dadurch erhalten, daß sie in einem unmittelbaren Zusammenhang mit der gegenwärtig gegebenen Wirtschaftsstruktur dargestellt werden: Vorrang des Gesichtspunktes der Quantität vor dem der Qualität in der Produktion („. . . Hie gut, hie viel/Und viel, viel, viel, schreit die Regierung“ 302), Widersprüche der wirtschaftlichen Entwicklung als Folgen bürokratischer Lenkung (z. B. Widerspruch zwischen Produktion und Verteilung: „Sozialismus ist, wenn man jeden Dreck los wird“ (310)). Die gesellschaftlich verbindliche Antwort auf diese Probleme wurde in der DDR 1963 — ein halbes Jahr nach der Aufführung der dritten Fassung des Stückes — mit der Einführung des Neuen Ökonomischen Systems der Planung und Leitung (NÖSPL) gegeben, als dessen herausragendes Prinzip die Rückkehr zur Einzelrentabilität der Betriebe genannt werden kann, woraus sich u. a. eine Stärkung der lokalen Ebene gegenüber der Zentralverwaltung, allgemein des Besonderen gegenüber dem Allgemeinen ergibt.[106] P. Hacks greift so ein Problem auf, das in der Sowjetunion wie in der DDR erst nach tiefgreifender Umstrukturierung des ökonomischen Systems eine Lösung fand. Nachdrücklich überwindet der Autor mit solchem Gegenwartsstück das häufig kritisierte Nachhinken der Literatur gegenüber der gesellschaftlichen Entwicklung.

Die Personalisierung des komplexen ökonomischen Zusammenhangs führt Hacks allerdings zu einer Umwandlung des gesellschaftlichen Problems in ein moralisches. Die Störung des ökonomischen Systems erscheint damit wie der Streit zweier Liebenden aufhebbar; insgesamt geht die Lösung von einem ethischen Wachstum des zur herrschenden Klasse aufgestiegenen, in diese Herrschaft aber erst sich gewöhnenden Proletariats aus. Motor des Stückes wird die „Katharsis" der Hauptfigur, die — dem Gestaltungsansatz entsprechend — nur privat begründet werden kann:

„Und auch Fidorra tut für seine Freundin
Was er nicht für den Sozialismus täte." (301)

In dem Ansatz, allgemeine, ökonomische, politische und gesellschaftliche Zusammenhänge in konkrete Handlungen konkreter Menschen zu übersetzen, berührt sich P. Hacks mit Lukács' Entwurf realistischer Darstellung von Wirklichkeit[107]. Für Lukács ergibt sich die Forderung nach solchem Übersetzen aus der Auffassung, Kunst habe „ein Bild der Wirklichkeit zu geben, in welchem der Gegensatz von Erscheinung und Wesen, von Einzelfall und Gesetz, von Unmittelbarkeit und Begriff usw. so aufgelöst wird, daß beide im unmittelbaren Eindruck des Kunstwerkes zusammenfallen, daß sie für den Rezeptiven eine unzertrennbare Einheit bilden".[108]

In gleicher Weise bestimmt P. Hacks 1957:

„... Realistische Kunst zeigt das Allgemeine im Besonderen. Das Allgemeine ist das Soziale, das sind die gesellschaftlichen Gebilde, Beziehungen, Widersprüche und Trends. ... das Verhältnis des Allgemeinen zum Besonderen ist zwar das der Identität, zugleich aber das der Unversöhnlichkeit."[109]

Aber nicht die Personalisierung gesellschaftlicher Zusammenhänge, die Lukács' Begriff der Wirklichkeit als Einheit von Wesen und Erscheinung voraussetzt, wurde in der DDR gegen Hacks' Drama eingewendet, sondern deren unzulängliche Erfüllung. Die dargestellten Arbeiter seien nicht typisch genug, die Triebkräfte der Figuren seien auf einen niederen materiellen Bereich reduziert, ihre Anschauungen seien zu wenig marxistisch, die Rolle der Partei wäre zu negativ dargestellt. Einwände dieser Art sind in der Literaturkritik der DDR nicht neu, aus größerem zeitlichen Abstand wird deren Vordergründigkeit auch bezüglich des Hacks'-schen Dramas zugestanden [110]. Wo solche Einwände erhoben werden, wird das geforderte Typische als Darstellung des Durchschnittlichen bzw. als Reproduktion eines im voraus festgelegten Bildes aufgefaßt („Von den Hunderten wunderbarer Kumpel, die ich kenne, fand ich nur schwache Abbilder, vereinzelt sogar Zerrbilder." [111]). An isolierten Momenten des Inhalts (z. B. der einzelnen Figur und ihrem Verhalten) wird der gesellschaftliche Gehalt des Dramas insgesamt abgelesen. Entsprechend werden Äußerungen einzelner Figuren im Stück mit der Absicht des Autors identifiziert, ohne nach dem Stellenwert und der Funktion der jeweiligen Figur und ihrer Äußerungen im dramatischen Prozeß zu fragen („Wie er [= P. H.] die Dinge sieht, verkündet er dem Zuschauer durch den Mund der neuen Parteisekretärin in der Brikettfabrik." [112]). Solch „naivem Realismus" [113], der die Wirklichkeit nur als passives Objekt, das es unverzerrt widerzuspiegeln gelte [114], nicht aber zugleich auch als Subjekt der künstlerischen Darstellung auffaßt, hält eine andere Stellungnahme die Forderung entgegen, den einzelnen Textsachverhalt in seinem jeweiligen Gestaltungs- und Wirkungszusammenhang zu befragen:

„... Wie wäre es denn, wenn der Schriftsteller Hacks auch die Mängel in unserer Wirklichkeit so stark betont hat, aus Sorge, wir könnten sie in unserer künftigen Arbeit übersehen? Ein Kunstwerk wird doch erst beim Zuschauer (Leser) zu Ende produziert ..." [115]

Die Erwähnung des Zuschauers weist auf die Abhängigkeit literarischer Urteile vom jeweiligen Bild des Lesers bzw. allgemein der literarischen Wirkung. Auch in diesem Zusammenhang wird von Lukács' Vorstellung der Identifikation des Zuschauers mit der Welt des Kunstwerkes aus argumentiert und damit ein passiver Zuschauer vorausgesetzt [116]. So wird etwa kritisiert, daß das Stück „die Zuschauer kalt läßt ... daß es sie abstößt, statt sie in seinen Bann zu ziehen" [117]. Statt jedoch, im Beharren auf vorgängig postulierter ästhetischer Identifikation, isolierte inhaltliche Aspekte der von Hacks entworfenen Welt darum zu kritisieren, weil sie dem Zuschauer vollständiges Sich-Versetzen in die Welt des Werkes verwehrten, ist aus dem Text selbst das ihm angemessene Wirkungsmodell zu entwickeln. Solchem Deutungsansatz zeigt sich, daß die als unzulänglich kritisierten Momente in ihrem Gestaltungszusammenhang selbst schon ihre Kritik mit sich tragen, vom Leser allerdings verlangen, diese Zurücknahme selbst zu entwickeln.

Vor aller Kritik an der „untypischen" Übersetzung des komplexen gesellschaftlichen Themas in eine Liebesgeschichte ist so zu berücksichtigen, daß diese „Übersetzung" das banale Schema eines Bekehrungsstückes beruft, das dem Leser notwendig als Schema durchsichtig wird (eine zügellose, egoistische Gestalt verliebt sich; dabei wird ihr Gemeinschaftssinn erweckt, im folgenden, selbstlosen Einsatz für das Wohl des Ganzen wird sie zum leuchtenden Vorbild der Gesellschaft). Einer Kritik, die den mangelnden sozialistischen Charakter der vorgestellten Schablone rügt und damit doch gerade fordert, Schablonen zu reproduzieren, ist dieses Drama längst voraus, das im betonten Rückgriff auf eine Schablone seinen Gestaltungsansatz selbst kritisiert. Die Katharsis der Hauptgestalt kann damit nicht mehr als Mittelpunkt des Dramas bestimmt werden. Als Versatzstück bewußt gemacht, stellt diese vielmehr den politisch bequemen Ansatz gerade in Frage, die Verbesserung der gegebenen Produktionsverhältnisse von der moralischen Wandlung des einzelnen Arbeitenden zu erwarten.

Ein Blick auf den Entwurf des kommunistischen Idealzustandes durch die zukünftige Parteisekretärin bestätigt das Verfahren des Autors, dem scheinbar eindeutig Dargestellten durch die aufgebotenen Darstellungsmittel Fragwürdigkeit mitzuteilen:

> „... Kollegen, Kommunismus, wenn ihr euch
> Den vorstelln wollt, dann richtet eure Augen
> Auf, was jetzt ist, und nehmt das Gegenteil.
> Denn wenig ähnlich ist dem Ziel der Weg.
> Nehmt so viel Freuden, wie ihr Sorgen kennt,
> Nehmt so viel Überfluß wie Mangel jetzt
> Und malt euch also mit den grauen Tinten
> Der Gegenwart der Zukunft buntes Bild." (360)

Notwendig ergeben sich Fehldeutungen, wo die Gesamtaussage nicht aus der ästhetischen Struktur des Stückes entwickelt wird.

Die Rede der zukünftigen Parteisekretärin wurde in der DDR stets isoliert beurteilt und dabei entweder aufgrund der hier sich aussprechenden gläubigen Zukunftsgewißheit gelobt oder aufgrund der dabei betonten Diskrepanz zwischen sozialistischer Gegenwart und kommunistischer Zukunft entschieden verurteilt, gipfelnd in dem Vorwurf, die Figur kenne die marxistischen Klassiker zu wenig. Unerörtert bleibt in beiden Fällen die Frage nach der dramatischen Funktion der Sprecherin und ihrer Rede. Hierauf einzugehen, verlangt vor allem, die Rede im Kontext jener Partien des Stückes zu erörtern, in denen, wie hier, die Prosasprache zugunsten des Blankverses aufgehoben wird. Diese Partien gleichen sich auch in ihrem Inhalt: stets wird in dieser Form eine aus offizieller Sicht unternommene Sinngebung des jeweils dargestellten Zusammenhangs mitgeteilt. Der Prolog führt diese Sprache als Sprache des Dichters vor [118], im Stück selbst kennzeichnet sie die Verlautbarungen der Parteifunktionäre [119].

Den Verseinlagen besondere Beachtung zu schenken, wird von P. Hacks selbst als legitim bestätigt. Während der Arbeit an seinem Drama veröffentlichte er eine Studie „Über den Vers in Müllers Umsiedlerin-Fragment" [120]. Hacks erläutert dort Müllers Gebrauch des Blankverses, die Spannung zwischen Erwartung des Schemas, die Müller weckt, und folgender Abweichung vom Schema:

„Müller scheut sich offenbar nicht, das Metrum wiederholt in Vergessenheit geraten zu lassen, ja er baut künstliche Sperren, fällt gar von Zeit zu Zeit in Prosa. Nach jeder Prosa-Stelle muß er, und der Hörer, den Jambus neu erobern. ... Wie der Umsiedlerin-Jambus immer neu produziert werden muß, muß der Sozialismus immer wieder neu produziert werden; beide sind nicht selbstverständlich. Die Prosa verfremdet den Vers, die Konfrontation mit dem Kapitalismus verfremdet den Sozialismus. Beider Schönheit wird, durch Verfremdung, deutlich. ... Ich bin sicher, an einem ganz neuen Beispiel, das Wesen der Kunst zu beobachten: die formale Widerspiegelung von Produktionsverhältnissen." [121]

Als Begründung für den Blankvers, dem er gestische Funktion gerade darin zuerkennt, daß er „den Spielraum der Abweichungsmöglichkeiten bis an die äußerste Grenze ausnützt", erläutert P. Hacks:

„Die Widersprüchlichkeit der Epoche, die gekennzeichnet ist durch die Widersprüche des sterbenden Kapitalismus, durch den zur Entscheidung drängenden Widerspruch zwischen Sozialismus und Kapitalismus und, vor allem, durch die eigenen Widersprüche der Transformationsperiode, kann nur durch äußerst bewegliche, antithetische, widerspruchsträchtige Mittel ausgedrückt werden. Auftretende Glätten werden zu unseren Zeiten verdächtigt als auftretende Lügen ...“ [122]

In seinem Drama verwendet P. Hacks den Blankvers als Ausdruck der offiziellen Rede, der Rede vom Partei-Standpunkt aus. Solche Rede kann Entwurf der zu erobernden Zukunft sein, ebenso aber auch Interpretation gegebener politischer Zusammenhänge; im ersten Fall weist sie den Redenden als „Historiker des entstehenden Sozialismus“ aus [123], im zweiten stellt sie ihn als historisierenden Sozialisten vor.

Die Verssprache wird jedoch gleichzeitig auch als Äußerungsform opportunistischer Rede verwendet, d. h. als verdächtige Glätte, als kurzsichtige Propaganda bzw. als unsozialistische Rede eigensüchtiger Verschleierung vorgestellt. So tritt zu dem in Verse gesetzten Bild des kommunistischen Ideals in der unmittelbar folgenden Szene eine in Verse gesetzte opportunistische Rede des Parteiinstrukteurs, die sich nur an der Forderung des Tages orientiert und aufruft, die Grundsätze sozialistischer Produktion zu verraten. Entsprechend wird sie auch von der im Drama als reaktionär gezeichneten Arbeiterfigur am willigsten aufgenommen.

Die Verssprache in „Die Sorgen um die Macht“ ist derart als Äußerungsform zutiefst zweideutiger Rede zu erkennen, damit aber gleichzeitig als Herausforderung an das eingreifende Denken des Lesers. Das Sprach-Ideal entwirft der Parteiinstrukteur:

> „Genossen, sozialistisch reden heißt
> Die Wolken packen und weg den Nebel schieben
> Und zeigen den Weg, und bis zu welcher Länge
> Man ihn gegangen ist.“ (364)

Die eigene Rede des Instrukteurs wird jedoch gleichzeitig durch lügenhafte Glätte gekennzeichnet. Mit solch auffälliger Diskrepanz zwischen Inhalt der Forderung und Sprache dessen, der sie vertritt, weist P. Hacks nachdrücklich auf das Problem wahrer sozialistischer Rede als Thema des Dramas. Im Entlarven der Figuren durch ihre Sprache bleibt Hacks gleichzeitig bei dem Thema seiner vorherigen Historiendramen. Schon in der ersten Szene eröffnet sich die Diskrepanz zwischen politisch opportuner und fachlich begründeter, aber unerwünschter Rede (306 f.), in entscheidender Situation wird wiederum die Frage gestellt, ob der

Parteisekretär verständlich für die fortschrittlich oder rückschrittlich Gesinnten reden will (374). Die in der Rede des Instrukteurs nachdrücklich sich mitteilende Zweideutigkeit rückt nicht nur den Entwurf des kommunistischen Ideals, sondern ebenso auch den Monolog des Parteisekretärs über die Ungarn-Ereignisse (351 ff.) ins Zwielicht: auch für diese Rede gilt nun: je glatter, desto fragwürdiger. Die Literaturkritiker der DDR, die sich auf die Beurteilung isolierter inhaltlicher Aspekte des Dramas beschränkten, hatten diese Rede wegen ihres parteilichen Charakters zu loben, standen gleichzeitig aber ratlos vor der Frage nach der Funktion des Ungarn-Themas in diesem Drama.[124] Deutet man diese Rede jedoch im ästhetischen Gesamtzusammenhang des Dramas, erweist sich als ihre Funktion, opportunistisches Interpretieren der Wirklichkeit in Frage zu stellen, was in einem Drama der sozialistischen Rede sehr wohl seinen Platz hat.

Das Drama stellt die Frage nach wahrer sozialistischer Rede, der Autor führt diese aber nicht vor. Nicht in der schablonenhaft verlaufenden Katharsis der Hauptfigur, sondern in der kritischen Auseinandersetzung mit verschleiernder Rede von oben, der opportunistische und eigensüchtige Rede von unten antwortet, zugunsten unverfälschten Sagens dessen, was ist, kann entsprechend die sinnstiftende Mitte des dramatischen Prozesses erkannt werden. Der falschen Sprache vieler Figuren, die bezeichnenderweise westliche Kritik an Hack's Drama häufig bemängelt hat[125], ist so bedeutsame gestische Funktion zuzusprechen. In ihr vor allem bestimmt sich der gesellschaftliche Gehalt des Stückes, wobei es erst von sekundärem Interesse ist, ob diese „falsche" Sprache vom Autor bewußt gesetzt ist oder in dessen eigenem Unvermögen gründet. Von der moralischen Wandlung einzelner, die das dramatische Geschehen im individuellen Bereich beließe, wird der dramatische Prozeß auf den kollektiven Bereich verlagert: im Mittelpunkt steht ein sprachlicher Lernprozeß, dessen Ziel in der „sozialistischen Rede" angegeben worden ist. Individueller und kollektiver Bereich treten in diesem Drama entsprechend auseinander. Was im individuellen Bereich selbstverständlich lösbar erscheint und darum den Eindruck des Schematischen hervorruft — die moralische Wandlung der einzelnen Figuren —, erweist sich im kollektiven Bereich als äußerst problematisch: nur mit vielen Rückschlägen vermag sich „sozialistische Rede" durchzusetzen, und nicht aus der bereitliegenden offiziellen Rede, sondern gegen diese aus der eigenen Sprache der Arbeiter wird sie gewonnen. (Vgl. die abschließenden Kommentare, die der Arbeiter Kickull, 378, der ehemalige Parteisekretär Kunze, 380, der Betriebsleiter Melz, 380 f., und die neue Parteisekretärin Holdefleiss, 381, geben, die zwar auch in Versform, aber in eigenständigem Ansatz gegenüber dem Blankvers-Schema gegeben werden.)

In der Übersetzung eines komplexen ökonomischen Themas in die Liebesbeziehung zweier Figuren schien Hacks Lukács Auffassung verpflichtet, literarische Gestaltung habe Wesen und Erscheinung als Einheit vorzustellen. Die nun in ihrer konstituierenden Bedeutung für den dramatischen Prozeß erkannte Spannung zwischen individuellem und kollektivem Bereich zeigt den Brecht-Schüler P. Hacks doch im Verfolgen eines Ansatzes, der den Widerspruch zwischen Besonderem und Allgemeinem, zwischen Erscheinung und Wesen in den Mittelpunkt literarischer Produktion stellt. In der 1960 erschienenen Studie „Versuch über das Theaterstück von Morgen" kritisiert Hacks entsprechend ausdrücklich die Lukács-Auffassung [126], womit er zugleich eigene Ausführungen zurücknimmt, die er 1957 in der Untersuchung „Das realistische Theaterstück" entwickelt hatte [127].

Ausgehend von einer Deutung des Dramas als Drama der sozialistischen Rede gibt sich auch der Bezug des Stückes zum literarischen Modell des Bitterfelder Weges zu erkennen: die „Realität als Probe" wird hier in der Probe der Sprache entworfen. „Sozialistische Rede" ist noch nicht erreicht, wo die offizielle Sprache reproduziert wird, die dialektische Spannung zwischen Besonderem und Allgemeinem wäre dann zugunsten des Allgemeinen aufgelöst. Nur vom Einzelnen aus und entsprechend in je individueller Gestalt kann „sozialistische Rede" vielmehr entwickelt werden, d. h. nicht nur hat der einzelne die gesellschaftlich verbindliche Sprache zu erlernen — diese Forderung entspräche, verabsolutiert, dem Stalinistischen Modell des sozialistischen Realismus —, vielmehr ist diese gesellschaftliche Sprache gleichzeitig von der einzelnen Figur aus zu modifizieren, ohne daß sich diese allerdings in einen eigenen, abgegrenzten Sprachraum zurückzieht. In solchem Beharren auf dem Recht des einzelnen wird erneut die politische Brisanz des Stückes offenbar.

Die Gründung dieses Dramas im literarischen Modell des Bitterfelder Weges reicht jedoch noch tiefer. In Rückbindung des thematisierten Produktionsproblems an ein Sprachproblem stellt Hacks das Drama selbst als Ergebnis sprachlicher Produktion zur Debatte. Das Drama bildet so gesellschaftliche Wirklichkeit nicht nur ab, sondern entfaltet gerade diesen Abbildungsprozeß zum Drama. In solchem Versuch, das Objekt der literarischen Darstellung, die gesellschaftliche Erfahrung der Arbeit, zurückzuholen in den Darstellungsakt, wird ein Bemühen sichtbar, die Trennung von Kunst und Arbeit aufzuheben, wie dieses als Programm des Bitterfelder Weges zu bestimmen gewesen war [128]. Der in der Sprache ausgetragene Widerspruch zwischen gesellschaftlicher Praxis und offizieller Gesellschaftstheorie wiederholt sich dabei bezeichnenderweise in einer Diskrepanz zwischen P. Hacks' literarischer Praxis und seiner literarischen Theorie. Als sinnfälliges Beispiel kann wiederum die Verssprache in Hacks' Drama „Die Sorgen um die Macht" herangezogen werden. Mit der Orientierung der Verssprache an jener des klassischen deutschen Dramas scheint Hacks seiner Theorie zu folgen, daß für die sozialistische Gesellschaft ein Zeitalter neuer Klassik anbreche, da es in ihr keine antagonistischen Widersprüche mehr gebe [129]. Hacks hatte jedoch auch gewarnt:

> „Klassische Dramatik ... basiert auf einer mehr oder weniger stabilen Harmonie aller politisch gewichtigen Klassen. Aber es gibt auch so etwas wie Pseudo-Klassik, oder Klassizismus, welche basiert auf dem frommen Wunsch nach einer solchen Harmonie oder auf der Einbildung derselben." [130]

Hacks' eigene Verssprache orientiert sich an Formen des klassischen Dramas, wird jedoch so eingesetzt, daß sie sich selbst in Frage stellt, d. h. den gesellschaftlichen Anspruch, den sie implizit enthält, für die sozialistische Gegenwart als falsch ausweist. In seiner scheiternden Sprache erweist so das Drama gerade seinen gesellschaftlichen Gehalt: für den Dramatiker ein selbstzerstörerischer Gestaltungsansatz, von dem aus gesehen es verständlich erscheint, daß Hacks nur diesen einen Versuch einer unvermittelten Thematisierung der sozialistischen Gegenwart unternommen hat. Schon in „Moritz Tassow", dem nächstfolgenden Drama, ist ein zeitlich so weit entfernter Stoff gewählt, daß eine Rückkehr zum früher gepflegten Stücktypus der Historien möglich erscheint.

Heiner Müller, Der Bau [131]

Wie schon „Der Lohndrücker" entstand auch dieses Drama als Bearbeitung. H. Müller greift erneut auf einen mehrfach offiziell gelobten Roman zurück, der sich mit sozialistischer Arbeitswelt auseinandersetzt, hier auf den rechtzeitig zur zweiten Bitterfelder Konferenz 1964 erschienenen Roman von E. Neutsch „Spur der Steine". Die Bearbeitung fand weniger Zustimmung als der Roman. 1964 vom Deutschen Theater Berlin für die nächste Spielzeit angekündigt, konnte das Drama zwar 1965 noch in der Zeitschrift „Sinn und Form" veröffentlicht werden, zu einer Aufführung kam es aber nach dem 11. Plenum des ZK 1965 nicht mehr. Eine Verfilmung des Neutsch-Romans wurde 1966 nach wenigen Tagen Spielzeit eingezogen. Der Herausgeber von „Sinn und Form" rückte in das erste Heft, das nach dem 11. Plenum des ZK erschien, ein Gespräch mit Heiner Müller ein [132], in dem er seine kritische Einschätzung des Stückes zu beweisen und so dessen Veröffentlichung in „Sinn und Form" wettzumachen suchte.

„Spur der Steine" beschrieb den Aufbau eines Industriewerks als „Probe" der hieran beteiligten Figuren. Deren Erfahrung der Diskrepanz zwischen individuellem Anspruch und Forderung der Gesellschaft stellte dabei gleichzeitig die gegebene Realität des Sozialismus zur Debatte. Die tragende Funktion des einzelnen und seiner Entscheidung heraushebend, zeigt sich der Roman dem Ansatz des Bitterfelder Modells verpflichtet: vom einzelnen hängt es ab, ob und wie der Sozialismus verwirklicht wird. An Neutschs Roman wurde kritisiert, daß er dabei ein Bild der Wirklichkeit entwerfe, in dem die dunklen Töne überwögen [133]. In der z. T. stofflich überbordenden bzw. im stofflichen Detail sich verlierenden Darstellung mannigfaltiger Probleme des sozialistischen Aufbaus lassen sich zwei Handlungsbereiche herausarbeiten. Der eine konzentriert sich um die Entwicklung des Brigadiers Balla, der den Typus des Selbsthelfers verkörpert, der sich in ständigem Kampf gegen die Planungsbürokratie befindet. Dieser Handlungsbereich reproduziert das bewährte Schema der Entwicklung vom Ich zum Wir, von der anarchischen Person zum überzeugten Sozialisten, bedingt durch die Erfahrung der Arbeit. Über den zweiten Handlungsbereich, an dem sich die Kritik in der DDR vor allem entzündete, hatte St. Heym Ende 1964 angemerkt:

„... dort, wo der rote Stift des Zensors eine echte Diskussion verhindert, [werden] unechte Diskussionen mit viel Lärm und wie auf Kommando durchgeführt ...; öffentliche Debatten über Bücher, in denen so welterschütternde Ereignisse behandelt werden, wie ... die außereheliche

Vaterschaft eines kleinen Parteisekretärs, der den Skandal vertuschen möchte.“ [134]

Konzentration der Darstellung, Radikalisierung der Thematik und eindringliche Sprache kennzeichnen H. Müllers Drama gegenüber seiner Vorlage, wobei diese Charakteristika selbst wieder in einem Bedingungszusammenhang zu erkennen sind. Einleitungen und Übergänge werden ausgespart, statt einer ausgearbeiteten Kausalitätenkette entsteht so ein Drama des Nebeneinander, Entscheidungsprozesse werden vorgestellt, nicht mehr der Vollzug einer Entscheidung (die Liebesbeziehung des Parteisekretärs zur Ingenieurin wird beispielsweise bis zu dem Punkt dargestellt, von dem aus ihre Zerstörung beginnt, der weitere Fortgang, bei Neutsch breit ausgemalt, wird weggelassen). Die Handlungen der Personen werden psychologisch nicht motiviert, insgesamt wird auf umfassendes Charakterisieren der Figuren verzichtet (so erscheint es z. B. nicht nötig, das Anarchistentum des Brigadiers breit auszumalen, wie dies Neutsch versucht).

Solch einschränkende Darstellung führt jedoch nicht zu einem verschwommenen Bild. Mit drei Sätzen einer Figur bestimmt H. Müller nicht nur Ort und Zeit der Handlung, sondern, aus kompromißloser Sicht, auch deren ungelöste Problematik:

„Barka: Gratulation zum Schutzwall. Ihr habt gewonnen eine Runde, aber es ist Tiefschlag. Hätt ich gewußt, daß ich mein eigenes Gefängnis bau hier, jede Wand hätt ich mit Dynamit geladen.“ (185)

Neutsch hatte den Mauerbau ausgespart, obwohl er als Handlungszeitraum die Phase von 1959 bis 1961 gewählt hat. H. Müller nimmt dieses Ereignis nicht nur auf, wobei er ohne ängstliche Blicke nach dessen offizieller Interpretation auszukommen vermag, sondern verleiht ihm zugleich eine spezifische Funktion im Drama: der Bau als zentrales Thema des Stückes erhält mit der Hereinnahme dieses Ereignisses eine neue Dimension. Bauen kann nun nicht mehr nur als Bauen am Fortschritt der sozialistischen Gesellschaft, sondern ebenso auch als Zementieren bestehender Herrschaftsverhältnisse verstanden werden. Die Rede vom Bau wird damit zweideutig. Das Festhalten ausschließlich an dessen positivem Aspekt wird vor solchem Hintergrund als Verschleiern durchsichtig. Implizit spricht H. Müller so auch ein Urteil über seine Vorlage.

H. Müllers Bemühen um Konzentration zeigt: alles Stoffliche ist ihm nur Vorwand, entläßt noch nicht den dramatischen Konflikt.

Die Entwicklung des Geschehens steht außer Frage: die Anstrengungen aller um höhere Produktivität und effektivere Arbeitsmethoden, unternommen auf teilweise sich durchkreuzenden Wegen, werden letztlich erfolgreich sein. Heiner Müller verzichtet damit auf die Reproduktion eines schon bekannten und anerkannten Bildes. Nicht die Handlung, sondern die Handlungsmotive seiner Figuren interessieren den Dramatiker, die Reflexion der Personen über ökonomische, politische und soziale Zusammenhänge nimmt entsprechend den Raum des Dramas ein. Statt eines Dramas der Handlung entfaltet sich so ein Drama der Reflexion [135]. Heiner Müller bestimmt selbst hierin eine spezifische Eigenart des Stückes:

„... in dem Stück kann man immer wieder die Beobachtung machen, daß die Figuren sich mehr Gedanken machen, als im Moment nötig ist, um den nächsten Schritt zu tun.“ [136]

Nicht die äußere Realität selbst — hier der Aufbau eines Industriewerkes — wird im Drama dargestellt, sondern die Brechung der äußeren Wirklichkeit im Bewußtsein der Figuren. Wirklichkeit erscheint so als Funktion der sie annehmenden Figur, gleichzeitig jedoch, insofern sie die zum Drama sich entfaltenden Reflexionen der Figuren erst herausfordert, auch als Probierstein der dramatischen Personen. Ein Prozeß wechselseitiger Probe wird damit einsichtig, wie er für das Literaturmodell des Bitterfelder Weges als kennzeichnend zu bestimmen gewesen war [137].

Das Drama der Reflexion bedarf keiner einmalig-unverwechselbaren Charaktere: mehrfach läßt H. Müller nur eine Stimme statt einer Figur einen Spielpart übernehmen, oder er kennzeichnet Figuren nur durch ihre Funktion („erster, zweiter, dritter Arbeiter, ein alter Arbeiter, ein junger Arbeiter, der Bezirkssekretär, sein Stellvertreter, ein Experte, ein Dolmetscher, ein Maler, ein Dichter“). Aus Stimmen zum Bau konstituiert sich das Drama, diese Stimmen müssen einer Figur nicht unverwechselbar verbunden sein: oft wird die Sprache von der Figur ablösbar, wird die Figur zum Sprachraum möglicher Haltung. Ziel dramatischer Gestaltung wird das Herausarbeiten eines Modells.

Bezugspunkt der vorgestellten Reflexionen und Diskussionen ist der „Bau“. Mit ihm wird einmal das äußere Geschehen umschrieben — der Aufbau, ständige Umbau und Neubau eines Industriewerkes — zum anderen verbindet sich mit dem Leitbegriff „Bau“ aber auch schon die Deutung dieses Geschehens: der Bau als Herausforderung an die Produktivität eines jeden, als Ort möglicher Selbstverwirklichung des Menschen in produktiver Tätigkeit: „Barka: Was ich gebaut hab, steht“ (215). Gleichzeitig wird durch Hereinnahme des politischen Themas „Mauerbau“ mit „Bau“ auch die Erfahrung der Bedrohung verbunden, die Möglichkeit vernichtender Eingrenzung des Arbeitenden durch das Produkt seiner Arbeit. Der Doppelaspekt, unter dem das Thema „Bau“ erörtert wird, begreift damit auch die Frage nach entfremdeter Arbeit, nach noch möglicher Entfremdung in der sozialistischen Gesellschaft ein. In solcher Weise auf das Thema „Entfremdung“ geführt, zeigt sich dieses gründlicherer Betrachtung als konstituierender Gegenpol der im Drama vielfältig variierten Rede über Arbeit als Selbstverwirklichung. Die Geschichte der Beziehung zwischen dem Parteisekretär (Donat) und der Ingenieurin (Schlee) findet im Thema „Entfremdung“ seinen Fluchtpunkt; sinnliche Gegenwärtigkeit erhält es in den das ganze Stück durchziehenden Metaphern der Kälte, die insbesondere dann die Sprache der letzten Szene nachhaltig prägen.

Das Gegenthema, „Der Bau“, d. h. das Produkt menschlicher Arbeit, nicht als bestätigende Selbstdarstellung, sondern als zerstörende Entäußerung des Menschen, wird erstmals zusammengefaßt in Barkas Richtfestrede:

„Du bist der Bagger, und du bist der Baugrund, auf dich fällt der Stein, den du aufhebst, aus dir wächst die Wand, auf deinen Knochen steht der Bau, noch den Strom ziehn sie aus dir, mit dem die Turbinen das Land unterhalten. Das ist so, Elmer, Fleisch wird Beton, der Mensch ruiniert sich für den Bau, jedes Richtfest ein Vorgeschmack auf die Beerdigung, wenn du dir ein Hemd kaufst, wer kauft wen, du kannst kein Brot essen, es kostet dein Fleisch, du mußt die Kiefer bewegen dazu, Arbeit, Arbeit.“ (207)

Zum dramatischen Prozeß komponiert, stellen die Stimmen zum „Bau“ diesen in die Offenheit radikalen Fragens nach der Qualität der Arbeit in der sozialistischen Gesellschaft. Aber noch in einem vordergründigeren Sinne wird der „Bau“ als Ort der Widersprüche erfahren, in diesem Sinne auch eingeführt. Mit der Frage — „Warum zertrümmert ihr das Fundament?“ (170) — setzt das Drama ein. Der „Bau“ wird vorgestellt als Ort einander durchkreuzender, statt produktiv einander verbundener Kräfte, als Ort leerlaufender Bewegungen, an dem sich Schaffen und Zerstören die Waage halten: „Fragmentbau“ (182). Der Bau als Chaos, hervorgerufen durch bürokratische Planung, unsachliche Arbeitsorganisation, mangelnde

Verantwortungsbereitschaft oder unterdrückte Initiative der Leitenden: solcher Exposition liegt das Genre eines Betriebsstücks bereit, dessen Verlauf im einzelnen vorausgesagt und über das dann höchstens eine Diskussion solcher Art entbrennen könnte, ob die führende Rolle der Partei bei der Umstellung der Betonierarbeiten von Holzverschalung auf Kunststoffverschalung gebührend gewürdigt worden sei. Selbst die auch für ein derartiges Stück verpflichtende sinnbildliche Erhöhung wird angeboten: ein Maler spricht:

„Das erinnert mich an einen Kriminalfall aus der Bibel. Der Turmbau. Fragment geblieben durch Mangel an Kooperation." (218)

Solcher Entwurf bliebe vordergründig, da alle thematisierten Probleme technischer Natur wären, damit auch technisch lösbar, mit der Nennung des „Neuen Ökonomischen Systems" (219) wird der Rahmen ausdrücklich genannt, in dem die Lösung dieser Probleme gefunden werden könnte. Der Vergleich mit dem Turmbau zu Babel erweist sich so als unangemessen, bezeichnenderweise ist er auch ungenau: der Turmbau zu Babel wurde zum Scheitern verurteilt wegen der in ihm sich ausdrückenden menschlichen Hybris, sichtbares Zeichen dieses Scheiterns wird dann die Sprachverwirrung; die Desorganisation beim Aufbau eines Chemiewerkes ist demgegenüber nicht eine Folge menschlicher Hybris, sondern mangelhafter Planung.

Heiner Müller läßt ein derartiges Genre-Drama im Vordergrund sich entfalten, weiß aber, dem Vordergrundsbild Tiefendimensionen zu verleihen: durch Rückbinden der vorgestellten Oberflächenwidersprüche an die Frage nach noch möglicher Erfahrung der Entfremdung. Entfremdung fungiert dabei als untrügliches Zeichen weiterhin wirksamer grundlegender gesellschaftlicher Widersprüche. Erst mit diesem Durchbrechen des Oberflächenscheins tritt auch das Drama der Reflexion in sein Recht.

Stets bezogen auf das Thema „Bau", dieses sowohl die Tätigkeit der Arbeit wie deren Ergebnis umgreifend, führen die vorgeführten Reflexionen, aus denen sich der dramatische Prozeß entfaltet, notwendig auf das genuine Monolog-Thema: der sich ändernde Mensch in der sich ändernden Welt. In Entsprechung hierzu zeigt das Drama H. Müllers unverkennbar eine Tendenz zum Monologischen, die dann wiederum das Thema der Entfremdung als Grundthema des Dramas zu bestätigen vermag. Die Frage nach der Kommunikation lenkt so nicht auf ein im Drama eventuell erörtertes, technisch lösbares Problem, befestigt vielmehr die Frage nach noch möglicher Erfahrung entfremdeter Arbeit.

Die langen Reden, zu denen die Figuren im Drama immer wieder ausholen, verbindet ein nachdrückliches Pathos, das seine Wirkung vor allem aus dem Entwurf von Zukunftsbildern zu beziehen sucht.

(Ein Ingenieur spricht zu einem Maler)

„Morgen auf der Großbaustelle. Verschwenden Sie Ihr Auge nicht auf die Natur, die Kulturpaläste hängen voll davon, Malerei für Blinde. (Blick auf die Staffelei) Ein Malerauge, das keine drei Monate faßt.
Malen Sie wenigstens was Sie nicht sehn.
Ihr Stuhl steht in der Luft seit übermorgen
Schaufeln und Bagger ziehn den Boden weg
Ein Netz aus Gräben und Sie sind der Fisch.
Die Schalung ist ein Wirrwarr: letzte Gotik
Beton klatscht auf sein eisernes Gerippe
Nimmt seinen Platz ein zwischen den Zähnen der Zeit.“ (217)

(Der Brigadier spricht zur Ingenieurin)

„Siehst du die Städte, die wir morgen baun?
Ein Lichtmeer zwischen Wolken in der Schwebe
Scheinen Sie aus der Zukunft hinterm Schnee
Im Negativ durch meine Augendeckel.
Die nach uns wohnen drin und die nach denen.
Gehn ohne Schritt durch Türen, jetzt noch Wald
Sitzen ohne Gewicht auf laubigen Stühlen
Am grünen Tisch und reden ohne Stimme
Ihre Gesichter sind aus Schnee, vom Fleisch
Noch nicht bezogen und kein Unterschied
Und mit Schneeaugen sehn sie mehr als wir
Und in Fabriken die du noch im Kopf hast
Und die in meinen Händen noch nicht reif sind
Läuft ihre unbekannte Produktion
Und aus den Sternen, heut noch überm Pflug
Wächst Brot in ihre zweiunddreißig Zähne“ (223 f.)

Zukunftsentwürfe dieser Art finden sich in der DDR-Literatur häufig. H. Müllers Drama zeichnet sich dadurch aus, daß es sie nicht nur setzt, sondern gleichzeitig in Frage stellt. H. Müller läßt eine Figur, die sich im Entwurf derartiger Bilder gefällt, gleichzeitig die Worte Majakowskis zitieren:

„Kommunismus. Endbild, immer erfrischtes, mit kleiner Münze zahlt ihn der Alltag aus, unglänzend, von Schweiß blind.“

Und hieraus die Folgerung ziehen:

„Praxis, Esserin der Utopien." (180)

Die pathetischen Ausblicke werden als Utopien zu bedenken gegeben, die die Funktion haben, vom grauen Alltag abzulenken. Die früher schon hervorgehobene Zweideutigkeit der Rede über den „Bau", die die Hereinnahme des politischen Tabus Berliner Mauer eröffnete, wird so weiter verstärkt. Auch die Reden des Parteisekretärs münden immer wieder in pathetische Identifikation mit dem „Bau".

„Beton ist mein Ressort, Beton muß dauern." (206)

Ein Blick auf den Kontext solcher Äußerungen gibt weiteren Aufschluß über die Funktion der pathetischen Reden in diesem Drama. Einer ausschweifenden Rede, ausgefüllt mit Parteikasuistik über den Schaden, den das Verschwinden Barkas, des Helden der Arbeit, hervorgerufen hat, hält Schlee die Nachricht entgegen:

„Schlee: Wir werden ein Kind haben.
(Pause)
Donat: In ein paar Tagen ist der Bau ein Karussell, der Stein tanzt, ein Jahr und länger haben wir unser Leben abgekürzt für einen Traum, der jetzt Beton wird endlich, ich sollte froh sein über das Stück Zukunft, das in dir wächst, mindestens auch, wofür arbeiten wir, aber Beton ist Beton, Fleisch muß sich ausweisen, und die Dämmerung hat mehr Augen, als der Morgen braucht. Entschuldige, ich weiß nicht, wo mein Kopf steht, mich wundert schon, daß meine Beine nicht rechts gehen, wenn ich links will, oder das rechte links und rechts das linke, Bein gegen Bein, bis der Boden durch ist. Ich wollte, ich wär ein Turmkran, allein mit dem Schnee. Hoffentlich läßt der Winter auf sich warten, wir können gut ohne Schnee auskommen, der Regen macht Schlamm genug, und Kälte haben wir genug in uns selber immer noch. Ohne das Kind könnten wir auch auskommen. Hat er nicht warten können oder sie?" (212 f.)

Die dramatische Spannung dieser Szene entspringt nicht dem hier sich abzeichnenden genrehaften Verlauf der Geschichte vom treulosen Geliebten, sondern dem Gegensatz tönender, mit dem „Bau" sich identifizierender Rede und dem Anspruch menschlichen Lebens, der ihr entgegengestellt wird. Die mit sozialistischem Arbeitspathos getränkte Rede wird nur durch ein Wort, an anderer Stelle oft nur durch die Anwesenheit eines Gegenübers entlarvt: sichtbar gemacht als Behauptung unwahrer, geliehener Größe, die menschliche Leere verdecken soll. Der früher schon erarbeitete zwiespältige Charakter der Rede über den „Bau" wird so auch inhaltlich weiter bestimmt: was verschleiernd, was mehrdeutig erschien, zeigt sich nun in lebenerstickender Funktion: Rede, die auslöscht, was sich der propagierten Bewegung nicht einfügt. Die Liebesgeschichte ist nur herausragender Ort solcher Rede; in gleicher Weise bestimmt diese auch die Beziehungen zwischen anderen Figuren. Der Arbeiter Bolbig, der fragt (vgl. 219), der „das Maul aufreißt gegen Raum und Zeit" (221), d. h. der das Pathos der Rede über den „Bau" nicht widerstandslos übernimmt, wird mit einem „Nachruf" zu Lebzeiten aus dem Umkreis der anderen Figuren entfernt:

„Habt ihr Bolbig gekannt? Ich war mit ihm
Beim Industriebau. Das ist lange her.
Es war ein Blonder. Oder wars ein Schwarzer?
Er stopfte das Papier noch in die Pfeife
Wenn seine Kippe keinen Zug mehr ausgab.
Er war ein Kumpel, und das ist länger her.
An einem Hundstag in der zweiten Schicht
Ists ein Jahr her, sinds zehn, ist er verschwunden.
Wir standen im Beton unter der Sonne
Der Schweiß aus allen Poren brannte uns
Das Salz von sieben Meeren in die Haut
Und mehr als alles Bier der Welt und schneller
Als Wodka der gebrannte Clown und wilder
Als Liebe je hat uns der Bau geschleudert
Im Tanz der Steine zwischen Stahlgerippen.
Dem Meer dem grünen Elend macht kein Sturm
Je solchen Seegang wie dem Festland wir.
Und in der Sonne im Beton stand Bolbig
Und riß das Maul auf gegen Raum und Zeit
Und stemmte sich gegen den Fluß der Steine
Und ist verschwunden wie sein Schatten vor ihm
Als ihm die Sonne überm Scheitel stand.
Dann war noch seine Stimme in der Luft
Dann nichts mehr. Das war Bolbig." (220 f.)

Die aus solchen Reden sich mitteilende Leere wird in den vielfältig variierten Metaphern der Kälte sinnfällig, denen als ebenso fragwürdige Gegenmöglichkeit die „Kuhwärme des Kollektivs" (197) entgegengestellt wird; zugleich erhält das Thema Entfremdung hier seine ausdrückliche Bestätigung. Ihre letzte Steigerung finden diese Reden im Entwurf einer Situation, die in ihrer Monströsität — und deren Gründung im Thema Entfremdung — an

Dramen Hebbels erinnert: der Parteisekretär wird über seine Geliebte zu Gericht sitzen, um sie wegen parteischädigenden Verhaltens zu verurteilen, er wird sie dabei nach dem Vater ihres unehelichen Kindes fragen und erwarten, daß sie dessen — seinen — Namen verschweigt.

Die Unmenschlichkeit der stets bereitliegenden pathetischen Reden über den „Bau" als dem Ort sozialistischer Arbeit rücksichtslos bloßlegend, bewahrt das Drama ex negativo die Forderung nach wahrer, menschlicher Rede und damit implizit die Forderung nach einer Gesellschaft, die solche Rede ermöglicht.

„... eine Generation macht die nächste, die Zukunft uns aus dem Gesicht geschnitten, der Kommunismus gut oder schlecht, wie wir ihn gemacht haben ..." (227)

Der Brigadier Barka, der über den „Bau" nicht ohne die Frage nach den Menschen redet, die ihn errichten, weist positiv auf solch menschlichere Rede. Entsprechend erscheint auch seine Selbstdeutung als „Fähre zwischen Eiszeit und Kommune" (224) weder als Anmaßung noch als leere Reproduktion einer Theorie der Arbeiterklasse, die dieser tragende Funktion in der sozialistischen Übergangsgesellschaft zuspricht. Mit der Auflösung von „Eiszeit" als Kapitalismus, mithin als Zeit, die von Entfremdung bestimmt wird („Die Metapher steht für eine Welt, in der es für Barka nicht möglich war, menschliche Kontakte zu finden." [138]), bestätigt H. Müller selbst den Bezug seiner Metaphern der Kälte zu dem Thema „Entfremdung". H. Müller läßt seine Figur allerdings nicht von „Kapitalismus" reden, sondern eine Metapher gebrauchen. Statt Gesellschaft und Geschichte nach bereitliegendem Muster zu ordnen, greift er damit nur das Symptom heraus, was ihm erlaubt, im Drama nach der Verbindlichkeit dieses Symptoms auch noch für die sozialistische Wirklichkeit der DDR zu fragen.

Das Drama sozialistischer Rede wandelt sich zum Drama lügenhafter Rede. Wie dies schon bei P. Hacks zu bestimmen gewesen war, stellt damit auch H. Müllers Drama, aus der Rede sich entfaltend, mit dieser notwendig sich selbst in Frage. Ein Prozeß der Negation der Negation wird so eröffnet, der jedoch gerade das Ausstehende, den Entwurf einer Gesellschaft, die nicht von Entfremdung geprägt ist, als Forderung zu bewahren vermag. H. Müllers Entgegnung auf den Vorwurf, in seinem Stück habe die Arbeit zu entsagungsvollen Charakter — „Hier ist ein Positives negativ formuliert!" [139] —

vermag so den Gestaltungsansatz des Dramas umfassend zu charakterisieren. Solcher Ansatz mußte die Kritik herausfordern [140], da ihm eine Sicht der gegebenen gesellschaftlichen Wirklichkeit zugrundeliegt, die dem offiziellen Bild widerspricht: die Auffassung, in der gegebenen gesellschaftlichen Situation könne das Positive nur negativ formuliert werden.

H. Müller wird das verlangte Positive auch später nicht positiv formulieren. Das zu gleicher Zeit entstandene Drama „Philoktet“ [141] stellt das Thema Lüge als das Fundament zwischenmenschlicher Beziehungen wie politischer Aktionen, basierend auf Menschenverachtung und Menschenhaß provozierend, ausdrücklich in den Mittelpunkt. Es erhebt sich so zu einem Kommentar des sozialistischen Gegenwartsstückes und dies um so mehr, als H. Müller hier den Modellcharakter, mithin die Übertragbarkeit des am Beispiel der archaischen Zeit Griechenlands Vorgestellten nachdrücklich hervorhebt. In seinem Libretto zur Oper „Lanzelot“ [142] stellt H. Müller vier Jahre später erneut die Frage nach der Wirklichkeit des sozialistischen Ideals. Wiederum entwirft er ein Modell, das geschichtliche Schema Unterdrückung — Befreiung von Unterdrückung — Neue Unterdrückung durch den Befreier, und fragt nach der Chance, dieses Schema zu überwinden. Die offizielle Auffassung, daß dieses Schema für die sozialistische Gesellschaft nicht mehr gelte, wird in das Drama einbezogen, die Überwindung dieses Geschichtskreislaufs wird danach aber nur konjunktivisch, nur als Traum vorgestellt: als Antizipation einer besseren Welt, die als Antizipation bewußt bleibt; und gerade in solch vorwegnehmendem Entwurf erkennt H. Müller auch die Affinität seines Themas zur Oper:

„Jeder Gesang enthält ein utopisches Moment, antizipiert eine bessere Welt ... Im Prozeß der Entwicklung des Theaters vom Laboratorium zum Instrument sozialer Fantasie kommt der Oper eine führende Rolle zu.“ [143]

4. Literarische Vor-Schrift und Nachschriften schreibender Arbeiter

Die Verständigung über die Realität, entfaltet zum Drama, führte in beiden hier vorgestellten Beispielen das Problem der Verständigung über diese Dramen herauf. Wie schon die früher betrachteten Texte anderer Gattungen machten dabei auch die Dramen die

Schwäche der Literaturkritik in der DDR gegenüber Werken sichtbar, die den Bitterfelder Ansatz der „Realität als Probe“ konsequent auszuführen suchten. Texte, die sich beispielsweise nicht an einer vorgegebenen Deutung der Realität orientieren, sondern das je erfahrene Besondere als widerständiges Moment in ihren Entwurf der Wirklichkeit einbegreifen und gleichzeitig für die so in Gang gesetzte Auseinandersetzung mit der Wirklichkeit einen aktiven Leser voraussetzen, zeigten sich deutlich ihrer Literaturkritik voraus. Wurden aber von der Literaturkritik keine Einwände erhoben, wie etwa bei Fühmanns Reportage, sah sich umgekehrt der Autor genötigt, seinen Ansatz entschieden in Frage zu stellen. Diese Schwäche der Literaturkritik wurde zwar häufig beklagt, konnte aber nicht mehr in ihren Voraussetzungen analysiert werden, da sie auf dem 11. Plenum des ZK der SED 1965 mit der Autorität der Partei zur Stärke umstilisiert wurde. Der Spielraum literarischer Darstellung, den die Schriftsteller aus dem Bitterfelder Ansatz gewonnen hatten — in der Darstellung des Wirklichen auch das noch nicht Verwirklichte zu reflektieren — wurde damit wesentlich eingeengt.

Die Realität als Probe wurde bisher jedoch nur so weit betrachtet, als der Schriftsteller diese Probe unternimmt. Geht man von Ulbrichts Aufgabenstellung für die Bitterfelder Konzeption aus, die „Trennung von Kunst und Leben, die Entfremdung zwischen Künstler und Volk“ [144] d. h. letztlich die Trennung von Kunst und Arbeit aufzuheben, so war als Ansatzpunkt solcher Aufhebung bisher nur der Künstler im Blick. Für ihn konnte etwa H. Müller stellvertretend formulieren:

„Die komplexe Wirklichkeit ist nur gestaltbar, wenn der Autor ein Mitautor dieser Wirklichkeit ist. Also die bloße Beschreibung wie bei Balzac tuts nicht mehr.“ [145]

Unerörtert blieb bisher der Versuch, die Trennung von Kunst und Arbeit von der anderen Seite aus, d. h. im Rahmen der Bewegung „Greif zur Feder Kumpel“ aufzuheben. Eine Auseinandersetzung mit Werken, die dieser Bewegung verpflichtet sind, sieht sich mit neuen methodischen Problemen konfrontiert, da der vorauszusetzende Literatur- und Kunstbegriff selbst zur Debatte gestellt werden muß, wenn die Arbeiter als die vorrangigen „Autoren“ der Wirklichkeit nun ihrerseits zu literarischen „Mitautoren“ werden. Geht man erneut von der Literaturkritik aus, so zeigen sich deutliche Unterschiede zur bisher betrachteten literarischen Bewegung. Werke der schreibenden Arbeiter wurden auf dem 11. Plenum des ZK 1965 nicht kritisiert, dieser Ansatz literarischer Produktion konnte so unwidersprochen weitergeführt werden. Wurde die prägende Wirkung des Bitterfelder Literaturmodells für die literarische Entwicklung der DDR auf den Zeitraum von 1959 bis 1965 eingegrenzt, so ist hiervon entsprechend die Bewegung der schreibenden Arbeiter auszunehmen. Über deren Ergebnisse ist damit allerdings noch wenig gesagt. Die literarische Öffentlichkeit der DDR nahm von der Bewegung der schreibenden Arbeiter wenig Notiz. An quantitativen Erfolgsmeldungen fehlt es nicht, Zahlen über die gegründeten „Zirkel schreibender Arbeiter" (1970 mit 250 angegeben [146]) und Auskünfte über deren Mitgliederzahl (je 5—25) und Arbeitsweise werden gerne gegeben, es fällt jedoch auf, daß die Literaturkritik sich nur sehr selten mit den entstandenen Werken und mit der literarischen Bewegung insgesamt auseinandersetzt. Eine Ausnahme bilden nur die Autoren, denen wie z. B. W. Bräunig oder H. Kleineidam [147], zumeist unterstützt durch ein Stipendium am Johannes R. Becher-Institut in Leipzig, der Sprung vom Arbeiter zum berufsmäßigen Schriftsteller gelungen ist. Solche Rezeption faßt den Bitterfelder Weg entgegen seinem Ansatz nur als Suche nach neuen „literarischen" Talenten. Auch die stark rückläufige Auflagenhöhe der Anthologien zur Literatur schreibender Arbeiter weist auf ein schwindendes Interesse [148]; mit dem zunehmenden Erfolg der Literatur der Arbeitswelt in der BRD läßt sich hier allerdings ein Wandel erkennen.

Eine inhaltliche Auseinandersetzung mit der neu entstehenden Literatur versuchte A. Seghers in ihrer Rede auf dem 5. Schriftsteller-Kongreß (25.—30. 5. 1961) [149]. Der Literatur der schreibenden Arbeiter erkennt sie eine bewußtseinsbildende Funktion vor allem für die schreibenden Arbeiter selbst zu. Die Literatur wird verstanden als Dokumentation der gewandelten Arbeit im sozialistischen Staat. Solche Bestimmung legt allerdings das Darzustellende, die neue Qualität der Arbeit, schon im voraus fest. Schreiben kann dann nicht mehr als Probe dieser gewandelten Arbeit, sondern nur noch als Probe des Schreibenden verstanden werden, ob er die vorausgesetzte Wandlung angemessen zu erfassen vermöge. Der Zusammenhang eines derart eingeschränkten Begriffs literarischer Darstellung mit der „unechten Pathetik" und den „gegenstandslosen Gefühlen", die an dieser Literatur kritisiert werden, wird nicht erkannt, entsprechend kann dann auch die Forderung nach „Klarheit“, „Aufrichtigkeit“, „scharfer Aufmerksamkeit“ nur als moralischer Appell erhoben werden [150]. Es liegt in der Konsequenz dieser Betrachtung, daß die Werke der schreibenden Arbeiter letztlich nur als Materialsammlungen für Berufsschriftsteller anerkannt werden [151]. Der Versuch, sie statt dessen als eigenständigen Ansatz literarischer Darstellung zu befragen, der hier unternommen werden soll, verlangt ein vorgängiges Überprüfen der Deutungsperspektiven hinsichtlich der besonderen Voraussetzungen des Betrachtungsgegenstandes.

Die zentralen Kategorien sozialistischer Literaturtheorie wie Parteilichkeit, Perspektive, typische Darstellung, Volksverbundenheit sind in ihrer Relevanz für eine Auseinandersetzung mit der Literatur schreibender Arbeiter zu bestimmen. Die genannten Kategorien stehen in einem Bedingungszusammenhang, sie lassen sich daher nicht isoliert betrachten, die Ökonomie der Darstellung verlangt allerdings, einer Kategorie Leitfunktion zuzuerkennen. Bei einer Betrachtung der Literatur schreibender Arbeiter erscheint es sinnvoll, von der Kategorie der „Volksverbundenheit“ auszugehen. Ein Aufheben der Trennung von Kunst und Leben, von Künstler und Volk als Leitziel des Bitterfelder Weges schließt eine neue „Volksverbundenheit“ der Literatur ein. Es lag nahe, diese wesentlich auch von solcher Literatur zu erwarten, in der das Volk selbst „zu Wort kommt“. Eine derartige Folgerung hat allerdings noch zu klären, was unter „Zu Wort kommen“ verstanden werden kann. Urteile über die Literatur schreibender Arbeiter werden weitgehend davon bestimmt, ob Volksverbundenheit primär auf literarische Darstellung oder auf literarische Wirkung bezogen wird. Beide Aspekte umgreift die Definition von A. Abusch:

> „Der marxistisch-leninistische Begriff der Volkstümlichkeit bedeutet: Verständlichkeit für das Volk, begründet in der Verbundenheit mit der progressiven Bewegung des Volkes.“ [152]

Bei Ausgang vom Gesichtspunkt erreichbarer Wirkung erlangen die Gestaltungsprinzipien massenhaft verbreiteter Literatur konstituierende Bedeutung. Diese kann vor allem durch das Ziel charakterisiert werden, im Interesse störungsfreier Kommunikation die Wirklichkeitsauffassung des Lesers nicht in Frage zu stellen, diese vielmehr durch Reproduktion des erwarteten Bildes der Wirklichkeit zu bestätigen. Einer auf solchem Wege erreichten spannungslosen Kommunikation zwischen Werk und Leser wird überall dort vorgearbeitet, wo den schreibenden Arbeitern die Wirklichkeitserfahrung schon vorgegeben wird, die sie nur noch milieugerecht „auszumalen" haben. Literarische Darstellung wird dann nicht als Sichtbar-Machen von Wirklichkeit verstanden, sondern als Illustration eines Schemas. Grundlegende Bedeutung kommt dabei der Vorstellung einer harmonischen sozialistischen Welt zu, in der alle Konflikte lösbar sind [153]; eine Fiktion, die zumeist nur dadurch aufrechterhalten werden kann, daß am Ende der Handlung die kathartische Wandlung der Hauptfigur zum Guten, d. h. zur sozialistischen Arbeitsmoral erfolgt.

Volksverbundenheit nicht wirkungsästhetisch gefaßt, sondern produktionsästhetisch, d. h. auf den Darstellungsakt bezogen, meint Parteinahme für die Interessen des Volkes, die jeweils zu bestimmen sind in einer Analyse des Standes der gesellschaftlichen Entwicklung auf der Grundlage marxistischer Geschichtstheorie [154]. Volksverbundenheit schließt damit die Forderung nach Parteilichkeit ein, diese verstanden als Übereinstimmung mit den „objektiven, wirklichen treibenden Kräften der gesellschaftlichen Entwicklung", deren Erkenntnis die marxistische Gesellschaftstheorie bereitstellt [155]. Bemühen um Volksverbundenheit in diesem Sinne schließt Trivialliteratur gleichfalls nicht aus, diese ergibt sich hier aus der vorgängigen Annahme einer grundsätzlichen Übereinstimmung zwischen möglicher gesellschaftlicher Erfahrung und gesellschaftstheoretisch zu Forderndem, wobei es notwendig zu einer Frage allein der intellektuellen und gestalterischen Fähigkeiten des Schreibenden wird, diese Übereinstimmung jeweils aufweisen zu können. Das Verständnis von Volksverbundenheit in primärer Orientierung an Parteilichkeit erlaubt dem einzelnen jedoch auch eine eigenständige Auseinandersetzung mit der gegebenen gesellschaftlichen Wirklichkeit, die durch die Bitterfelder Konzeption dann zusätzliche Unterstützung erfährt, da hier im literarischen Entwurf der Wirklichkeit die Erfahrung des einzelnen ausdrücklich Eigenrecht erhält.

Das unterschiedliche Verständnis von Volksverbundenheit läßt sich in zwei verschiedenen Zielen der Literatur schreibender Arbeiter weiter verfolgen: der wirkungsästhetische Ansatz in dem Ziel „die Höhen der Kultur zu stürmen", woraus sich eine Prädominanz formaler Aspekte ergibt, der produktionsästhetische Ansatz in dem Ziel der Bewußtseinsbildung, des Selbst-Bewußt-

Werdens der Arbeiterklasse in einem grundsätzlichen Sinne, woraus sich eine Prädominanz inhaltlicher Aspekte ergibt.

Mit der Losung, „die Höhen der Kultur zu stürmen“, hatte Ulbricht auf der 1. Bitterfelder Konferenz der Bewegung schreibender Arbeiter die Richtung gewiesen. Daß Ulbricht damit eine Position übernahm, die Lenin in einer literatur-historisch wie gesellschaftspolitisch wesentlich unterschiedenen Situation ausgebildet hatte, wurde schon erläutert [156]; noch nicht geklärt wurde die Bedeutung dieser Losung für die literarische Situation in der DDR. Das literarische Ziel, „die Höhen der Kultur zu stürmen“, hat keinen Selbstzweck, seine Bedeutung wird erst erkannt, wenn seine politische Implikation freigelegt wird, womit gleichzeitig auch das Dilemma sichtbar wird, das sich in solchem Ziel verbirgt. Der Bewegung der schreibenden Arbeiter wird um so größere Aufmerksamkeit zuteil, je ausdrücklicher die literarische Entwicklung als Zeichen der gesellschaftlichen Entwicklung aufgefaßt wird: die zur herrschenden Klasse aufgestiegene Arbeiterklasse hat ihren Herrschaftsanspruch nun auch auf kulturellem Gebiet zu verwirklichen. Als historisches Beispiel wird den schreibenden Arbeitern in diesem Zusammenhang stets die kulturelle Führung des Bürgertums Ende des 18. Jahrhunderts vorgehalten. In solcher Parallelisierung von literarischer und gesellschaftlicher Entwicklung, die auch literaturtheoretisch fragwürdig erscheint, setzt doch das genannte Beispiel gerade die ungleichzeitige Entwicklung beider Bereiche voraus, bleibt jedoch offen, ob die literarische Entwicklung hier die gesellschaftliche bestätigen oder nur behaupten soll. Fungiert, was als Zeichen gesellschaftlicher Entwicklung eingeführt wird [157], nur als Ausflucht, als Verlagerung eines politischen Anspruchs auf literarisches Gebiet, da er im gesellschaftlichen Bereich nicht erfüllt worden ist? Je mehr der geforderten literarischen Entwicklung nur behauptende Funktion zuzusprechen ist, um so weniger können die vorgestellten „Höhen der Kultur“ aus eigenen Voraussetzungen erarbeitet werden, wirken diese vielmehr als vorgegebener, fremder und statischer Wert auf den Schreibenden zurück, mit dem dieser sich nicht auseinandersetzen, sondern vor dem er nur reagieren kann. Das künstlerische Bemühen führt dann notwendig zur Selbstauslöschung. Fragwürdig erscheint nicht das Betonen des Kunstcharakters der Auseinandersetzung mit der Arbeitswelt, wie dies Ulbrichts Formel impliziert, wohl aber deren Orientierung an einem Kunstvorbild, das, unbefragt übernommen, ein Mitteilen der eigenen Erfahrung und Erwartung zugunsten der jeweils erwarteten verhindert. Die als unbefragte Werte bereitliegenden Kunstformen erleichtern es dann, jeweils erfahrene Widersprüche zu poetisieren, statt sie im literarischen Werk auszutragen. Das literarische Vorbild wird die Erfahrung des Schreibenden so lange überformen, als dieser nicht im Beharren auf seinen je besonderen Voraussetzungen bestärkt wird. Wird dies geleistet, kann das statische Bild der „Höhen der Kultur" überwunden werden. Das geforderte „Erstürmen der Höhen der Kultur" erfolgt dann aus kritischer Besinnung auf die eigenen gesellschaftlichen Voraussetzungen und Ziele, die verändernd nicht nur auf den Schaffenden, sondern auch auf die Zielvorstellung seines Schaffens zurückzuwirken vermag. Damit ist der Punkt erreicht, an dem sich der formale und gleichzeitig wirkungsästhetische Aspekt — Orientierung an den „Höhen der Kultur" — mit dem inhaltlichen und gleichzeitig produktionsästhetischen Aspekt verbindet: Schreiben als Selbst-Bewußt-Werden der Arbeiterklasse in politisch-emanzipatorischem Sinne. Findet die erste Perspektive ihren Fluchtpunkt in der Frage: inwieweit vermögen die schreibenden Arbeiter in ihren Werken ihre eigene Sprache zu finden? so die zweite in der Frage: inwieweit gelingt den schreibenden Arbeitern in ihren Werken eine gesellschaftlich wirksame Selbstverständigung über ihre tatsächliche und ihre beanspruchte Position im geschichtlichen Entwicklungsprozeß? Wird der Prozeß der Selbstverständigung nicht vom einzelnen schreibenden Arbeiter mit seinen je spezifischen Erfahrungen ausgeführt, sondern in alleiniger Orientierung an vorgegebener Gesellschaftstheorie, können in so entstehender Literatur die Vertreter der Arbeiterklasse gar nicht gegenwärtig sein. Der Versuch der Selbstverständigung endet dann im Selbstverlust, der sich im Dargestellten als Wirklichkeitsverlust ausweist.

Die Unterscheidung einer vorrangig den Kunstcharakter und vorrangig den gesellschaftlichen Gehalt betonenden Strömung in der Literatur schreibender Arbeiter war nötig, um die wirklichkeitserhellende Leistung dieser Literatur in ihrer Problematik sichtbar werden zu lassen. Die theoretisch getrennten Gesichtspunkte schließen jedoch einander nicht aus, im einzelnen Werk sind sie in ihrem Bedingungszusammenhang aufzuweisen. Die Trennung erleichtert gleichzeitig einen Vergleich mit der literarischen Entwicklung in der BRD. Die unterschiedenen Positionen zeigen sich dort noch stärker polarisiert, da ihre Vertreter wechselseitig versuchten, den jeweils anderen Ansatz als verfehlt auszuweisen. Der folgende Ausblick in die literarische Situation der BRD kann keine abgerundete Würdigung beider literarischer Strömungen leisten, dient vielmehr dazu, den unterschiedlichen Ansatz mit seinen jeweiligen Implikationen noch schärfer zu erfassen [158].

Die „Gruppe 61", die erstmals in der BRD industrielle Arbeitswelt in den Mittelpunkt literarischen Schaffens rückte, hatte 1964 als ihre Aufgaben festgelegt:

„Literarisch-künstlerische Auseinandersetzung mit der industriellen Arbeitswelt und ihren sozialen Problemen.
Geistige Auseinandersetzung mit dem technischen Zeitalter.
Verbindung mit der sozialen Dichtung anderer Völker.
Kritische Beschäftigung mit der früheren Arbeiterdichtung und ihrer Geschichte." [159]

Die Gruppe 61 versteht sich in Fortführung der Tradition der Arbeiterdichtung vor 1933; eine kritische Auseinandersetzung mit dieser Tradition fand jedoch nicht statt, zeitigte zumindest keine Ergebnisse, da die Schwächen dieser Arbeiterdichtung — Schwanken zwischen Technikgläubigkeit, Dämonisieren der Industrie und ohnmächtiger Kritik, wie dies auch an Schönlanks Gedicht aufzuweisen war — auch die eigenen Werke prägen. Hauptansatzpunkt der Kritik an der Gruppe 61 wurde jedoch deren Abheben auf literarische Qualität. Das Streben nach „literarisch-künstlerischer Auseinandersetzung", verbunden mit einer Absage an parteipolitische Bindung wurde als Orientierung am Ideal eines reinen, autonomen Kunstwerkes gedeutet. Damit lag die Behauptung nahe, diese Literatur weiche den Widersprüchen ihres Gegenstandes aus, bzw. poetisiere sie, in beiden Fällen trage sie nur zur Stabilisation der gegebenen Verhältnisse bei. Um die notwendig sich ergebende Inhaltsleere dieser Literatur zu verdecken, würden formal-ästhetische Gesichtspunkte besonders betont: die Aktualität, an der sich diese Literatur orientiere, sei die Aktualität zeitgenössischer literarischer Gestaltung [160]. Die Kritik am Kunstbegriff der Gruppe 61 bleibt fragwürdig, solange der unterstellten Kunstautonomie nur ein ebenso extremes Aufgehen der Kunst in der politischen Tendenz entgegengehalten wird. Die Kritik am Abheben auf künstlerische Qualität läßt außer acht, daß ein Überwinden zufälliger Erfahrung, ein Aufdecken von Zusammenhängen bewußte Gestaltung voraussetzt, sie berücksichtigt weiterhin nicht, daß künstlerische Auseinandersetzung gerade der Aufgabe verpflichtet ist, mechanische Reproduktion von Wirklichkeitsausschnitten durch einen Sinngebungsversuch der Wirklichkeit zu ersetzen, der sich orientiert an der jeweils erfahrbaren Spannung zwischen Ideal und Wirklichkeit. Kritik, die den Kunstcharakter eines literarischen Werkes an sich schon ablehnt, berücksichtigt nicht den doppelten Sinn künstlerischer Mimesis: Nachahmung und Entwurf, wobei dieser Entwurf, in dem der emanzipatorische Gehalt des Kunstwerks wesentlich gründet, der erfahrenen Wirklichkeit in unterschiedlichem Ansatz entgegengehalten werden kann: in grundsätzlicher Trennung von ihr als Utopie oder als notwendig kommende Zukunft und Partei ergreifend im Sinne dieser Zukunftsentwicklung [161].

Von wenigen Ausnahmen abgesehen, bleiben die Texte, die im Umkreis der Gruppe 61 entstanden sind, jedoch hinter solchem Anspruch zurück. Das Streben nach künstlerischer Auseinandersetzung führte statt dessen zur Übernahme von Formen und Sprachverhalten aus der Frühzeit der Industrialisierung, der für die eigene Zeit keine wirklichkeitserhellende Funktion mehr zukommen konnte: der größte Teil dieser Literatur ist damit als Trivialliteratur bestimmt. Wo sich Ansätze zeigen, über diese hinauszugelangen [162], eröffnet sich — wiederum in Konsequenz des Programms der Gruppe 61 — nachdrücklich das Problem gesellschaftlicher Wirksamkeit. Die Gruppe 61 wendet sich an eine literarische Öffentlichkeit, nicht an die Schicht, deren Situation dargestellt werden soll. Sie begibt sich damit der Herausforderung, die ein neues Publikum darstellt, sie begibt sich ferner der Chancen neuer literarischer Gestaltung, die aus dem Bemühen um neue Wege der Distribution erwachsen können. Das freiheitliche Element, das gerade in der „literarisch-künstlerischen Auseinandersetzung" mit der industriellen Arbeitswelt gewonnen wird, kann damit denen am wenigsten vermittelt werden, die ihrer eigenen Situation am wenigsten mächtig sind.

Der Grund für die 1968 erfolgte Abspaltung von der Gruppe 61, die zur Bildung der „Werkkreise Literatur der Arbeitswelt" führte, kann wesentlich in der Frage der gesellschaftlichen Wirksamkeit des literarischen Schaffens erkannt werden, die in der Gruppe 61 zu wenig reflektiert wurde. So hebt das Programm der Werkkreise die gleichberechtigte Zusammenarbeit Lohnabhängiger und Schriftsteller hervor, ferner die ausdrückliche Orientierung an den Werktätigen als primärer Leserschicht, was Bemühen um neue Distributionsweisen einschließt. Der „literarisch-künstlerischen Auseinandersetzung“ stellen die Werkkreise eine primär gesellschaftspolitische Zielsetzung entgegen: „Schreiben um zu verändern“. Ihre Vorläufer erkennt diese literarische Gruppe mithin in der proletarisch-revolutionären Literatur der Weimarer Republik, eingeschlossen die Arbeiterkorrespondentenbewegung der KPD. Die Problematik dieses Ansatzes ergibt sich aus dem jeweiligen Verständnis der Einheit von literarischer und politischer Tätigkeit. Gegen ein literarisches Schaffen, das primär auf organisierende (agitierende) Funktion festgelegt wird, ist einzuwenden: der Leser solcher Texte wird weiterhin passiv vorgestellt, dem Eindruck des Textes ohnmächtig ausgeliefert. Die Sprache solcher Literatur bleibt weiterhin Herrschaftsinstrument, nur die Gruppe, die dieses Instrument handhabt, wurde gewechselt. Umfassender lautet dieser Einwand: die literarische Strömung, die sich primär inhaltlich an der Aufgabe politischer Bewußtseinsbildung orientiert und entsprechend zur Agitpropliteratur neigt, bleibt dem Phänomen Kunst gegenüber fremd, letztlich blind: Literatur erscheint ihr nur als Umweg zu politischer Aktion. Der emanzipatorische Gehalt des Kunstwerkes als aktiver und aktivierender Einspruch gegen die gegebene Wirklichkeit im Entwurf einer eigenen „künstlichen“ Wirklichkeit bleibt so jenem Ansatz gerade unerreichbar, der sich ganz durch das politische Ziel der Emanzipation zu definieren sucht (beizutragen zur Selbstverständigung abhängig Arbeitender über ihre gesellschaftliche Lage).

Zieht man verkürzend Fazit aus dem wechselseitigen In-Frage-Stellen von Gruppe 61 und Werkkreisen, so wird die Literatur der Gruppe 61 wegen ihrer primär formal-ästhetischen Orientierung kritisiert, die die Tendenz zur Trivialliteratur begünstigt, die Literatur der Werkkreise wegen ihrer primär inhaltlich-politischen Orientierung, die die Tendenz zur Agitprop-Literatur begünstigt. Damit ist jedoch nur die „Verfehlung“ genannt, der der jeweilige Ansatz vorarbeitet: was beide Richtungen „verfehlen“, kann als realistische Gestaltung bestimmt werden, diese allgemein definiert durch das Ziel „die Realität den Menschen meisterbar in die Hand zu geben“ [163]. Die Gegenüberstellung der beiden Strömungen in der Literatur der Arbeitswelt in der BRD, die um der Deutlichkeit willen vor allem das Trennende heraushob, ist in charakteristischer Weise zu modifizieren, wenn versucht wird, sie auf die schon angedeuteten Strömungen in der Literatur schreibender Arbeiter in der DDR zu übertragen. Der Ausblick auf die literarische Situation der BRD hatte dabei auch das Ziel, den Blick für Entwicklungsmöglichkeiten zu schärfen, die bei einem unmittelbaren Zugang unter dem übermächtigen Eindruck des trivialen und apologetischen Charakters dieser Literatur verborgen blieben.

Zwei Beispiele werden ausgewählt, die, bezogen auf die Voraussetzung der Schreibenden, extrem auseinander liegen: einmal Lyrik als Gattung, die gegenüber der gewohnten Äußerungsform ein Höchstmaß an Stilisierung verlangt, zum andern Dokumentarliteratur (Betriebstagebuch) als Gattung, die die geringste Abweichung von der gewohnten Äußerungsform fordert. Für die Betrachtung des Gedichts erhält entsprechend die Frage nach der primär formal-ästhetischen, am „Erstürmen der Höhen der Kultur" ausgerichteten Entwicklung der Literatur schreibender Arbeiter besonderes Gewicht, die Betrachtung des Betriebstagebuchs wird dann die Frage nach der primär inhaltlichen, an der Bildung gesellschaftlichen Bewußtseins ausgerichteten Entwicklung hervorheben.

Zweimal versucht der gelernte Schlosser Jürgen Köditz im Gedicht sein Selbstverständnis zu klären:

Unsere Sinfonie

„Täglich in unserer Halle
— ohne Taktstock und Notenblätter —
spielen wir unsere Musik.
An einer Revolverdrehbank
war ich früher Leierorgelmann.
Zu leise kam meine Melodie.
Mit Lautstärke übertönten mich viele.
An meiner neuen Drehbank
bin ich Virtuose.
Präzise und unüberhörbar
bringe ich mein Solo.
Wetteifern wir, Freunde!
Jeder mit seinen Tönen!
Eine gute Sinfonie
braucht auch — Solisten." [164]

Die Orientierung am Kunstgebilde, die schon die Wahl der Gedichtform erkennen läßt, bestimmt auch die Auffassung des Themas: Arbeit soll als Kunst vorgestellt werden. Die anspruchsvolle „Übertragung" mißlingt jedoch: ihr entspringen die charakteristisch falschen Bilder des Gedichts. Versucht das Gedicht mit der Gleichsetzung von Arbeit und Kunst der Behauptung einer neuen Qualität der Arbeit im sozialistischen Staat zu genügen, so wandelt es sich in seinem Mißlingen zu einer Aussage über diese Behauptung. Die Arbeitsorganisation als spontan — „ohne Taktstock und Notenblätter" — sich einstellendes Spiel vorzustellen, ist falsch: die Arbeitsorganisation gründet in vorheriger Planung und steht zudem unter dem Gesetz möglichst rentabler Produktion von Gütern. Das unstimmige Schlußbild gründet in einer falschen Auffassung des Vergleichsbereichs: eine gute Sinfonie kann den Solisten, bzw. laut zweiter Strophe den Virtuosen, gerade nicht gebrauchen. Aus dem falschen Vergleich ergibt sich notwendig ein Mißverhältnis zwischen intendierter Aussage und Bild: die Integration des einzelnen in ein kunstvolles, harmonisches Ganzes soll ausgedrückt werden, was jedoch tatsächlich vorgestellt wird, ist die Dissonanz einander entgegenstehender, als Solisten sich verstehender einzelner. Der Widerspruch zwischen Anspruch und Verwirklichung im Gedicht selbst weist auf einen Widerspruch in der gesellschaftlichen Erfahrung, der das Gedicht verpflichtet ist. Dieser gesellschaftliche Widerspruch zwischen Anspruch und Wirklichkeit wird im Gedicht nicht ausgetragen, sondern poetisiert: als Schönheit gefeiert. Das Bemühen um literarische Qualität führt damit nicht zum Gewinn eines emanzipatorischen Gehaltes, sondern besiegelt dessen Verlust. Die Vereinigung von Kunst und Arbeit — als das Bitterfelder Programm — wurde vorschnell als erreicht behauptet und führte entsprechend zum Trivialen, zur Reproduktion offiziell verbreiteter Vorurteile über die Wirklichkeit, wobei in solcher Reproduktion eine politisch bedeutsame kommunikative Funktion erfüllt wird. Vorschnell erscheint diese Vereinigung insofern, als der schreibende Arbeiter von seiner Erfahrung gar nicht auszugehen wagt, eine eigene Sprache ihm mithin unerreichbar bleibt: von Beginn an steht seine Erfahrung der Arbeit unter dem Gesetz der „Übertragung" ins Kunstgebilde. Kunst erscheint so als statische Größe, der sich der schreibende Arbeiter unterzuordnen hat — „Schreiben heißt: an sich arbeiten.", definiert das Handbuch für schreibende Arbeiter unter Berufung auf Becher [165] — ein In-Frage-Stellen dieser Größe im Beharren auf der eigenen Erfahrung erscheint nicht möglich. Die dialektische Vereinigung von Kunst und Leben, die der Bitterfelder Weg eröffnet hatte, wird damit einseitig aufgelöst: im „Erstürmen der Höhen der Kultur" verliert der schreibende Arbeiter sich selbst, nur er hat sich zu wandeln, seine Erfahrung umzudenken, nicht auch das Beschriebene.

Resistenter gegenüber solcher Selbstaufgabe zeigt sich der gleiche Autor in dem Gedicht:

Aufklärung

„Neulich
sprach ich
— herzklopfend —
eigene Gedichte.

Und zwei Augen
— so blau, so blau —
himmelten mich an.

Ernsterer Absicht wegen
sagte ich später
etwas unpoetisch,
daß ich schreibender
Schlosser bin.

Wie da die
himmel-, himmelblauen Augen
rostig-frostig blickten,
die kleine Abiturientin
ihr Näschen
in den Wind hob!

Saus ab, Süße!
Ich, der Schlosser,
bin für Stabiles.“ [166]

Auch dieses Gedicht bleibt im Klischee, wo „Poesie“ erreicht werden sollte. Der falschen „poetischen“ Sprache wird hier jedoch versucht, eine eigene Sprache entgegenzusetzen, die gewonnen wird im Rückbesinnen auf das Eigene. Statt eine gelungene Vereinigung von Kunst und Arbeit zu behaupten, erfüllt das Gedicht wirklichkeitserhellende Funktion im Gegenüberstellen zweier Sprachverhalten, das auf die tatsächliche Diskrepanz zwischen beiden Bereichen weist. Deutlicher noch als auf der Ebene der äußeren Handlung kann das Gedicht so in seinem sprachlichen Vorgang als Urteil über den Bitterfelder Weg gelesen werden, als differenziertes Urteil zumindest über jenen Teil, der sich am Ziel eines „Erstürmens der Höhen der Kultur“ orientiert. Das Bemühen des schreibenden Arbeiters um Dichtung wird als Selbstverlust sinnfällig, als Selbstverlust allerdings, der eine neue Selbstvergewisserung und Selbstbehauptung als Arbeiter begründet: der Weg jedoch, auf dem dies erreicht wird, wird beschritten im — Gedicht.

Die stärker inhaltlich orientierte, d. h. primär dem Ziel, gesellschaftliches Bewußtsein zu bilden, verpflichtete Strömung der Literatur schreibender Arbeiter soll am Beispiel des Brigade-Tagebuchs untersucht werden [167]. Das Brigade-Tagebuch, definiert als „Tagebuch eines Kollektives, das um die Lösung gemeinsamer Aufgaben ringt“ [168], erscheint als nächstliegende Möglichkeit, eine gesellschaftlich wirksame Selbstverständigung der Arbeitenden über ihre tatsächliche und ihre beanspruchte Position im geschichtlichen Entwicklungsprozeß zu erreichen. Die Betroffenen kommen — zumindest idealiter — unmittelbar selbst zu Wort und wenden sich dabei wiederum an unmittelbar Betroffene, nicht an eine literarische Öffentlichkeit. Das Brigadetagebuch soll, so erläutert das Handbuch für schreibende Arbeiter, „nicht von vornherein auf eine literarische Wirkung hin angelegt werden: seine ureigene Aufgabe liegt darin, unmittelbar zu verändern“ [169]. War, von der Tätigkeit des Schriftstellers aus gesehen, Dokumentarliteratur in der Art der Reportage als „die auf dem Bitterfelder Weg vorangehende Form“ bestimmt worden [170], so könnte dies, von den schreibenden Arbeitern aus gesehen, analog vom Brigadetagebuch als weiterer Möglichkeit einer Dokumentarliteratur gesagt werden. Als „wichtigstes Mittel zur Selbstverständigung der Arbeiter“ [171] propagiert, wurde das Brigadetagebuch doch durch ein Vorbild eingeführt, das ein einzelner Autor bewußt zu diesem Zweck geschaffen hatte [172] und das dann in Zeitungen (Neues Deutschland), Zeitschriften („Tribüne“, „Freiheit“, „Glück auf“) und Anthologien („Deubner Blätter“, Bd. 1, „Ich schreibe . . .“, Bd. 1) verbreitet wurde.

Das Muster, welche Ausschnitte der Arbeitssituation und der gruppeninternen Vorgänge innerhalb einer Brigade zur Sprache kommen sollten, war damit gegeben, von den bald zahlreich entstehenden Brigadetagebüchern wurde es auch im wesentlichen eingehalten. Die erstrebte kollektive Selbstverständigung wurde damit nicht von der je einzelnen Erfahrung des Schreibenden aus geleistet, über die Öffentlichkeit hergestellt werden sollte, sondern vom öffentlich sanktionierten Vorbild aus, das im jeweils besonderen Milieu zu reproduzieren versucht wurde. Der passive Charakter solcher Bewußtseinsbildung wird über den Gestaltungsansatz hinaus auch in den einzelnen thematisierten Vorgängen offenkundig: die diskutierten Vorgänge münden stets in die Forderung an den einzelnen, sich zu wandeln; die soziale Organisation (am Arbeitsplatz, im politischen Bereich, im Privatbereich), der der einzelne angehört, wird dagegen als statische Größe angenommen. Zur Sprache kommen hauptsächlich Bemühungen, die Produktion zu steigern — hier werden Bummler und Egoisten getadelt, Vorbilder gewürdigt — und moralische Erziehungsversuche an einzelnen Arbeitern. Versagen am Arbeitsplatz und moralische Verfehlungen werden stets auf Schwächen der einzelnen Person zurückgeführt und durch moralische Appelle bzw. den Einsatz leuchtender Vorbilder behoben. Symptome der Entfremdung werden mannigfaltig beschrieben, die Frage nach deren materiellen Ursachen wird aber stets ausgespart.

Im Schreiben derartiger Brigadetagebücher wird Parteilichkeit als Verbreiten von Partei-Forderungen — etwa der, die von Ulbricht 1958 verkündeten „Zehn Gebote der sozialistischen Moral“ einzuhalten — erfüllt, das Einüben der Schreibenden in die gewünschte gesellschaftliche Denkweise wird nachhaltig unterstützt, Selbstbewußtwerden der Arbeiterklasse im emanzipatorischen Sinne wird damit jedoch nicht gefördert. Auf die Brigadetagebücher, die im Rahmen der Bitterfelder Bewegung entstanden sind, treffen die Kennzeichen von Trivialliteratur zu: sowohl hinsichtlich der aufgebotenen Gestaltungsmittel, wie ihrer bewußtseinsbildenden Funktion. Eine Betrachtung dieses Teils der Literatur schreibender Arbeiter kann bei diesem Urteil aber nicht stehen bleiben; Erkenntniswert, auch zur Erhellung entsprechender literarischer Strömungen in der BRD, erhält es erst, wenn die Voraussetzungen bestimmt werden, die diese Texte ihr erklärtes Ziel verfehlen lassen.

Im Tagebuch-Schreiben überwiegt, schon aufgrund der äußeren situativen Voraussetzung, das reagierende Moment der Auseinandersetzung des Ichs mit seiner Umwelt. Die reflektierende Auseinandersetzung mit gesellschaftlich vermittelter Erfahrung, in der der Tagebuch-Schreiber sich selbst und seiner Welt umfassender bewußt wird, kann aber nicht nur als Harmonisieren der jeweiligen Voraussetzung der Person mit den Ansprüchen der Gesellschaft vorgestellt werden, sondern ebenso auch als Herausarbeiten und Befestigen eines eigenen Anspruchs gegenüber dem gesellschaftlich Ganzen. Die reagierende Selbstverständigung wirkt dann zugleich produktiv in die Gesellschaft zurück. Diese Doppelbewegung auch im Brigadetagebuch zu verwirklichen, verlangt, daß die Arbeiter selbst in ihrer je spezifischen Wirklichkeitsauffassung und Wirklichkeitserfahrung in ihm zu Wort kommen [173]. Damit ist der Punkt erreicht, an dem die beiden unterschiedenen Ansätze einer

Literatur schreibender Arbeiter wieder in ihrem Wechselbezug zu erkennen sind: der eine Ansatz stärker an inhaltlichen Zielen orientiert (Bildung gesellschaftspolitischen Bewußtseins), wobei produktionsästhetische Fragen besonderes Interesse gewinnen, der andere stärker an formalen Zielen orientiert („Erstürmen der Höhen der Kultur"), wobei wirkungsästhetische Fragen besonderes Interesse gewinnen. Die Forderung, daß die Arbeiter im Brigadetagebuch selbst zu Wort kommen müßten, sieht die Aufgabe schreibender Arbeiter, eine eigene Sprache zu finden, in notwendiger Verbindung mit der gleichzeitigen Aufgabe, die Selbstverständigung über die eigene gesellschaftliche und geschichtliche Position im Ausgang von jeweils eigener Erfahrung und Erwartung zu leisten. Finden einer eigenen Sprache beinhaltet nicht, die angebotene Sprache, die vielfältig Fiktionen vermittelt (z. B. Charakterisieren der Arbeit durch Metaphern des Sports und Spiels) zugunsten einer Sondersprache abzuwehren, wohl aber, die sprachlichen Formen zu beleben und fortzubilden, in denen noch gültige Erfahrungen der Arbeiterklasse tradiert werden [174]. Selbstbewußtwerden der Arbeiterklasse im emanzipatorischen Sinne beinhaltet nicht, die angebotenen Interpretationen der Wirklichkeit, die ein Harmonie-Bild entwerfen oder etwa Erfahrungen der Entfremdung auf moralische Mängel einzelner zurückzuführen, zugunsten einer subjektiven Weltbetrachtung abzuwehren, wohl aber, die eigene Erfahrung zum berechtigten Ausgangspunkt der Bildung gesellschaftlichen Bewußtseins zu erheben.

Der Doppelaspekt literarischen Schaffens, im Bemühen um den Kunstcharakter eines Werkes gerade dessen politisch-emanzipatorischen Gehalt zu binden, das Bemühen um politische Bewußtseinsbildung aber in Formen zu verwirklichen, die den Gebrauch der Sprache als bloßes Herrschaftsinstrument transzendieren, wird im Rahmen des Bitterfelder Literatur-Modells am ehesten in den betrachteten Werken der „Berufs"-Schriftsteller erkennbar. Die heftige Diskussion, die um diese Werke entbrannte, weist auf die jeweils erreichte anspruchsvolle Verbindung beider Aspekte. Der vielfach vordergründige Charakter dieser Diskussion wiederum offenbart das Fehlen einer Literaturtheorie, die beide Aspekte angemessen zu verbinden vermöchte. Versucht wurde dies von marxistischen Literaturtheoretikern im Ausgang von einem Begriff der Arbeit, der auch literarische Produktion einschließt [175]. Dieser Ansatz würde erlauben, die Trennung von Schaffen als Kunst-Produktion und Schaffen als Industrie-(Hand-)Arbeit zumindest in der Literaturtheorie zurückzunehmen und damit von der Position des erfüllten Bitterfelder Programms auszugehen, wenn dieses die Aufgabe kennzeichnet, die Trennung von Künstler und Volk aufzuheben. Eine entsprechende Literaturtheorie steht jedoch immer noch aus. Die Literaturkritik der DDR ging gegenüber den betrachteten Werken statt von einer Position, die Kunst und Arbeit als dialektische Einheit begriffen hätte, von einer Position aus, die den einen Bereich jeweils im anderen auflöste: künstlerische Produktion wurde — etwa auf dem 11. Plenum des ZK 1965 — an Forderungen der Tagespolitik gemessen, ohne daß dieser Prüfungsprozeß auch umgekehrt worden wäre, die schreibenden Arbeiter wiederum wurden auf die „Höhen der Kultur" verpflichtet, ohne daß diese „Höhen" von den spezifischen Voraussetzungen der neuen Literaturträger aus überprüft worden wären.

Die Divergenz zwischen offiziellen Meldungen über den quantitativen Erfolg der Bewegung schreibender Arbeiter und der geringen inhaltlichen und literaturtheoretischen Auseinandersetzung mit deren Werken weist diesem Teil des literarischen Lebens der DDR die Bedeutung einer „Laienbewegung" zu. Der gute Wille wird gönnerhaft anerkannt. So rühmt H. Koch, der 1964 erklärt hatte, die Bitterfelder Beschlüsse seien ihrem Wesen nach erfüllt [176], „Ernsthaftigkeit, Verantwortungsgefühl, Ringen um künstlerische Bewältigung der Wirklichkeit des Arbeiterlebens", auch wenn „keine künstlerischen Meisterwerke" entstanden seien [177]. Oder aber die schreibenden Arbeiter werden zu selbstlosen Vorarbeitern eines kommenden „wirklichen" Künstlers stilisiert:

> „Neben dieser unmittelbar wirkenden (operativen) Aufgabe besitzt das Brigadetagebuch, da es alle Ereignisse in dokumentarischer Form widerspiegelt, chronikalischen Wert und überliefert wichtige Kulturdokumente aus unserer Zeit. Schriftsteller werden später aus dem Brigadetagebuch eine Fülle von Stoffen schöpfen." [178]

In solch eingeschränkter Bedeutung wird die Bewegung der schreibenden Arbeiter in der DDR weiterhin gefördert.

IV. Der abgegrenzte Raum der Arbeitswelt

a) Literaturhistorische und literaturtheoretische Voraussetzungen: das Modell einer Literatur der „entwickelten sozialistischen Gesellschaft"

Auf dem 11. Plenum des ZK 1965 wurde das Modell des Bitterfelder Weges nicht verworfen, die dort geäußerte Kritik zielte jedoch auf eine Rücknahme gerade jenes Ansatzes, in dem die Sprengkraft des Bitterfelder Modells gelegen hatte. So wird es verständlich, daß Chr. Wolf mit ausdrücklicher Berufung auf Bitterfeld dem Literaturverständnis entgegentreten konnte, das in dem literarischen Scherbengericht sichtbar wurde:

„Auf der Bitterfelder Konferenz wurde gesagt, daß Kunst nicht möglich ist ohne Wagnis. Die Kunst muß auch Fragen aufwerfen, die neu sind, die der Künstler zu sehen glaubt, auch solche, für die er noch nicht die Lösung sieht." [1]

Literarischer Produktion bleibt weiterhin als Aufgabe, die Trennung von Künstler und Volk, letztlich von Kunst und (Industrie-) Arbeit aufzuheben; mit dem Bann belegt wurden aber die Werke, in denen versucht worden war, diese Aufgabe in einem Prozeß wechselseitigen Sich-in-Frage-stellens beider Bereiche zu erfüllen. Als erwünscht mußte entsprechend ein wechselseitiges Sich-Bestätigen erscheinen. Zurückgenommen wurde damit, was mit dem Leitbegriff „Die Realität als Probe" als charakteristisch für den Wirklichkeitsentwurf der Bitterfelder Literaturkonzeption bestimmt worden ist: eine Auffassung der Wirklichkeit als widersprüchliche Einheit von Wesen und Erscheinung, wobei „Widersprüchlichkeit" voraussetzt, beiden Seiten Gleichberechtigung zuteil werden zu lassen oder, bezogen auf den hier zurückgedrängten allegorischen Darstellungsansatz: ein Bild der Wirklichkeit, in dem das Besondere Eigenrecht gerade darin gewinnt, daß es das Allgemeine in Frage zu stellen vermag, wie umgekehrt das Allgemeine seine Gewißheit in der In-Frage-Stellung des Besonderen behauptet. Wenn den angegriffenen Autoren vor allem mangelnde ideologische Festigkeit vorgeworfen wurde, wird deutlich, daß der Prozeß wechselseitiger „Probe“ erneut zugunsten der Perspektive des Allgemeinen sistiert werden sollte. Im literarischen Bereich wurde damit zumindest als Forderung erhoben, was im ökonomischen Bereich unmittelbar verwirklicht werden konnte. Das 11. Plenum des ZK 1965 erregte Aufsehen vor allem durch die spektakuläre Abrechnung mit prominenten Schriftstellern, weniger Beachtung fand in diesem Zusammenhang, daß auf dem Plenum auch die Weichen gestellt wurden, das 1963 eingeführte „Neue ökonomische System der Planung und Leitung“ wieder zurückzunehmen. Hatte dieses den Einzelbetrieben größeren Planungs- und Entscheidungsspielraum gegeben, was politisch als stärkeres Eingehen auf die Forderungen der Basis gedeutet werden kann, so hob Ulbricht jetzt wieder darauf ab, die zentrale Planung zu stärken [2], d. h. aber, der „Perspektive des Ganzen“ das Vorrecht einzuräumen.

Das 11. Plenum des ZK markiert im literarischen Bereich einen Einschnitt. Der Bitterfelder Weg wurde gerade dort zum Irrweg erklärt, wo er dem Ziel, die Wirklichkeit sichtbar zu machen, nahe zu kommen schien: damit hatte er seine Leitfunktion verloren. Dem Betrachter der folgenden literarischen Entwicklung ergeben sich hieraus zwei Beschränkungen. Eine neue literarische Konzeption wurde in der DDR nicht mehr entwickelt und mit einem wirkungsvollen Fanal für gesellschaftlich verbindlich erklärt, wie dies mit der Verpflichtung auf das Stalinistische Modell des sozialistischen Realismus und dem Modell des Bitterfelder Weges geschehen war. Eine öffentlich sanktionierte Konzeption, mit der sich jeder Schriftsteller auseinanderzusetzen hat, ist damit nicht mehr gegeben. Damit fehlt ein Bezugspunkt, das Feld wechselseitiger Einwirkung literarischer und gesellschaftlicher Entwicklung sichtbar zu machen, was nicht heißt, daß dieses Feld nicht konstante Grundlinien zeigte. Sie zu bestimmen wird nur schwieriger, zumal gleichzeitig eine Entwicklung betrachtet werden soll, die noch nicht abgeschlossen ist. Ein abschließendes Urteil verbietet sich daher, statt dessen soll versucht werden, Grundtendenzen aufzuweisen.

Das Fehlen eines ausdrücklich entwickelten Literaturmodells bestimmt die literarische Situation nachhaltig. Auch wenn Ulbricht das Moment der „Planung und Lenkung kultureller Prozesse“ [3] besonders hervorhebt, kann unter solcher Voraussetzung eine Planung doch nicht wegweisend, sondern nur reagierend vorgestellt werden: in der nachträglichen Entscheidung, welche Werke anzunehmen und damit förderungswürdig sind. Der auf diese Weise ausgeübte Einfluß soll nicht unterschätzt werden, ohne Zweifel ist aber in solcher Situation ökonomischen Tendenzen eine Absage erteilt, wenn unter „Ökonomismus“ die Auffassung verstanden wird, daß Literatur einen gleichermaßen planbaren Produktionsbereich darstelle wie die Ökonomie. Der Literatur scheint damit erstmals auch von offizieller Seite eine relative Eigenständigkeit zugebilligt zu werden.

Die Frage nach den Faktoren, die die literarische Situation nach 1965 entscheidend prägen, kann von dem Gesellschaftsbild ausgehen, das von offizieller Seite entworfen und zur Grundlage ökonomischer, politischer, sozialer und kultureller Entscheidungen erhoben wurde. Hatte man seit der Einführung des „Neuen ökonomischen Systems“ 1963 vom „umfassenden Aufbau des Sozialismus“ gesprochen, so wird jetzt hervorgehoben, daß der Sozialismus gesellschaftlich konsolidiert sei. Der 7. Parteitag der SED vom 17.—20. 4. 1967 stand ganz unter diesem Zeichen. Entsprechend wurde im „Manifest des 7. Parteitages an die Bürger der DDR“ verkündet:

> „Die festen Fundamente des sozialistischen Gebäudes unserer Republik sind gelegt. Jetzt gilt es, dieses sozialistische Haus auszubauen und zu vollenden.“ [4]

Nach dem Legen der Fundamente wird in dieser Äußerung nicht der Bau des Hauses, sondern lediglich dessen weiterer Ausbau und Vollendung vorgestellt. Das schiefe Bild erweist sich als adäquate Umschreibung der Geschichte der DDR: das sozialistische System wurde als fertiges Gebäude eingeführt, erste Aufgabe war, ihm eine feste Grundlage zu schaffen; nachdem dies erreicht ist, kann versucht werden, das System den gegebenen Voraussetzungen entsprechend zu modifizieren. Die neue gesellschaftliche Leitperspektive, die der Parteitag programmatisch verkündete — „die entwickelte sozialistische Gesellschaft“ [5] umgreift daher ein Doppeltes: sie nennt das schon Erreichte wie das immer neu zu Verwirklichende. Der jetzt erreichten Phase des konsolidierten Sozialismus gab Ulbricht die verbindliche Deutung als „entwickeltes gesellschaftliches System des Sozialismus“ [6]. Er gab damit auch, zumindest in seinem Selbstverständnis, die entscheidende Orientierung für die weitere kulturelle Entwicklung, weshalb Kultusminister Klaus Gysi wenig später erklären konnte:

„Ausgangspunkt und Kernpunkt für das künstlerische Schaffen wie für das geistig-kulturelle Leben ... ist ... das Bild des sozialistischen Menschen, der das entwickelte gesellschaftliche System des Sozialismus erbaut und beherrscht." [7]

Die gesellschaftlichen Auffassungen, die den Entwurf des „entwickelten gesellschaftlichen Systems des Sozialismus" entscheidend bestimmen, prägen notwendig auch die literarische Entwicklung der DDR und sollen daher in ihrer Relevanz für diese erörtert werden. Als Voraussetzung des Entwurfs ist die Auffassung vom „Sieg der sozialistischen Produktionsverhältnisse" zu erkennen, der Entwurf selbst wird wesentlich geprägt vom Bild einer „sozialistischen Menschengemeinschaft" und von der Deutung des Sozialismus als „relativ selbständiger sozial-ökonomischer Formation". Die beiden zuletzt genannten Begriffe werden nach dem Rücktritt Ulbrichts als erster Sekretär des ZK im Mai 1971 kaum mehr verwendet. Der Rücktritt Ulbrichts und der ihm folgende 8. Parteitag der SED (Juli 1971) könnten damit einen Wandel ankündigen; ob beide Ereignisse aber eine Phase beenden, kann aus gegenwärtiger Sicht nicht gesagt werden.

Als „Sieg der sozialistischen Produktionsverhältnisse" werden insbesondere die Kollektivierung der Landwirtschaft und der Bau der Berliner Mauer gefeiert. Die Voraussetzungen der neuen gesellschaftlichen Phase reichen so weit in die frühere zurück. Mit der erreichten gesellschaftlichen und politischen Festigung kann sich revolutionäres Pathos nicht mehr unmittelbar einstellen, es wird nur noch vermittelt, nur noch „künstlich" erreicht. An die Stelle eines Kampfes, in dem Grundsätzliches stets auf dem Spiele steht, in diesem Sinne an die Stelle stets gegenwärtiger Krisis, treten nun Auseinandersetzungen in einer Rahmensituation, die nicht mehr durch stets gegenwärtige Alternativen in Frage gestellt wird. Ist die einzelne Handlung damit nicht mehr unvermittelt sichtbar mit dem Gewicht historischer Entscheidung beschwert, so wird es nun gerade als Aufgabe des Schriftstellers bestimmt, in den alltäglichen Ereignissen historische Tiefe deutlich werden zu lassen [8]: in den „Gewöhnlichen Leuten" den Revolutionär zu erkennen. Literarisch wird damit eine Tendenz zum Privaten und Persönlichen begünstigt, gleichzeitig aber auch zum belehrenden Kommentar in der Form rhetorischer Überhöhung.

Der mit großer Sicherheit verkündete „Sieg der sozialistischen Produktionsverhältnisse" wurde in der Diskussion über Entfremdung auch in sozialistischen Staaten wieder in Frage gestellt. Diese Diskussion konnte auch in der DDR nicht umgangen werden, da namhafte kommunistische Autoren wie E. Fischer und R. Garaudy die Möglichkeit solcher Entfremdung bejaht und damit — etwa in der Kafka-Diskussion in der CSSR — auch unmittelbar gesellschaftliche Wirkung erzielt hatten [9]. Das Thema „Entfremdung" zeigt die Gesellschafts- und Literaturtheoretiker der DDR in nicht geringer Verlegenheit. Einer inhaltlichen Diskussion wird weitgehend ausgewichen: entweder dogmatisch — Marx' Lehre der Entfremdung sei aus einer Kritik der bürgerlichen Gesellschaft entwickelt und daher auch nur auf diese anzuwenden [10] — oder autoritär — das ZK hat sich mit Fragen des Bürokratismus, resp. des Personenkults als Erscheinungsform von Entfremdung auseinandergesetzt und jedem Gedanken daran eine Absage erteilt, damit aber auch deren Vorhandensein in der DDR widerlegt [11]. Unterstützt wird das Bemühen, solcher Diskussion um Entfremdung auszuweichen, durch das Bild der „sozialistischen Menschengemeinschaft", das Ulbricht auf der zweiten Bitterfelder Konferenz erstmals entworfen hatte [12] und das hiernach in kaum einer offiziellen Äußerung fehlte. Mit ihm wird ein Harmoniemodell angeboten, das sich gut dazu eignet, noch erfahrbare gesellschaftliche Widersprüche zu überwölben.

Das Bild der „sozialistischen Menschengemeinschaft", das den Entwurf des „entwickelten gesellschaftlichen Systems des Sozialismus" entscheidend bestimmt, grenzt die jetzt gegebene gesellschaftliche Situation ausdrücklich gegenüber der Vergangenheit ab: die Phase klassenkämpferischer Auseinandersetzung wird hiermit für beendet erklärt. Für die literarische Auseinandersetzung mit der Gegenwart wird hieraus gefolgert, daß nun „Übereinstimmung" als „Haupttriebkraft der Entwicklung" darzustellen sei [13]. Ein statisches Bild der Gesellschaft zeichnet sich damit ab, wie schon der Leitbegriff „entwickelte sozialistische Gesellschaft", auch als Leitbegriff literarischer Produktion, primär angibt, was ist. Er beschreibt damit die Situation, an der sich Literatur auszurichten hat. In deutlichem Gegensatz etwa zu den Imperativen der Bitterfelder Konzeption formuliert er keine inhaltlichen Forderungen an eine weitere Entwicklung. Notwendig erfüllt solche Orientierung am Erreichten dann bestätigende Funktion. Als dynamisches Moment der „sozialistischen Menschengemeinschaft" wird vor allem die „wissenschaftlich-technische Revolution" mit ihren Auswirkungen und Forderungen an den Menschen hervorgehoben. Hiermit soll offenbar ein Ersatz für den Verlust klassenkämpferischer Dynamik angeboten werden [14]. An die Stelle eines politischen Kampfes um Aufhebung noch bestehender Klassenstrukturen tritt entsprechend der Produktionskampf, revolutionäre Zukunftsgewißheit gerinnt dann zu technischer Fortschrittsgläubigkeit. Wo diese doch noch mit revolutionärem Pathos vorgetragen wird (z. B. in E. Neutschs Drama „Haut oder Hemd" [15]), muß sich notwendig leere Rhetorik breit machen. Je mehr der Hinwendung zur technischen Revolution, damit aber zu dem Bereich industrieller Arbeitswelt, die Funktion zukommt, ausgesparte gesellschaftspolitische Auseinandersetzung zu ersetzen, um so mehr muß der Bezug zwischen industrieller Arbeitswelt und dargestellter Person „künstlich", zum Problem werden. Nicht in der Weise, daß sich die einzelne Figur nicht in den gesellschaftlichen Gesamtprozeß zu integrieren wüßte — das Modell solcher Sozialisation ist schon lange gültig vorgeprägt — sondern so, daß die dargestellte Arbeitswelt nicht mehr vollständig dem Bereich der Person zugeordnet zu werden vermag. Sichtbar wird dies in der Tendenz zur Darstellung eines Nebeneinanders von persönlichem Bereich und Arbeitswelt. Die zuvor schon anläßlich der These vom „Sieg der sozialistischen Produktionsverhältnisse" als literarische Folge erörterte Tendenz zum Persönlichen und Privaten wird so bestätigt. Der gesellschaftliche Bereich der Produktion fungiert jetzt als ein Erfahrungsbereich neben anderen, nicht mehr als der grundlegende im jeweiligen Entwurf einer Figur.

Seit der Ablösung Ulbrichts (Mai 1971) werden Ansätze deutlich, das Bild gesellschaftlicher Harmonie wieder zurückzunehmen. Der Begriff der „sozialistischen Menschengemeinschaft" wird in der Folge vermieden. K. Hager lehnt ihn dann einige Monate später ausdrücklich ab, „da er die tatsächlich noch vorhandenen Klassenunterschiede verwischt und den tatsächlich erreichten Stand der Annäherung der Klassen und Schichten überschätzt" [16]. In Übereinstimmung hiermit betonte E. Honecker nicht nur verbal die ausschlaggebende Bedeutung der Arbeiterklasse [17], sondern auch in politischer Praxis (z. B. bevorzugte Zuteilung von Studienplätzen, Wohnungen etc. an Angehörige der Arbeiterklasse). Entsprechend wird auch das Moment der Wandlung nicht mehr ausschließlich auf den Bereich der wissenschaftlich-technischen Revolution bezogen. Gleichsam als eine Erinnerung an Brechts Rede auf dem vierten deutschen Schriftsteller-Kongreß 1956 wurde das Wort Breschnews propagiert:

„Die heutige Welt des Sozialismus ist mit ihren Erfolgen und Perspektiven mit all ihren Problemen ein noch junger wachsender gesellschaftlicher Organismus, in dem sich noch nicht alles stabilisiert hat, vieles trägt noch den Stempel vergangener geschichtlicher Epochen. Die Welt des Sozialismus ist immer in Bewegung, sie vervollkommnet sich unaufhörlich. Ihre Entwicklung verläuft natürlich im Kampf des Neuen mit dem Alten und über die Lösung der inneren Widersprüche." [18]

Als Problem auch solcher Äußerung bleibt jedoch, daß Wandel nur formal bestimmt wird. Erst wenn inhaltlich ausgeführt würde, was noch den Stempel vergangener Perioden trägt und mithin zu überwinden ist, würde deutlich, ob solche Äußerung letztlich doch nur bestätigende oder auch kritische Haltung fordert.

Dem Harmoniemodell der Gesellschaft als Abgrenzung gegenüber der Vergangenheit tritt eine Abgrenzung gegenüber der Zukunft zur Seite, durch die Arbeitswelt als Indikator gesellschaftlichen Wandelns notwendig erneute Einschränkung erfährt. Diese Abgrenzung gegenüber der Zukunft wird manifest in Ulbrichts These vom „Sozialismus als relativ selbständiger sozial-ökonomischer Formation" [19]. Ulbricht verwirft damit ausdrücklich Deutungen des Sozialismus als „kurzfristiger Übergangsphase in der Entwicklung der Gesellschaft". Erwartungen eines gesellschaftlichen Wandels, eingeschlossen eines Wandels der Prouktionsverhältnisse, wird so eine unüberhörbare Absage erteilt.

Zukunft kann unter solcher Voraussetzung nur als Wiederholung der Gegenwart erscheinen; derartiges Aufheben der Zukunftsperspektive fördert notwendig ein Sich-abschließen gegenüber der Zeit und damit auch gegenüber den Bereichen, die bisher geschichtlichen und gesellschaftlichen Wandel verbürgten. Das In-Frage-Stellen der Zukunftsperspektive kann in einer sozialistischen Gesellschaft nicht als peripheres Ereignis abgetan werden, da das Pathos marxistischer Geschichts- und Gesellschaftslehre wesentlich als Zukunftspathos aufzufassen ist. Nicht zufällig erscheint es daher, daß sich gerade an Ulbrichts Lehre vom „Sozialismus als relativ selbständiger sozial-ökonomischer Formation" eine Debatte über den revisionistischen Charakter des gesellschaftlichen Systems der DDR entzündet hat [20] und daß nach der Ablösung Ulbrichts dieser Aspekt seines Gesellschaftsbildes nachdrücklich widerrufen wurde. So erläutert K. Hager:

„Diese These verwischt die Tatsache, daß der Sozialismus die erste, niedere Phase der kommunistischen Gesellschaftsformation ist. Sie verwischt ferner die ... Tatsache, daß die entwickelte sozialistische Gesellschaft auf der Grundlage der Entwicklung der sozialistischen Produktionsverhältnisse und ihrer materiell-technischen Basis allmählich in die kommunistische Gesellschaft hinüberwächst." [21]

In Überlegungen zur Situation der Literatur gewinnt Ulbrichts Abgrenzung gegenüber einer vollendeteren Zukunft gleichfalls große Bedeutung, wird doch in Bestimmungen des sozialistischen Realismus stets auf die Dimension der Zukunft besonderer Wert gelegt [22], ja in seiner Zukunftsperspektive gerade das Auszeichnende des sozialistischen Realismus bestimmt [23]. Auf der Grundlage solcher, durch die Tradition vorgegebener Anschauung wird etwa der provozierende Charakter der Feststellung erst deutlich, mit der die Zeitschrift „Forum" eine Umfrage an Schriftsteller einleitete:

„... Es geht nicht mehr um das Bekenntnis zum sozialistischen Prinzip schlechthin, sondern um das konkrete poetische Eingreifen in den Alltag der komplizierten und langfristigen Entwicklungsprozesse unserer neuen Gesellschaft, mit denen wir es, wie wir nun wissen, auf Lebenszeit zu tun haben werden. Die revolutionäre Parteilichkeit des sozialistischen Lyrikers kann sich jetzt nur noch in dichterischen Produktionen der zweiten Verarbeitungsstufe bewähren." [24]

Die Vorstellung einer „zweiten Verarbeitungsstufe" kehrt bei W. Mittenzwei, der hierin als repräsentativer Sprecher der Literaturwissenschaft und Literaturkritik in der DDR zitiert werden kann, im Begriff einer „neuen Etappe" wieder, den er bevorzugt gebraucht, um die Ausgangssituation des Schriftstellers im „entwickelten gesellschaftlichen System des Sozialismus" zu charakterisieren [25]. Der Begriff der Etappe impliziert ein deutliches Abgrenzen gegen vorherige und folgende Entwicklung, er weist zwar noch auf die Zugehörigkeit zu einer größeren Bewegung, gleichzeitig wird damit aber auch betont, daß die bestimmenden Kräfte des jetzt Gegebenen nicht aus dieser Bewegung, sondern aus eigenen Voraussetzungen entwickelt sind.

Mit dem Fehlen eines Zukunftshorizontes erscheint dargestellte Wirklichkeit notwendig beraubt um die Dimension der Möglichkeit in ihr; zwar kann unter solcher Voraussetzung eine gewordene und fertige Welt, nicht aber mehr die ganze Wirklichkeit vorgestellt werden. E. Bloch beschreibt dies als Verlust der Utopie:

„Wo der prospektive Horizont ausgelassen ist, erscheint die Wirklichkeit nur als gewordene, als tote, und es sind die Toten, nämlich Naturalisten und Empiristen, welche hier ihre Toten begraben. Wo der prospektive Horizont durchgehends mitvisiert wird, erscheint das Wirkliche als das, was es in concreto ist: als Weggeflecht von dialektischen Prozessen, die in einer unfertigen Welt geschehen, in einer Welt, die überhaupt nicht veränderbar wäre ohne die riesige Zukunft: reale Möglichkeit in ihr. Mitsamt jenem Totum, das nicht das isolierte Ganze eines jeweiligen Prozeßabschnitts darstellt, sondern das Ganze der überhaupt im Prozeß anhängigen, also noch tendenzhaft und latent beschaffenen Sache. Das allein ist Realismus, er ist allerdings jenem Schematismus unzugänglich, der schon vorher alles weiß, der seine einförmige, ja selber formalistische Schablone für Realität hält. Die Wirklichkeit ohne reale Möglichkeit ist nicht vollständig, die Welt ohne zukunfttragende Eigenschaft verdient so wenig wie die des Spießers einen Blick, eine Kunst, eine Wissenschaft. Konkrete Utopie steht am Horizont jeder Realität, reale Möglichkeit umgibt bis zuletzt die offenen dialektischen Tendenzen-Latenzen.“ [26]

Zur verbindlichen Gesellschaftsdeutung erhoben, modifiziert die These vom „Sozialismus als relativ selbständiger sozial-ökonomischer Formation“ auch den Darstellungsansatz der Allegorie, die das Stalinistische Modell des sozialistischen Realismus charakterisiert [27] und deren Überwindung sich in Werken des Bitterfelder Weges abgezeichnet hat. Die Voraussetzung dieser Allegorie wurde in dem Auseinandertreten von erfahrbarer sozialistischer Wirklichkeit und geschichtlichem Anspruch erkannt, das zu Anstrengungen führt, das Bild der Realität zu stilisieren. Der Gestaltungsansatz der Allegorie erhält dabei besondere Zugkraft, da er erlaubt, einen widersprüchlichen Bezug von Realitätserfahrung und Gesamtprozeß der gesellschaftlichen Entwicklung aufzuheben. Das einzelne, das einer Einordnung Widerstand leistet, wird als „Übersetzung“ im bedeuteten Allgemeinen aufgelöst, zugunsten des Allgemeinen entmächtigt; es erhält seine Bedeutung erst von diesem. Dem damit drohenden Wirklichkeitsverlust kann erfolgreich nur begegnet werden, wenn Zukunftsgewißheit — erläutert als „revolutionärer Optimismus“ — der Identifikation gegenwärtig erfahrener Wirklichkeit mit dem Gesamtprozeß der gesellschaftlichen Entwicklung Glaubwürdigkeit verleiht. Dies wiederum setzt eine reale gesellschaftliche Grundlage für solch „revolutionären Optimismus“ voraus, wie sie z. B. in den Anfangsjahren der Sowjetunion und der DDR gegeben war. Die These vom „Sozialismus als relativ selbständiger sozial-ökonomischer Formation“ schließt zukunftsgerichteten „revolutionären Optimismus“ aber gerade aus.

Im sozial-politischen Bereich hat sich damit eine Entwicklung durchgesetzt, die in der Konsequenz allegorischer Darstellung selbst schon angelegt ist und nach solch gesellschaftlicher Grundlegung nun in verstärktem Maße die literarische Produktion zu bestimmen vermag. Die Absage an die Bitterfelder Konzeption konnte nicht zu einem Rückfall in das frühere Stalinistische Modell des sozialistischen Realismus führen: das propagierte Harmonie-Bild einer „sozialistischen Menschengemeinschaft" weist zwar in diese Richtung, dem steht jedoch entscheidend der Verlust des Zukunftshorizontes entgegen. Der Verlust des „Traumes vorwärts" zeigt im Rahmen eines marxistischen Geschichtsbildes ein Ungewiß-Werden des geschichtlichen Zieles an. In eben solches Fragwürdig-Werden des sinnstiftenden Allgemeinen gegenüber dem jeweils gegebenen Besonderen mündet jedoch auch die Wirklichkeitserfahrung, die in der Allegorie ihren Ausdruck findet. Nach dem Entmächtigen der besonderen Gestalt zu einem „bloßen Attribut der allgemeinen Bedeutung", das die Allegorie wesentlich leistet [28], wird dem Allegoriker in einem zweiten Erfahrungsschritt die willkürlich gewordene Beziehung zwischen Besonderem und Allgemeinem bewußt. W. Benjamin hat in dieser Erfahrung die Grundlage der Melancholie erkannt [29]. Ihr zeigt sich auch eine literarische Darstellung von Wirklichkeit verpflichtet, die sich in Übereinstimmung mit der Erfahrungsgrundlage der Allegorie zu erkennen hat. Wirklichkeitsnähe erscheint nur dort erreicht, wo das Fragwürdig-Werden des Allgemeinen als Erfahrung bewußt angenommen wird und sich daher der literarische Weltentwurf eine Hereinnahme der Utopie versagt. Dies wird allerdings nicht in neuer naturalistischer Beschränkung auf perspektivlos gegebenes einzelnes verwirklicht, sondern vor allem in bewußter Beschränkung auf Wirklichkeitsbereiche, die eine Versöhnung von Wirklichkeit und Ideal noch vorgeben. Solchem Gestaltungsansatz kommt die Idylle als literarische Gattung besonders entgegen. Im Entwurf einer sozialistischen Idylle vermag daher seinen Fluchtpunkt zu finden, was bisher zur Charakterisierung der gesellschaftlichen Situation und des gesellschaftlichen Bewußtseins der Phase der DDR-Geschichte nach 1965 dargelegt worden ist.

Wie der Friede, die Klarheit und die Harmonie der Idylle aus wissender Beschränkung gewonnen werden, so hatte sich Abgrenzung auch als das neue, gesellschaftspolitische Leitthema in der DDR erwiesen. Abgrenzung gegenüber der Vergangenheit im

Harmonie-Bild einer „sozialistischen Menschengemeinschaft" und Abgrenzung gegenüber der Zukunft durch die Lehre vom „Sozialismus als relativ selbständiger sozial-ökonomischer Formation" verweisen auf ein Bild der Übereinstimmung von gegenwärtig erfahrener Wirklichkeit und Gesamtprozeß der gesellschaftlichen Entwicklung, das nur in „künstlicher" Abwehr ihm widersprechender Forderungen aus der Geschichte geschaffen und aufrechterhalten werden kann. In der klassischen Idylle wird der geschichtlich ausgesparte Raum von Autoren gewonnen, die sich aus der Erfahrung einer scheidenden Kultur bewußt in archaische Zustände zurückversetzen. Solche Grundlegung der Idylle erscheint nun radikalisiert. Am Beginn der Idylle steht jetzt die problematisch gewordene Frage nach geschichtlichem Wandel insgesamt. Die Idylle als geschichtlich und damit zeitlich ausgegrenzter Raum führt gleichzeitig aber für eine Literatur der Arbeitswelt die Notwendigkeit spezifischer thematischer Beschränkung mit sich. Mit der Abgrenzung gegenüber der Geschichte verliert der wirklichkeitsverändernde Sinn von Arbeit, damit aber Arbeit in ihrem wesentlichen Sinn an Bedeutung. Der Arbeitswelt als dem primären Feld gesellschaftlichen Wandels und der Arbeiterklasse als dessen Träger und Motor kann nun nicht mehr Leitfunktion in einer literarischen Auseinandersetzung mit der Gegenwart zukommen. Literatur der Arbeitswelt tritt entsprechend in der literarischen Produktion der DDR zurück. Wo Arbeitswelt thematisiert wird, erscheint sie nicht mehr als der allein ausschlaggebende Erfahrungsbereich der Figur, sondern als ein Teilbereich der Wirklichkeit neben anderen: als abgegrenzter Raum bzw. als Raum mit begrenztem Wirkungsbereich. Ihre Zugkraft erweist die Idylle bei solch thematischer Beschränkung gerade, wenn nach deren wirklichkeitserhellender Leistung gefragt wird. Unter den erläuterten Bedingungen des „entwickelten gesellschaftlichen Systems des Sozialismus" steht literarische Darstellung von Wirklichkeit vor der Aufgabe, weder noch erfahrbare Widersprüche zwischen Erscheinungsseite der Wirklichkeit und gesellschaftlichem Anspruch in ihren Mittelpunkt zu stellen, noch eine falsche Harmonie von Erscheinung und Wesen vorzuspiegeln.

Als Lösung bietet sich hier an, die Darstellung auf solche Wirklichkeitsbereiche zu beschränken, die beides nicht verlangen, die erlauben, das Wirkliche als „vernünftig" vorzustellen, ohne damit Widerspruch zu provozieren, aber auch ohne damit einer Verfälschung zu erliegen. Aber selbst dort, wo dies gegeben ist, bleibt das Erreichen gesellschaftlicher Wahrheit an die weitere Bedingung geknüpft, daß im Entwurf derart ausgegrenzter Räume zugleich auch das Wissen um die Notwendigkeit solchen Ausgrenzens mitgeteilt wird. Der Realismus solcher Idylle wird geprägt von Resignation und bewußter Schweigsamkeit. Aber weder eine „erpreßte Versöhnung“ [30] mit der Wirklichkeit wird vorgestellt, insofern nicht mehr gewagt wird, die Wirklichkeit nach den sie immer noch prägenden antagonistischen Widersprüchen zu befragen, noch ein Sich-Beruhigen im verlogenen Bild einer harmonischen Wirklichkeit: beides allerdings Möglichkeiten, die Idylle zu verfehlen, die bei den hier gegebenen Voraussetzungen naheliegen. „Verfehlte“ Idyllen zeichnen sich daher entweder im Entwurf von Figuren ab, die die gegebene gesellschaftliche Wirklichkeit annehmen, weil deren Gewalt sie gebrochen hat oder im Erliegen des literarischen Entwurfes im Kitsch, insofern dieser auf einer „verlogenen, auf Illusion beruhenden Vorstellung über die Beziehung des Menschen zur gesellschaftlichen Wirklichkeit“ gründet [31]. In der Idylle, die sich zu bewahren weiß vor „erpreßter Versöhnung“ wie vor der Lüge des Kitsches, erfüllt Literatur unter den Bedingungen, die das „entwickelte gesellschaftliche System des Sozialismus“ in der DDR vorgibt, ihre wirklichkeitserhellende Funktion. Die Übereinstimmung mit der gegebenen gesellschaftlichen Wirklichkeit, die diese Literatur vermittelt, ist nicht gleichzusetzen mit Affirmation (verstanden als Befestigen eines schlechten Gegebenen). Für diese Übereinstimmung ist vielmehr charakteristisch, daß sie nur durch besondere Zurüstung erreicht wird und im Bewußtmachen dieser ihrer Voraussetzung gleichzeitig auch den Ansatzpunkt kritischen Einspruchs mitzuteilen vermag. Dieses kritische Potential gelangt insbesondere dort zur Wirksamkeit, wo zum Bewußtsein notwendiger Abgrenzung, auf dem die Idylle gründet, das Wissen um die Ambivalenz dieser Abgrenzung hinzukommt: das Wissen, daß der Ort beglückender Selbstvergewisserung errungen ist um den Preis des Sich-Abschließens, letztlich einer selbst herbeigeführten Gefangenschaft.

Die Idylle als beispielhafte literarische Erfüllung der Voraussetzung des „entwickelten gesellschaftlichen Systems des Sozialismus“ weist damit auf eine grundlegende Ambivalenz der Literatur dieser Phase. Die Einschränkung literarischer Darstellung auf solches Besonderes, das in Einheit mit dem Allgemeinen vorgestellt werden kann, erlaubt selbstsicheres Vergewissern der Wirklichkeit, diese Sicherheit wird aber zugleich erfahren als Einschränkung. Auch nach der Ablösung Ulbrichts erscheint dieser Doppelaspekt weiterhin konstituierend für die literarische Situation der DDR, wenn E. Honecker etwa Ende 1971 ausführt:

„Wenn man von der festen Position des Sozialismus ausgeht, kann es meines Erachtens auf dem Gebiet der Kunst und Literatur keine Tabus geben — das betrifft sowohl die Fragen der inhaltlichen Gestaltung als auch die des Stils — kurz gesagt: die Frage dessen, was man künstlerische Meisterschaft nennt." [32]

Beide Aspekte des ambivalenten Bezugs finden ihre Entsprechung in den gesellschaftlichen Anschauungen, die das Bild des „entwickelten gesellschaftlichen Systems des Sozialismus" konstituieren: die Einschränkung als Sicherheit in dem Harmonie-Bild der „sozialistischen Menschengemeinschaft", die Sicherheit als Einschränkung im Verlust des Zukunftshorizontes als Folge der These vom „Sozialismus als relativ selbständiger sozial-ökonomischer Formation". Wie in ihrer gesellschaftlichen Wirkung beide Anschauungen nicht getrennt werden können, eine jeweils aber leitende Funktion übernimmt, lassen sich auch in der literarischen Produktion Akzentverschiebungen erkennen. Auf Selbstvergewisserung liegt der Akzent dort, wo literarische Produktion getragen wird von einer Ideologie der schon erreichten Demokratie; Selbstverlust in der Konsequenz des Verlustes der Zukunftsperspektive tritt stärker in den Vordergrund mit einer beherrschenderen Wirkung der Ideologie des schon entwickelten Sozialismus. Ihre nachhaltig wirksame Manifestation fand diese Ideologie in der gewaltsamen Rücknahme des „Prager Frühlings".

Die Texte, an denen das theoretisch Bestimmte überprüft werden soll, sind nicht als typische im Sinne des Durchschnittlichen ausgewählt, sondern als Beispiele, in denen unterschiedliche Ansätze literarischer Gestaltung, die die beschriebene Situation eröffnet, in gültiger Weise verwirklicht werden. Dies schließt ein, daß die Beispiele in den beschriebenen äußeren Voraussetzungen nicht aufgehen, mithin auch nicht vollständig auf diese rückführbar sind, sondern eine eigene Auseinandersetzung mit diesen Voraussetzungen leisten.

b) Text-Beispiele

1. Die Idylle als Ausweg: E. Strittmatter, Kraftstrom

Vergewisserung des Erreichten, die der Auffassung vom gesellschaftlich etablierten Sozialismus naheliegt, verspricht Strittmatters Erzählung „Kraftstrom", die 1969 in „Ein Dienstag im September" [33], einem neuen Band mit Erzählungen Strittmatters, erschienen ist. Das Thema ist einfach gestellt: das Eingreifen technischen Fortschritts und — diesen bedingend wie durch ihn bedingt — sozialen Wandels in das Leben eines alten Holzfällers und Kätners, des „alten Adam". Was schon zwei Regierungen versprochen hatten, ohne es zu halten, verwirklicht die neue sozialistische: Elektrizität auch noch für den entlegensten Weiler, damit auch in die Kate des Alten, dessen Leben hierdurch tiefgreifende Wandlungen erfährt. An Strittmatters Durchführung dieses Themas fällt auf, daß alles revolutionäre Pathos vermieden wird, das hier bereitgelegen hätte. Weder wird Lenins Definition „Kommunismus = Sozialismus + Elektrizität" berufen, noch auf dem „Sieg der sozialistischen Produktionsverhältnisse" als Bürge des Wandels in der DDR insistiert. Der einzige Ansatzpunkt, dem Geschehen eine umfassendere Bedeutung zu verleihen, beruft Vorstellungen aus der Bibel:

> „Auf dem Weg laden Langholzkutscher Baumstämme ab. ‚Licht wird's geben', sagt der Schwiegersohn, sagt es gelassen wie jener Alte in der Bibel: ‚Es werde Licht!' Ist der Mensch ein Gott? Es ist zu oft übers Licht geredet worden. Zwei Regierungen versprachen den Leuten vom Vorwerk Licht, und die neue Regierung ist erst zwei Jahre alt, der alte Adam glaubt nicht ans Licht.
>
> Er wohnt im Haushalt der Tochter. Eine Kiste, in der sich neunzig Kubikmeter von Tabakrauch durchschossener Luft aufhalten konnten. Das ist sein Stübchen. Zieht man den Luftraum ab, den Tisch, Schrank, Kommode und Bett einnehmen, kommt man auf fünfundsiebzig Kubikmeter Großvaterluft." (9 f.)

Das Vermeiden eines revolutionären Pathos gründet in einer konsequenten Beschränkung, in der diese Erzählung ihre Eigenart, aber auch ihren Beispiel-Charakter gewinnt. Die Erzählung ist „Kraftstrom" überschrieben, aber nicht dieser wird thematisiert, etwa als Mittel der Produktion, als Mittel neuer, erfolgreicher Bewältigung der Natur durch den Menschen, sondern das Eingreifen der technischen Neuerung, die von außen in das Leben der einzelnen Figur kommt, die Störung dieses Lebens, das sich bisher in Harmonie mit dem Kreislauf der Natur vollzogen hatte. Das Aufbaupathos, das Literatur der Arbeitswelt zumeist beherrscht, sobald ein Rückblick auf das neu Geschaffene versucht wird, findet hier keinen Raum: nur ganz peripher wird die soziale und weitere technische Entwicklung erwähnt, die sich im Umkreis des Helden vollzieht. Technischer Fortschritt bleibt Ereignis, das in ein „natürliches" Leben einbricht. Seine Gesetze verstehen zu wollen, erscheint als vergebliches Mühen. Hier beschränkt sich der Erzähler auf den Erfahrungshorizont einer Figur, die von niemandem erfahren kann, was Strom ist. In Entsprechung hierzu fungiert Technik in der Erzählung selbst nur als Anlaß, ein persönliches Problem sichtbar zu machen. Industrielle Arbeitswelt erscheint so in doppelter Weise eingeschränkt: sie wird eingebracht nur als fremdes, von außen kommendes Ereignis und wird in ihren Wirkungen beschränkt auf die individuelle Erfahrung und Reaktion einer Figur. Gleichzeitig bestätigt sich derart die früher erläuterte Tendenz der Literatur dieser Phase zum Persönlichen und Privaten. Der alte Adam erfährt den Strom, den er in Orientierung an der Fortschrittseuphorie der anderen gleichfalls begrüßt hatte, bald als unerbittlichen Feind, der ihn Schritt für Schritt seiner Arbeit beraubt, ihn als unnütz erweist und letztlich aus dem Leben drängt. Eindringliche Wirkung erreicht Strittmatter dabei dadurch, daß er diese Erfahrung mit dem Thema des Alterns verbindet. (Dies gilt für alle Erzählungen des Bandes, die bis auf eine Ausnahme alte Menschen vorstellen; das Thema des Herbstes, auf das schon der Gesamt-Titel weist, wird so vor allem unter dem Aspekt des Verlustes und Todes gesehen.) Gerade weil Arbeit als Selbstverwirklichung aufgefaßt wird, verdichtet sich die fortschreitende „Befreiung" des Alten von der Arbeit im Zug des technischen Fortschritts zu einem niederdrückenden Bild. In einem unaufhaltsam fortschreitenden Prozeß wird das Tätigkeitsfeld des Alten, der „Raum" seines Lebens immer enger gezogen.

„Er weiß noch immer nicht, was dieser Strom ist, doch seine Wirkungen hat er an sich selber erfahren ...

Fünf andere Elektriker kamen, hatten Motoren an ihren Fahrrädern und waren schnell wie galoppierende Pferde. Sonst ging alles wie damals: Jeder Mast zwei Isolatoren; zwei weitere Drähte, und die Häuser erhielten einen zweiten Anschluß: ‚Endlich Kraftstrom!' sagte der Schwiegersohn und kaufte einen Pumpenmotor. Das Haus erhielt ein Gekröse eiserner Eingeweide von unten her, und das Wasser kam unter menschliche Bevormundung, mußte in dünnen Röhren die Wände hinaufkriechen. Druckkessel, Spülstein und Wasserhähne — das erste Wasser, das in der Küche gezapft wurde, nötigte ihm noch ein Loblied auf den listigen Menschen ab, dem alten Adam.

Aber die großen Kümmernisse keimen unerkannt; man erkennt den Stein nicht, an dem man sich in der Zukunft das Bein brechen wird.

Die Wassereimer wurden zu den Petroleumlampen auf den Hausboden gebracht, und ihre von Hornhaut polierten Griffe sehnten sich dort im Dunkel nach den Händen des alten Adam. Wer kann es wissen?

Nachbar Pfuhl, der Bodenreformbauer, kaufte einen Motor für seine Dreschmaschine, und fortan wurde der Alte nicht mehr zum Treiben der Göpelpferde geholt, aber immerhin durfte er nach dem Dreschen noch die Saatreinigungsmaschine drehn. Dann wurde die Genossenschaft der Bauern gegründet; Pfuhls Dreschmaschine und der Dreher der Saatreinigungsorgel wurden überflüssig. Für den Dreschmaschinenmotor fand man Verwendung, für den alten Adam nicht. Der Motor wurde mit einer Kreissäge gekoppelt, und mit der Motorsäge zerkleinerte man das Winterholz für alle Einwohner des Vorwerks in wenigen Stunden. Aus war's mit dem Holzsägen im Frühling bei Grete Blume!" (15 f.)

Das Vertrauen in den Menschen als „Auskenner" (9), der sich die Natur unterwirft, weicht der Erfahrung, von den dabei freigesetzten Kräften beiseite gedrängt zu werden. Das Thema Entfremdung wird damit eingeführt; erst in diesem Zusammenhang erfahren die gesuchten Bilder, auf die Strittmatter auch hier nicht verzichtet, ihre Begründung: „in Bettfedern gehüllte Braten auf blaßroten Beinen — das sind die Gänse" (8) als Beispiel verdinglichter Naturauffassung, Metaphern wie „Porzellanlaub" für Isolatoren: als Beispiele entfremdeten Vitalisierens technischer Geräte.

Mit dem Thema Entfremdung wird Widerspruch angemeldet zu vielfach verbreiteten offiziellen Deutungen der „sozialistischen Menschengemeinschaft" als nun erreichtes Zeitalter eines „sozialistischen Humanismus". Der Widerspruch zwischen individueller Erfahrung und offiziellem Gesamtbild wird jedoch nicht ausgetragen, da die Erzählung stets im Bereich des Individuellen bleibt, ja weitgehend sogar aus der beschränkten Sicht der Hauptfigur dargeboten wird. Diese beschränkte Sicht und die beschränkte Erfahrung des einzelnen werden als durchaus berechtigt angenommen, wie dies auch den Bitterfelder Ansatz literarischer Gestaltung gekennzeichnet hat. Vom Bitterfelder Modell unterscheidet diese Erzählung jedoch, daß vom einzelnen aus kein Prozeß entfaltet wird, der die gegebene gesellschaftliche Wirklichkeit in umfassendem Sinne auf die Probe stellt. Aus dem Beiseite-gedrängt-werden des einzelnen wird keine grundsätzliche Frage nach dem Anspruch des einzelnen gegenüber der Gesellschaft entwickelt. Der Rahmen des Individuellen wird nicht gesprengt: neben die eingeschränkte Sicht der Arbeitswelt tritt so eine weitere Einschränkung der sozialen Relevanz des thematisierten Problems, mit der die Voraussetzung zur Idylle erst geschaffen wird. Literarische Gestalt findet diese Einschränkung im „Roman im Stenogramm", allgemeiner in Kurzformen des Erzählens, denen Strittmatter nun für längere Zeit den Vorzug zu geben scheint [34]. Seinem erzählerischen Vermögen kommen sie sichtlich auch entgegen: hier vermag er Wirklichkeit sichtbar zu machen, während er im Roman, unter dem Anspruch, ein Gesamtbild der Gesellschaft zu geben, stets ins Klischee verfällt. Der Einzelfall wird gerade nicht, wie dies immer wieder als spezifisch neue Möglichkeit der Literatur der „entwickelten sozialistischen Gesellschaft" erläutert wird, zu einer „aktuellen Lebensfrage für den Sozialismus als Ganzen" [35] erweitert. Zu fragen bleibt nach dem Gewinn dieser Einschränkung. Die Erzählung richtet den Blick rückwärts, um das Erreichte darzustellen; dieses wird nicht von einem Anspruch aus überprüft, der von der Zukunft ausgeht. Die Voraussetzung für eine Bestätigung des Gegebenen ist damit geschaffen. Die Erzählung nützt sie aber nicht, der Blick zurück offenbart kein beglückendes Bild des Fortschritts. Technischer Fortschritt wird nicht einmal ambivalent gesehen. Die Beschränkung auf den individuellen Erfahrungsbereich des alten Adam führt vielmehr zu einem nachdrücklichen Beharren auf dem Unmenschlichen dieses Fortschritts. Der in Gang kommende Prozeß des Beiseite-gedrängtwerdens erscheint unabwendbar, er wird bis zu seinem sinnlich manifesten Ende geführt: der alte Adam hat beschlossen, sein nutzlos gewordenes Leben zu beenden und beginnt sein eigenes Grab zu schaufeln, der „Bienkopp"-Schluß scheint sich zu wiederholen — da geschieht die überraschende Wende zum Guten. Der Retter erscheint als deus ex machina, er gibt dem alten Adam Arbeit und dessen Leben damit einen neuen Inhalt. Die Gründung im bloßen Zufall bezeichnet den erreichten Umschwung jedoch deutlich als Bruchstelle. Der alte Adam „fällt aus dem Nichts ins Erden-Leben" (19), das happy end ist gefunden. Mit Wohlwollen vermerkte die Literaturkritik in der DDR, daß das Schema der im Sozialismus grundsätzlich lösbaren Konflikte doch noch erfüllt werde. Daß dieses Schema aber nur durch das Erscheinen eines deus ex machina erfüllt wird, mußte unbeachtet bleiben, da unter

Berufung auf eine mechanische Widerspiegelungstheorie die Wende zum Guten als notwendige Folge der gesellschaftlichen Realität der DDR vorgestellt wird:

„... Wenn Adam doch noch eine Arbeit findet, so geschieht dies nicht um eines rosaroten Happy-Ends willen ... dies sind ganz einfach Realitäten unserer sozialistischen Welt. Der Konflikt, der in der Erzählung gestaltet wird, bezieht seine sozialistische Qualität aus dem Umstand, daß von den an diesem Konflikt Beteiligten nicht einer auf der Strecke bleibt."[36]

Der fragwürdige gute Schluß weist auf die vorherige Abwärtsbewegung zurück und schafft so eine Schwebe zwischen Verklärung und Resignation. Der Schluß bleibt offen, wie dies für die meisten der in diesem Band vereinigten Erzählungen charakteristisch ist. Das Bild einer letztlich doch noch gelungenen Versöhnung von individuellem Anspruch und gesamtgesellschaftlicher Entwicklung wird vorgestellt. Das Wirkliche erscheint „vernünftig", die Einordnung in den notwendigen Gang der Dinge gelingt, ohne daß das Individuum im Sinne einer „erpreßten Versöhnung" zuvor von der Gewalt der unabhängig von ihm sich vollziehenden Entwicklung gebrochen worden wäre. Diese Einordnung in den Gang der Dinge erscheint nicht als Selbstverlust, sondern als beglückende Bestätigung des Lebens, das sich durchgesetzt hat. Eine Welt gesellschaftlicher Harmonie, wie sie die Idylle kennzeichnet, ist damit entworfen und wie dies die Idylle konstituiert, ist diese Harmonie auf einen ausgesparten Raum beschränkt. Der eingeschränkten Sicht der Arbeitswelt hatte die Beschränkung auf den Erfahrungsbereich der individuellen Figur geantwortet, diese wiederum wurde bestätigt durch die Einschränkung der guten Wende auf die zufällige Situation. Im früheren Roman „Ole Bienkopp" sollte demgegenüber am Einzelfall gesellschaftliche Totalität sichtbar werden. Entsprechend blieb dort der Ausweg in die Idylle verwehrt. Hier wurde die erreichte Harmonie zwar nicht „erpreßt", sie ist aber auch nicht gesellschaftlich verbindlich und bleibt mithin widerrufbar: die Idylle ist als Ausweg gewonnen worden. Der gute Schluß hebt die vorherige Erfahrung nicht auf: die doch noch gelungene Anpassung an die neue Zeit wirkt nicht verändernd auf diese zurück, damit kann sich das Geschehen jederzeit wiederholen:

„‚Ihr kriegt noch zu wissen, wie es ist', sagt der alte Adam". (20)

Die Erfahrung des Fragwürdig-werdens auch des Allgemeinen als die Melancholie begründende Erfahrung allegorischer Wirklichkeitsdeutung erscheint in der bewußt gemachten Beschränkung auf dem besonderen Fall abgewehrt, aber nicht aufgehoben. Statt eines vertrauensvollen Blicks in die Zukunft, der dem geforderten Fortschrittsoptimismus entspräche, wird — als der dunkle Horizont der Idylle — die Drohung ausgesprochen, daß sich die bedrückende Erfahrung wiederholen werde. Wie dies dem Raum der Idylle angemessen erscheint, wird diese Drohung allerdings gemildert durch ihre erzählerische Rückbindung an das Bild eines Kreislaufs der Natur, in dem sich das Leben durchsetzt. Im Erfüllen auch ihrer Vorliebe für die Figur des Kreises wird nochmals die als Ausweg gewonnene Idylle bestätigt:

„Der alte Adam ist mächtig am Leben". (20)

Die bewußt bleibende plötzliche und zufällige Wende zum Guten vermag aber die frühere Resignation nicht völlig zu bannen. Die als Ausweg bewußt bleibende Idylle führt damit nicht von der Realität weg, wirkt vielmehr auf diese zurück. Die zwiespältige Aufnahme des Erzähl-Bandes in der DDR bestätigt diese rückwirkende Kraft [37].

2. *Die Idylle als Sonderwelt: W. Bräunig, Gewöhnliche Leute*

Herbstgedanken, wie sie Strittmatters Erzählband prägen, haben keinen Raum in W. Bräunigs Erzählung „Gewöhnliche Leute" [38], der Titelgeschichte eines gleichfalls 1969 erschienenen Erzählbandes. Der Titel impliziert ein Programm: nicht mehr die Ausnahmesituation und die Ausnahmefigur sollen im Mittelpunkt stehen; Figuren, Verhaltensweisen, Erfahrungen, die in der „entwickelten sozialistischen Gesellschaft" zu einem Selbstverständlichen geworden sind, haben den Rang dessen eingenommen, das früher das Außerordentliche bewirkt hat. In den unscheinbaren Geschehnissen des Alltags soll der mächtige Schritt des gesellschaftlichen Fortschritts erkannt werden können und aufgewiesen werden [39]. Solche lehrhaft vorgegebene „Dialektik von Außergewöhnlichem und Alltäglichem" läßt es wiederum nur vom darstellerischen Vermögen des Schriftstellers und nicht auch von der dargestellten Wirklichkeit abhängen, ob das literarische Programm erfüllt werden kann.

Mit seiner ersten literarischen Veröffentlichung nach dem vielfältig kritisierten Ausschnitt aus seinem Wismut-Roman ist Bräunig beim Thema Arbeitswelt geblieben. Bräunig hat den Wismut-Roman nicht beendet, er hat das Rummelplatz-Kapitel aber auch nicht zurückgenommen. Jetzt aber scheint er sich doch dem gefügt zu haben, was er einst so heftig angeprangert hatte:

„Der Held entwickelt sich in gerade ansteigender Linie. Zwar gerät er in Konflikte, sie berühren aber sein Eigentliches, seine vorgegebene Entwicklungslinie kaum oder gar nicht. Und nicht nur der Held wird in ein solches Wunschkorsett gezwängt, sondern die gesellschaftliche Problematik überhaupt. Gemäßigte Konfliktchen — statt realistischer Entwicklung in Widersprüchen; platt illustrierte Lehrbuchthesen — statt der prallen, interessanten, komplizierten Wahrheit unseres Lebens. Wie soll der Held groß, wie kraftvoll und nacheifernswert werden, wenn er nichts zu bestehen hat als winzige Konflikte, nichts zu entdecken als längst gesicherte Auch-Wahrheiten, nichts zu lösen als Randprobleme, an nichts sich zu bewähren als am Gemäkel schmollender Krämer?“ [40]

Bräunig hält sich jetzt an die Lehrbuchthesen. Ein Erzähler trägt die Geschichte in der Haltung des sicheren Wissens um das gewandelte Leben in der „sozialistischen Menschengemeinschaft“ vor, in der alle Probleme lösbar sind.

„Die Probleme liegen nicht mehr so sehr zwischen den Leuten, dachte Stütz, als zwischen den Leuten und den Dingen: Sie bewegen sich immer weiter hinaus in die Umgebung. Wer wollte, konnte es den Leuten ansehen: Sie stiefelten mit einer Selbstbewußtheit durchs Gelände, wie früher nicht mal durch die neuangeschaffte Zwei-, Dreizimmerwohnung; und etliche von ihnen wollten schon nicht mehr wahrhaben, daß sie einmal ziemlich anders angefangen hatten: dumpf, unentschieden, eigenbrötlerisch, zweifelnd. Es ist gut so, dachte Stütz, aber es ist nicht alles gut. Ignoranz ist nicht gut. Es ist nicht immer gut, zu vergessen.“ (30 f.)

Der Ignoranz, vor der der Satz warnt, ist er selbst schon erlegen. Was nicht vergessen werden soll, wurde nur in bestätigender Funktion vorgestellt, als der dunkle Horizont, der die Gegenwart erst hell erstrahlen läßt. Die geforderte Erinnerung wird nicht zu einem Bezugspunkt, aus dem Erwartungen und Ansprüche erwachsen, die das Gegebene in Frage stellen können, wie dies noch im „Rummelplatz“ geleistet worden war. Das gesellschaftlich-revolutionäre Pathos, für das in einer derart harmonischen Welt keine Grundlage mehr besteht, wird in einem Pathos der technischen Revolution, der unablässigen Revolutionierung der Produktion aufzuheben gesucht:

„Das alles war ein Exempel, aber noch bevor es statuiert war, sahen sie: Das Höchste war schon wieder ein Stück weiter gerückt. Es gab welche, die kamen da nicht mehr mit, aber es gab hauptsächlich andere, die jetzt erst richtig zum Zug kamen.“ (45)

Die Bindung an die vorgegebene Sicht der Gesellschaft legt die literarische Ausführung auf das Klischee fest. Eine Situation und Figurenkonstellation wird berufen, die sich schon vielfach bewährt hat: eine Liebesgeschichte vom Bau; Ort der Handlung: eine Großbaustelle der DDR, bewährter Ort, den arbeitenden Menschen als Veränderer und Beherrscher der Natur darzustellen; Personen: der Bauleiter und eine neu zum Bau gekommene Ingenieurin. K. H. Jakobs hatte mit diesem Thema Aufsehen erregt (Beschreibung eines Sommers, 1961), insbesondere durch Kontrastieren der Liebesgeschichte mit dem rauhen Leben auf der Baustelle und durch demonstratives Verteidigen einer Privatsphäre gegen die Partei. E. Neutschs Versuch zu diesem Thema (Spur der Steine, 1964) erlangte Bedeutung durch das Aufgreifen von Tabus, der Ansatz H. Müllers (Der Bau, 1965) durch die darin gestellte Frage nach noch möglicher Erfahrung von Entfremdung. In Bräunigs Erzählung scheinen alle diese Fragen ihre Bedeutung verloren zu haben. Die Glätte, die seinen Figuren zukommt, da sie restlos im geforderten Bild aufgehen, wurde als soziale Repräsentativität gerühmt [41]: eine Wiederholung des alten Fehlers, das Typische mit dem Durchschnittlichen gleichzusetzen und dieses in Orientierung am vorgegebenen Bild der Gesellschaft zu bestimmen. In einer Zeit, in der die Frage nach Entfremdung auch in sozialistischer Gesellschaft insbesondere angesichts der Entwicklung in der CSSR in neuer Schärfe ansteht und in anderen sozialistischen Ländern auch diskutiert wird, folgt diese Erzählung ganz der offiziellen These von der jetzt erreichten grundlegenden gesellschaftlichen Harmonie. In solcher Übernahme einer illusionären Vorstellung über die Beziehung der Menschen zur Gesellschaft erweist sich das entworfene Wirklichkeitsbild als Kitsch. Das festgelegte Bild wird allerdings mit einer entscheidenden Modifikation übernommen und hierin erst wird die Erzählung bedeutsam. Die letztlich problemlos erscheinende Arbeitswelt soll die Größe der geschilderten „Revolutionäre des Alltags“ begründen; in der Erzählung kommt ihr aber nur eingeschränkte Bedeutung zu, mit ihr wird lediglich das Milieu der Figuren angegeben, aber nicht hier fallen die Entscheidungen, die prägend in das Leben der Figuren eingreifen, sondern in einem ausgesparten Raum des Persönlichen, Privaten: im zeitweiligen Rückzug von der Baustelle in das Haus am See. Bräunig übernimmt damit ein zentrales Motiv des wenige Monate vor seiner Erzählung erschienenen Romans von Chr. Wolf „Nachdenken über Christa T." [42] und er übernimmt es — dadurch gewinnt diese Gemeinsamkeit erst Interesse — in der gleichen Bedeutung: als Ort, an dem das „Zu-sich-selber-Kommen des Menschen" möglich erscheint, nach dem Becher gefragt hatte und dessen Frage als Motto über Chr. Wolfs Roman steht. Zu sich selbst kommen die Figuren nicht im Ausüben ihrer Funktion in der Arbeitswelt, sondern im ausgesparten Raum. Das Individuum erhält so stärkeres Gewicht, es erscheint nicht mehr als bloße Resultante der jeweils vorgestellten gesellschaftlichen Situation. Wiederum liegt, in Abgrenzung vom Bitterfelder Modell, das charakteristisch Neue dieses Gestaltungsansatzes nicht schon in der Betonung eines individuellen Bereiches, sondern erst in dem beziehungslosen Nebeneinander von individuellem Bereich und Arbeitswelt. Das Pathos des Aufbaus und Fortschrittes etwa, das das Leben auf der Baustelle prägt, vermag im Unterschied zu H. Müllers „Bau" nicht in die Beziehung der Figuren integriert zu werden. Nach dem erzählerischen Programm soll dies zwar geleistet werden: „Hier mußten sie sich treffen" (33), erläutert der Erzähler über die Arbeit des Paares, aber nicht in der Arbeit treffen sich die beiden, sondern im Rückzug in das Haus am See, und hier nochmals zurückgezogen, in der überraschenden Erkenntnis ihrer gemeinsamen Vergangenheit. Der Erzähler versucht, dem Augenblick solchen Einander-Erkennens gleichnishafte Bedeutung zu verleihen:

„‚Weil', sagte er, ‚weil ich nämlich in diesem Kossin groß geworden bin. Und weil mein Vater ... Also weil der Mann, der anstelle deines Vaters damals Betriebsleiter wurde, mein Vater war'.

Das war also alles. Oder höchstens, daß genau in diesem Augenblick der Düsenjäger durch die Schallmauer brach, und zwar, wie üblich, genau über ihnen. Sie erschraken beide. Obwohl man es weiß, ist man immer nicht vorbereitet. Dieser jähe, trockene, nachhallende Knall: wer jung ist, faßt sich schneller, denkt vielleicht an Gagarin und an Mondsonden — die Älteren unter uns denken an etwas ziemlich anderes. Die Älteren unter uns haben ihre Erfahrungen mit solchen Detonationen, auch wenn es für diesmal, merkt man dann und wird ruhiger, keine sind. Das Makabre an der Sache, dachte Stütz, ist, daß derjenige, der den Knall erzeugt, selber nichts davon hört. Der Schall bleibt ja hinter ihm. Und das ist zumindest nicht gerade beruhigend. Und es ist leider nicht auf diese Angelegenheit beschränkt." (36 f.)

Zum Blick in die Vergangenheit tritt komplementär die Frage nach der Zukunft. Nur hier, im ausgesparten Raum, gewinnen die Figuren, die in ihrer Arbeit völlig in der Gegenwart aufgehen, Vergangenheit und Zukunft. Entgegen dem Fortschrittsoptimismus, den die Arbeitswelt vermittelt, eröffnet hier die Frage nach der Zukunft die beunruhigende Vorstellung eines Voranschreitens ohne Wissen, was dabei erzeugt wird. Zur Abgrenzung gegenüber einem dunklen Zukunftshorizont tritt so — ganz im Sinne der traditionellen Idylle — die Abgrenzung gegenüber dem Politischen [43]: Berichte über Kriege, die den Ort der Harmonie strahlender noch als Ort ungestörter Existenz erscheinen lassen. Weiter noch wird die Idylle als ausgesparter Raum herausgehoben durch das Wissen um ihre Vergänglichkeit (vgl. 43 f.), was aber nichts anderes heißt, als daß das hier Erfahrene im Alltag der Arbeitswelt keinen Platz hat.

Im Ausgrenzen eines Sonderbereichs gegenüber der Arbeitswelt wird die Idylle gewonnen. Das vorgegebene Wirklichkeitsmuster durchbricht Bräunig dadurch, daß er beide Bereiche ohne Bezug nebeneinander stellt. Hierhin wäre mithin der Ansatz gewonnen, Wirklichkeit sichtbar zu machen, statt Thesen zu illustrieren, der Ansatz wäre aber vom Leser selbst auszuführen, der Autor gibt ihm keine Hilfe. Das Gegenbild, das er mit der Idylle entwirft, entfaltet in seiner Erzählung keine gegenwirkende Kraft.

3. *Der Widerruf der Idylle: G. Kunert, die Waage*

G. Kunerts Kurzgeschichte „Die Waage" [44] problematisiert das Bild einer zukunftslosen, da als vollendet angenommenen Welt:

> „Alles ist einfach. Weil alles in zwei Teile zerfällt, was unsere Eltern noch nicht wußten, und eine Waage bildet; die unsichere Hand zeichnet sie mit Kopierstift auf feuchten Bierfilz. Schau her, Döskopp: Das ist die Welt, ein Strich teilt sie in Hälften, so und so, und jetzt ist es eine Waage. Eine Seite selbstverständlich schwerer als die andere, welche ist klar: Wo wir draufsitzen. Weil wir draufsitzen." (15)

Die Vollendung der eigenen Welt wird primär mit Bezug auf den Bereich der Arbeitswelt behauptet; in dieser gründet entsprechend auch vor allem die Selbstgewißheit der Figur. Die Berufung der Arbeitswelt bringt in die starre Welt, in der alles schon entschieden ist, einen Schein von Bewegung: als der Ort unablässigen technischen Fortschritts. Das Thema „naturwissenschaftlich-technische Revolution" erfüllt damit hier die gleiche Funktion wie in Bräunigs Erzählung. Was aber dort unbefragt bleibt, wird hier als eingeschränkte, selbstsüchtige Auffassung der Figur entlarvt. Entlarven kann als primäres Anliegen dieses Textes bestimmt werden. Die Selbstdeutung der Figur als Ausdruck und Teil einer Welt, in der die Ideale des Menschen Wirklichkeit geworden seien und im Zuge unablässigen technischen Fortschritts immer besser noch verwirklicht würden, wird nicht nur formal als trügerisch, sondern darüber hinaus auch inhaltlich als Ausgangspunkt unmenschlichen Verhaltens aufgewiesen. So in Frage gestellt, ist der Figur aber ein selbstbewahrender Rückzug von der Arbeitswelt in eine als Sonderwelt entworfene Idylle wie bei Bräunig nicht mehr möglich.

Auf die Umfrage der Zeitschrift „Forum" über die gegenwärtige Situation der Lyrik [45], in der unter anderem gefragt worden war „Führt die neue Stellung des Menschen in der sozialistischen Gesellschaft, wie sie insbesondere durch die technische Revolution herbeigeführt wird, zu inhaltlichen und strukturellen Veränderungen der Lyrik?" [46] hatte Kunert schon zwei Jahre vor Erscheinen dieser Erzählung mit dem Hinweis geantwortet:

„Im Anfang des technischen Zeitalters steht Auschwitz, Hiroshima, die ich nur in bezug auf gesellschaftlich organisiert verwendete Technik hier in einem Atemzug nenne. Ich glaube, nur noch große Naivität setzt Technik mit gesellschaftlich-humanitärem Fortschreiten gleich. Auch wenn Sie mich mit dem gerade gängigen Terminus Skeptiker abstempeln: wir können unsere Erfahrungen nicht ignorieren, erst recht nicht die Welt, in der zwischen technischem Können und menschlichem Dasein die Kluft wächst . . ." [47]

Die Erfahrung des Auseinandertretens von technischem Fortschritt und humanem Dasein als Thema verbindet die Texte Kunerts und Strittmatters. Was dort aber am Ende steht: lebenverbürgende Einordnung in die Bewegung des technischen Fortschritts, die im ausgesparten Raum der Idylle nochmals möglich erscheint, bestimmt hier die Situation des Beginns: selbstgefällige Identifikation mit dieser Bewegung. Erweist sich diese zunehmend als fragwürdig, gilt dies dann notwendig auch für die Figur: ihr eröffnet sich daher im Unterschied zu Strittmatters Helden kein Ort glückhafter Selbstbewahrung. An die Stelle des selbstverständlichen Fortschritts, dem sie sich verbunden glaubt, tritt die Erfahrung des Stillstandes, sinnlich sichtbar als Eingeschlossen-Sein in Gefängnismauern. Kunerts Text widerruft damit beide Ansätze der zuvor betrachteten Autoren, die Idylle als Ausweg wie die Idylle als Sonderwelt. Diese waren dem Bemühen entsprungen, unter den Bedingungen, die das „entwickelte gesellschaftliche System des Sozialismus" vorgibt, einen Raum zu gewinnen, in dem individueller und gesamtgesellschaftlicher Anspruch oder, aus anderer Sicht, Wirklichkeit und Vernunft weder in unversöhnliche Gegensätze auseinanderfallen, noch im Dualismus der Allegorie künstlich aufeinander bezogen werden, sondern in harmonischem Einklang vorgestellt werden können.

Bezeichnet solcher Widerruf die Leistung des Textes im Ganzen, so bestimmt der Widerruf als Strukturprinzip auch die Erzählung im einzelnen. Dem Glauben an unentwegtes Vorangehen stellt sich unbehagliches Warten entgegen, dem Bewußtsein, die Welt völlig zu beherrschen, widerspricht der Unfall, die Licht-Metaphorik zeigt sich dem gleichen Prinzip verpflichtet: technischer Fortschritt wird aufgefaßt als Abschaffen der Nacht, in der Nacht beginnt der Arbeitstag des Helden, der Scheinwerfer des vorwärtsrasenden Motorrads, beglückende Bestätigung, „daß es immer vorangeht" (17) wird als „weißer Tunnel" (17) als „Lichttunnel" (18) vorgestellt — so gesehene Nacht stellt der Tag als Ernüchterung, Entlarvung in Frage. Im Widerruf kann ein bleibendes Thema Kunerts erkannt werden. Dieses Thema vor allem hat Kunert in der DDR den Vorwurf eingetragen, er verabsolutiere Widersprüche und leiste, einem mechanischen Determinismus folgend, resignativer Weltsicht Vorschub[48]. Wiederum im Ausgang vom Bild des technischen Fortschritts, das Kunert in seiner Kurzgeschichte entwirft, kann dieser Vorwurf überprüft werden, da er vor allem in diesem Zusammenhang auch erhoben wird.

Dämonisieren technischen Fortschritts, seine Deutung als nicht mehr weiter rückführbare Erscheinung, verhindert Kunerts Kurzgeschichte dadurch, daß die Frage nach der Technik zurückgeführt wird auf die Frage nach den Menschen, die sich ihrer bedienen und, genauer noch, auf die Frage nach dem Gesellschaftsbild dieser Menschen und seiner Grundlagen. Gerade hierin erhält der Text allerdings zusätzliche Brisanz. Er entstand im Jubiläumsjahr „Hundert Jahre ‚Das Kapital'", das Ulbricht mit der Interpretation des „Sozialismus als relativ selbständiger sozial-ökonomischer Formation" eröffnet hatte, jener These, die eine Absage an alle Erwartungen gesellschaftlichen Wandels implizierte und ein um so stärkeres Betonen der schon erreichten gesellschaftlichen Vollkommenheit verlangte. Kunerts Text stellt solche Berufung auf Marx nicht nur als eigensüchtige Selbstbestätigung, sondern mehr noch als wohlfeile Rechtfertigung inhumanen Verhaltens bloß. Mit illusionsloser Schärfe wird die Konsequenz gezogen. Die Scheinberuhigung in einer vorgängig festgelegten Welt wirkt auch auf deren gesellschaftstheoretische Grundlage zurück, die unter solchen Voraussetzungen zum Dogma erstarren muß, das nicht mehr ursprünglich befragt werden kann: das behauptete Vorbild Marx kann und soll nicht mehr zu seinen politischen Nachkommen sprechen — die Berufung auf ihn wird desto problemloser.

Der Schein einer unter solchen Voraussetzungen fiktiv gewordenen Welt wird in der sinnfällig vorgestellten Erfahrung durchbrochen, sich auf der Grundlage solcher Deutung der gesellschaftlichen Wirklichkeit mit Gefängnismauern umgeben zu haben. Die Unmenschlichkeit einer totalen Identifikation mit der Bewegung des technischen Fortschritts und, umfassender noch, mit dem herrschenden Bild der Gesellschaft weicht der Ernüchterung in der vollständigen Isolation der Gefängniszelle. Die Desillusion wirkt sich jedoch nicht als Zerstörung der Figur aus, das Erwachen des Helden in der unfreien Wirklichkeit wird nicht als absoluter Gegensatz zur vorherigen Selbstbestätigung in einer Schein-Wirklichkeit gefaßt, sondern als Chance des Wandels, eines sich Wiederfindens in einem Raum, der den Rückgriff auf die vorgeprägten Muster nicht erlaubt, damit aber den Helden auf sich, auf sein „Selbstdenken“ verweist:

„Aber wieso und warum und weshalb denn hierbleiben in der unrichtigen Hälfte, auf der falschen Seite, durch die man zum Staub erhoben wird: Nein, nicht hierbleiben. Eure Gewichte sind falsch geeicht. Nicht hierbleiben, nicht hier!

Es bedarf einiger Mühe, den Protestierenden in eine jener kahlen Kammern zu schaffen, in der sich keine Porträts befinden. Hier kann sich der Hase für allein ans Ziel gekommen halten.“ (23)

Statt eines Rückzuges in einen ausgesparten Raum, der individuellen und gesellschaftlichen Anspruch noch in Übereinstimmung zu sehen erlaubt, macht Kunerts Text den Selbstverlust deutlich, der der falschen Harmonisierung beider Bereiche entspringt, er leistet dies aber so, daß hieraus gerade die Grundlage gelegt wird zu neuem Selbstgewinn.

Das Harmonie-Bild der „sozialistischen Menschengemeinschaft“ und das Beschneiden kommunistischer Zukunftserwartungen, die als Leitvorstellungen der Phase des „entwickelten gesellschaftlichen Systems des Sozialismus" in der DDR vorzustellen waren, werden in diesem Text in Frage gestellt. Sie vermögen gegenüber diesem Autor ihre Leitfunktion nicht zu erfüllen, in ihrer Negation zeigt sich der Autor aber immer noch auf sie bezogen. Diese Negation allerdings beraubt Kunert seiner Wirkungsmöglichkeit — der betrachtete Text ist in der DDR noch nicht erschienen, das heißt aber die dynamische Kraft seiner Negation wurde dort nicht anerkannt. Wie weit sie im jeweiligen Falle erkannt und anerkannt wird, kann nicht vorhergesagt werden, hier wäre jeweils am konkreten Fall eine sorgfältige Analyse der politischen und sozialen Wirkungsvoraussetzungen eines Autors durchzuführen.

Ein abschließendes Urteil über die Entwicklung der Literatur im Zeichen des „entwickelten gesellschaftlichen Systems des Sozialismus" ist gegenwärtig noch nicht möglich, wohl aber ein Abschluß dieser Arbeit. Denn eines hat die Betrachtung dieser Phase schon deutlich erwiesen: industrielle Arbeitswelt erscheint nicht mehr als die alles bestimmende Grundlage des jeweils entworfenen Wirklichkeitsbildes. Das Thema Arbeitswelt wird in der literarischen Produktion der DDR zwar weiterhin vielfältig wiederholt und variiert, es hat aber seine richtungsweisende Funktion zur Klärung der literarischen Situation in der DDR verloren. Dies aber war die Begründung und der Anspruch, mit dem hier nach der Auseinandersetzung mit dem Thema Arbeitswelt in der Literatur der DDR gefragt worden ist.

Schlußbemerkung

Die literarische Entwicklung, die in der Abfolge dreier literarischer Modelle vorgestellt worden ist, kann nochmals vom Fluchtpunkt der Allegorie aus schematisch zusammengefaßt werden. Im Stalinistischen Modell des sozialistischen Realismus wird der Gestaltungsansatz der Allegorie unproblematisiert übernommen. Überzeugende Leistungen literarischer Darstellung von Wirklichkeit gelingen dabei nur dort, wo die allegorische Auflösung des Besonderen im Allgemeinen durch einen geschichtlich begründeten revolutionären Optimismus gefestigt wird. Das literarische Modell des Bitterfelder Weges zeigt den Versuch, den dualistischen Ansatz der Allegorie in einer dialektischen Wirklichkeitsauffassung aufzuheben. Ihm verdankt die Literatur der DDR mehrere herausragende Werke. Mit dem gewaltsamen Abbruch der Entwicklung, die sich hier abgezeichnet hatte, erfolgt nicht die Rückkehr zum ersten Ansatz, sondern im Modell einer Literatur des „entwickelten gesellschaftlichen Systems des Sozialismus" eine modifizierte Bindung an den Gestaltungsansatz der Allegorie. Grundlegend wird jetzt die Erfahrung des Fragwürdig-Werdens des Allgemeinen, das aber weder naturalitische Unterwerfung unter das Besondere, noch ein Heranziehen der Utopie — als der vollendeten Welt, in der es keine Entwicklung mehr gibt — in die Gegenwart entbindet, sondern eine Beschränkung auf die Bereiche, in denen das Besondere und Allgemeine noch in harmonischem Einklang vorgestellt werden können. Die Negation des zuletzt betrachteten Textes zeigte sich dem Versuch verpflichtet, die Kreisbewegung der Idylle zugunsten einer nicht mehr fiktiven Fortschrittsbewegung zu durchbrechen.

Anmerkungen

Einführung

[1] H. P. Anderle, Mitteldeutsche Erzähler, ... S. 11 (Erscheinungsort und -jahr der zitierten Werke werden im Literaturverzeichnis angegeben).

[2] Vgl. die entsprechenden Titelangaben im Literaturverzeichnis.

[3] Das Wort des Schriftstellers: über den Arbeiter in unserer Literatur, ndl (= neue deutsche literatur) 20, 1972, H. 10, S. 152 f.

[3a] Sechs Punkte zur Oper, in: Theater der Zeit, 1970, H. 3, S. 18.

[4] Trotz ständigen Forderungen nach einer Literatur der Arbeitswelt und ihrer großzügigen Förderung gilt dies eigenartigerweise auch für die Literaturwissenschaft in der DDR. So stellt Eb. Röhner im Vorwort seiner 1967 erschienenen Untersuchung über „Arbeiter in der Gegenwartsliteratur" fest: „Konzeption und Aufbau der Arbeit sind weitgehend davon bestimmt, daß es sich um die erste größere Untersuchung auf diesem Gebiet handelt." (S. 7)

[5] In diese Zeit fallen: die Bucherfolge Max von der Grüns, das Erscheinen des ersten Almanachs der Dortmunder Gruppe 61, ferner der Reportagen Wallraffs. Wichtiger Faktor wird die Politisierung des Bewußtseins im Gefolge der wissenschaftlichen Rezession 1966—1967 und der Großen Koalition. Bedeutsam für die jüngste Entwicklung ist die Gründung der „Werkkreise Literatur der Arbeitswelt", 1970.

[6] Vgl. die anonyme Rezension Musils „Über R. Musils Bücher", in: R. Musil, Tagebücher ..., S. 776.

[7] Vgl. Kant, Kritik der reinen Vernunft, Kap. I, erster Teil: Die transzendentale Ästhetik.

[8] In der Heidegger-Nachfolge zeigt dies beispielhaft: E. Staiger, Die Zeit als Einbildungskraft des Dichters, Zürich, 1953, insbesondere S. 73 ff.

[9] Vgl. hierzu Lukács' Ansatz (in: „Reportage oder Gestaltung"), die von Marx entwickelte ökonomische Kategorie der „Verdinglichung" als eine Kategorie auch des Bewußtseins und damit der literarischen Produktion zu erarbeiten. Einen Hinweis auf den hier angesprochenen Zusammenhang gibt W. Rothe, Industrielle Arbeitswelt und Literatur, ... S. 114 ff.

[10] D. Wellershoff, Der Kompetenzzweifel der Schriftsteller, in: Merkur, 1970 II, S. 723—731.

[11] Vgl. z. B. Beschluß des 5. Parteitags der SED, 16. 7. 1958, Dokumente, ... 539.

[12] Vgl. Kant, Kritik der reinen Vernunft, a. a. O.

[13] Im Sinne von Lukács' Bestimmung, insbesondere „Tendenz oder Parteilichkeit".

[14] Auf der Basis solcher Unterscheidung bürgerlicher und sozialistischer Literatur erscheint es auch konsequent, daß im Westen bisher bevorzugt eine Auseinandersetzung mit der Lyrik der DDR stattgefunden hat

(Flores, Laschen), da hier eine Beschränkung auf den Raum der Subjektivität von der Gattung her schon vorgezeichnet scheint. Der gegenbildliche Ansatz bei der Literatur der Arbeitswelt wird entsprechend die Lyrik der DDR am weitesten zurücktreten lassen.

[15] Aus sehr unterschiedlichen gesellschaftlichen und literarischen Entwicklungsphasen der DDR seien als Beispiele genannt:
— W. Ulbricht auf der Arbeitstagung der sozialistischen Künstler und Schriftsteller in Berlin, 2./3. Sept. 1948: „Wenn die Kämpfer einer neuen gesellschaftlichen Ordnung in die Schranke traten, fehlten allzuoft die geistig schaffenden Menschen. Dieses Beiseitestehen muß jetzt endlich aufhören und es ist die große Aufgabe der sozialistischen Künstler, in ihren Kreisen Wandel zu schaffen." (Dokumente, ... 93).
— J. R. Becher auf dem 3. Parteitag der SED 1950: „Es wäre ... unsinnig ... abzustreiten, ... daß wir Kulturschaffende bisher in unseren künstlerischen Leistungen weit zurückgeblieben sind hinter den Forderungen des Tages, ... hinter den Forderungen der Epoche." (Dokumente, ... 152).
Im gleichen Sinne wird von einem „Zurückbleiben eines Teils der Kultur- und Kunstschaffenden" auch in der Entschließung des 5. Parteitages der SED vom 16. 7. 1958 gesprochen. (Vgl. Dokumente, ... 538).
— W. Joho urteilt 1962 (ndl, H. 1), der Schriftsteller liege hinter der Entwicklung zurück, müsse sie aufholen.

[16] Vgl. z. B. A. Schaff, Marxismus und das menschliche Individuum, ... S. 168.

[17] Vgl. Kunst und Literatur, ... S. 174, S. 338. In seinem methodologischen Abriß forderte L. Pollmann beispielsweise „die systematische Erarbeitung gesellschaftlicher Reihen auf der einen, literarischer Reihen ... auf der anderen Seite, aber auch weitere Reihen wie der philosophischen und theologischen, sowie die Untersuchung des Zusammenspiels solcher Reihen in synchronischer und diachronischer Beziehung." (Literaturwissenschaft und Methode, ... Bd. 2, S. 120.)

[18] Vgl. E. Köhler, Ideal und Wirklichkeit ..., S. 2 f.

[19] Der Rückfall in diese Perspektive des kalten Krieges begrenzt H. D. Sanders kenntnisreiche Darstellung der literarischen Situation in der DDR erheblich.

[20] Z. B. H. Marchwitza, Willi Bredel, Otto Gotsche, Karl Grünberg, Erich Weinert.

[21] Hierzu ausführlich: Helga Gallas, Marxistische Literaturtheorie.

[22] Vgl. G. Lukács, „Reportage oder Gestaltung", „Tendenz oder Parteilichkeit".

[23] Eine bemerkenswert offene Diskussion über diesen Komplex wurde auf dem 4. Deutschen Schriftsteller-Kongreß, 9./14. 1. 1956, geführt (Auszüge der Diskussionsbeiträge in: Dokumente ...). Vgl. insbesondere die Reden von Becher und Seghers, ferner G. Lukács, „Das Problem der Perspektive" und „Wider den mißverstandenen Realismus".

[24] Beispielhaft erläutert in diesem Sinne W. Bräunig sein Verständnis des Bitterfelder-Weges (W. B., Notizen, ... S. 46).

[25] Das Wort des Schriftstellers, ndl, 18, 1970, H. 10, S. 156.

[26] Vgl. die Rede auf der Internationalen Session „Hundert Jahre ‚Das Kapital'", Neues Deutschland, 13. 9. 1967 (auch in: W. U., Zum ökonomischen System des Sozialismus in der DDR, Bd. 2, OBerlin, 1968), ferner das Lehrbuch „Politische Ökonomie des Sozialismus und ihre Anwendung in der DDR", OBerlin, 1969. Kritisch setzt sich mit dieser Auffassung auseinander: Ph. Neumann, Der Sozialismus als eigenständige Gesellschaftsformation ..., Kursbuch 23, S. 103 ff.

[27] Vgl. den programmatischen Titel „Gewöhnliche Leute" der Erzählsammlung Bräunigs, erschienen 1970.

[28] H. Müller, Der Bau, Sinn und Form (SuF), 17, 1965, S. 180.

[29] In diesem Zusammenhang wären die entsprechenden Werke zu nennen von: Rühle, Raddatz, Reich-Ranicki, Brettschneider, Geerdts, Flores, Laschen, Anderle.

I. Vom Dämon Maschine zum durchschauten Arbeitsprozeß

[1] Zum Beispiel Eb. Röhner, Arbeiter in der Gegenwartsliteratur; Deutschsprachige Literatur im Überblick; F. Rothe, Sozialistischer Realismus in der DDR-Literatur; Lexikon sozialistischer deutscher Literatur.

[2] a. a. O., S. 85 f.

[3] Zum Problem der sprachlichen Teilung liegen von beiden Seiten Untersuchungen vor. Hervorzuheben sind: Deutsch — Gefrorene Sprache in einem gefrorenen Land? Polemik, Analyse, Aufsätze, hg. von F. Handt, Berlin (Literarisches Kolloquium) 1964. Franz Karl Weißkopf, „Ostdeutsch" und „Westdeutsch" oder über die Gefahr der Sprachentfremdung, in: ndl, 3, 1955. G. Korlén, Zur Entwicklung der deutschen Sprache diesseits und jenseits des Eisernen Vorhangs, in: G. K., Deutsch-Unterricht für Ausländer, 1959. Werner Betz, Der zweigeteilte Duden, Deutsch-Unterricht 12, 1960, H. 5. Hugo Moser, Sprachliche Folgen der politischen Teilung Deutschlands, Beihefte zum Wirkenden Wort, 3, 1962. E. G. Riemenschneider, Veränderungen der deutschen Sprache in der sowjetisch besetzten Zone Deutschlands S. 945, Beihefte zum Wirkenden Wort, 4, 1963. J. Höppner, Über die deutsche Sprache und die beiden deutschen Staaten, Weimarer Beiträge (WB), 9, 1963. Karl-Heinz Ihlenburg, Entwicklungstendenzen des Wortschatzes in beiden deutschen Staaten, WB, 10, 1964. Th. Pelster, Die politische Rede im Westen und Osten Deutschlands: Vergleichende Stiluntersuchung mit beigefügten Texten, Beiheft zur Zeitschrift Wirkendes Wort, 14, 1966. Hans H. Reich, Sprache und Politik: Untersuchungen zu Wortschatz und Wortwahl des offiziellen Sprachgebrauchs in der DDR, München, 1968.

[4] Joachim Höppner, Über die deutsche Sprache und die beiden deutschen Staaten, a. a. O., S. 584 f.

[5] Eine differenziertere Begriffsgeschichte gibt demgegenüber das „Marxistisch-leninistische Wörterbuch der Philosophie".

[6] a. a. O., S. 585.

[7] Vgl. hierzu den „Literaturgeschichtlichen Überblick" in: Lexikon sozialistischer deutscher Literatur, S. 9—49.

[8] Eine Klassentheorie wurde vor Marx schon von französischen Historikern und englischen Ökonomen ausgearbeitet; nach ihrer historischen

und polit-ökonomischen Grundlegung durch Marx wird der Begriff „Klasse“ im allgemeinen jedoch im Sinne der marxistischen Gesellschaftstheorie gebraucht. Danach bezeichnet man als Klassen „große Menschengruppen, die sich voneinander unterscheiden nach ihrem Platz in einem geschichtlich bestimmten System der gesellschaftlichen Produktion, nach ihrem (größtenteils in Gesetzen fixierten und formulierten) Verhältnis zu den Produktionsmitteln, nach ihrer Rolle in der gesellschaftlichen Organisation der Arbeit und folglich nach der Art der Erlangung und der Größe des Anteils am gesellschaftlichen Reichtum, über den sie verfügen“. (Lenin, Die große Initiative (1919), in: Sämtliche Werke, OBerlin, 1955 ff., Bd. 29, S. 410). Vgl. Artikel „Klasse“ und „Klassenbewußtsein“ in: Marxistisch-leninistisches Wörterbuch der Philosophie.

[9] Vgl. hierzu: W. Abendroth, Sozialgeschichte der europäischen Arbeiterbewegung, Frankfurt, [8]1972, S. 87 ff.

[10] Vgl. H. Popitz, das Gesellschaftsbild des Arbeiters, . . . S. 174 f.

[11] Fließbandproduktion wird zuweilen als zweite industrielle Revolution bezeichnet. Dies entspricht aber nicht der üblichen Unterscheidung, die nach der Erfindung prinzipiell neuer Maschinen und der Benützung neuer Energiequellen erfolgt: danach wurde die erste industrielle Revolution durch die Dampfmaschine ausgelöst (letztes Viertel des 18. Jahrhunderts), die zweite durch den Explosions- und Elektromotor (letztes Viertel des 19. Jahrhunderts), die dritte durch die Freisetzung der Kernenergie und die Verwendung elektronischer Maschinen (vgl. hierzu Ernest Mandel, Marxistische Wirtschaftstheorie, 2 Bände, S. 138 ff., 493 ff., 764 ff.). Im Gefolge der zweiten industriellen Revolution verschob sich das Schwergewicht der Produktion auf die Stahlerzeugung, den Maschinenbau und die Automobilproduktion; nicht mehr zufällig erscheint es daher, daß das Fließband als revolutionierende Neuerung der Produktionstechnik im Bereich dieser Industrien erfunden und erstmals praktisch verwendet wurde.

[12] Bruno Schönlank, Der gespaltene Mensch, 1927; hier zitiert nach: Um uns die Stadt: eine Anthologie neuer Großstadt-Dichtung, hg. v. Robert Seitz und Heinz Zucker, 1931, S. 56 f.

[13] An veröffentlichten Chorwerken liegen vor: Erlösung, Berlin, 1920, Der Moloch, Berlin, 1923, Ein Frühlingsmysterium, Berlin, 1925, Der gespaltene Mensch, Berlin, 1927.

[14] Als zentrale Schriften zu Marx' Entfremdungstheorie — zugleich wichtige Stadien ihrer Ausbildung darstellend — sind heranzuziehen: „Ökonomisch-philosophische Manuskripte“ (MEW Erg. Bd. 1), „Zur Kritik der politischen Ökonomie“ (MEW Bd. 13) und zur Konkretisierung der Entfremdungstheorie in der Theorie der „Verdinglichung“ — „Das Kapital“, Bd. 1 (MEW Bd. 23) insbes. 1. Abschnitt, 1. Kap. Ausführlichere Darstellungen zu Marx' Entfremdungstheorie geben: Heinrich Popitz, Der entfremdete Mensch, Frankfurt 1967, Friedrich Tomberg, Der Begriff der Entfremdung in den „Grundrissen“ von K. Marx in: Das Argument, 52, 1969, Joachim Israel, Der Begriff der Entfremdung, Reinbek, 1972 (rde 359), Nikolaus Lobkowicz, Artikel „Entfremdung“ in: Sowjetsystem und demokratische Gesellschaft, Bd. 2, Freiburg, Basel, Wien, 1968.

[14a] Im Chorwerk wird gerade die zweite Bedeutung betont. Der Ausruf „Arbeit! Arbeit!“ wird hier erstmals von einem „Chor der Arbeitslosen“

vorgetragen und mit dem Ruf „Gebt uns Arbeit!" fortgesetzt (a. a. O., S. 12).

[15] Das Kapital, MEW Bd. 23, S. 86.

[16] Vgl. insbes. K. Marx, Fr. Engels, Die deutsche Ideologie, MEW Bd. 3, S. 21 ff.

[17] Vgl. B. Schönlank, Der gespaltene Mensch, . . . S. 5 ff.

[18] Gegründet 1912 von dem Zahnarzt und Schriftsteller Josef Winckler. Mitglieder u. a.: die Arbeiterschriftsteller Max Barthel, Karl Bröger, Gerrit Engelke, Otto Wohlgemuth. Das Zitat entstammt der programmatischen Erklärung des Bundes, in: Nyland: Vjschr. f. schöpferische Arbeit, 1, 1918.

[19] Hier zitiert nach Ferdinand Oppenberg: Das Ruhrgebiet in Literatur und Dichtung, in: Fritz Hüser und Ferdinand Oppenberg (Hg.), Erlebtes Land — unser Revier, Duisburg, 1966, S. 60.

[20] So urteilt beispielsweise A. Abusch: „Er wird dem proletarischen Kampf immer fremder, auch wenn er die kapitalistische Ausbeutung aufzeigt, und in seinem Gestaltungsvermögen immer schwächer. So in seinem neuesten Spiel für bewegten Sprechchor ‚Der gespaltene Mensch'. Das Spiel beginnt mit Szenen vom laufenden Band und den Arbeitslosen, steigert sich aber nicht zur Notwendigkeit der proletarischen Revolution und des Kampfes für sie, sondern zersplittert sich in mystischer Selbstbespiegelung der menschlichen Goldgier und endet in einer wirren Steigerung der Chöre . . . Seine dichterischen Schwächen kann Schönlank nicht hinter der Manier seitenlanger, untereinandergereihter Einzelworte verstecken. Das ist nicht mehr Dichtung, sondern einfach mangelndes Können." (A. Abusch, Bruno Schönlank (1927), in: A. A.: Literatur im Zeitalter des Sozialismus, . . . S. 111.)

[21] Unser Bund, in: Zur Tradition der sozialistischen Literatur in Deutschland, OBln, Weimar, 2, 1967, S. 91 f.

[22] Vgl. hierzu: Artikel „Arbeiterkorrespondentenbewegung" in: Lexikon sozialistischer deutscher Literatur.

[23] Zitiert nach: Artikel „Arbeiterkorrespondentenbewegung" a. a. O.

[24] Text des Preisausschreibens in „Die Linkskurve", 2, 1930, H. 1, S. 8.

[25] Vgl. Die Linkskurve, 2, 1930, H. 6, S. 12.

[26] Hierzu ausführlicher: W. Abendroth, Sozialgeschichte . . . S. 110 ff.

[27] Die Linkskurve, 2, 1930, H. 6, S. 16.

[28] Vgl. K. Huhn, Der Kalkulator, in: Die Linkskurve, 1930, H. 4.

[29] Hierzu ausführlicher: W. Abendroth, . . . S. 116 ff.

[30] Ebd. S. 117. [31] Vgl. S. 34.

[32] Hierzu ausführlich: Helga Gallas, Marxistische Literaturtheorie, Neuwied, Berlin, 1971, S. 47 ff. und S. 72 ff.

[33] Über die Auswirkungen dieser Bewegungen auch auf die deutsche sozialistische Literatur vgl. H. Gallas a. a. O., ferner „Parteilichkeit der Literatur oder Parteiliteratur? Materialien zu einer undogmatischen marxistischen Ästhetik", Reinbek, 1972 (Kap. 3 Vom Proletkult zur Faktenliteratur, Sowjetunion 1918—1928).

[34] Der Artikel schließt mit der Feststellung: „Proletarische Literatur ist eine Waffe. Sie ist vom Proletariat nicht als etwas geschaffen worden, was außerhalb der gesellschaftlichen Vorgänge steht, sondern in und aus dem

Kampf zu seiner Unterstützung geboren. Da liegt die Urzelle proletarischer Literatur. Ihre Entwicklung hängt unlösbar mit den Bedingungen des Klassenkampfes zusammen. Wir brauchen keine proletarische Literatur zu konstruieren, wir haben sie; wir müssen nur begreifen, daß es notwendig ist, sie dort zu suchen, wo die Produktivkräfte sind, und müssen lernen, sie zu sehen und sie nicht durch die bürgerliche Brille suchen oder gestalten zu wollen. Die proletarisch-revolutionäre Literatur kann nur so sein, wie der Kampf der Arbeiterklasse ist; sie kann nur getragen werden von dem, der der Träger des Befreiungskampfes des Proletariats ist, sie wird täglich geschaffen vom Proletariat selber." (a. a. O. S. 9)

[35] Hierzu H. Gallas, a. a. O., S. 52 f.

[36] Die Linkskurve, 2, 1930, H. 3, S. 11.

[37] Ebd.

[38] A. a. O., hier zitiert nach: Marxismus und Literatur, hg. v. F. J. Raddatz, Bd. 2, . . . S. 146 f.

[39] Ebd. S. 148.

[40] Vgl. insbes.: Reportage oder Gestaltung, Erzählen oder Beschreiben, Einführung in die ästhetischen Schriften von Marx und Engels, Probleme des Realismus. Zu Lukács ästhetischer Position: H. Gallas a. a. O., W. Mittenzwei, Die Brecht-Lukács Debatte, Th. W. Adorno, Erpreßte Versöhnung: zu Lukács „Wider den mißverstandenen Realismus", in: Begriffsbestimmung des literarischen Realismus.

[41] Aufsatz: „Unsere Wendung", Die Linkskurve, 1931, H. 10.

[42] Abdruck der Reden in: Marxismus und Literatur, a. a. O., Bd. 2.

[43] In einem Gespräch mit Autoren der DDR erläutert ein sowjetischer Schriftsteller beispielhaft einen derartigen Literaturbegriff, der die poetische Versöhnung mit der Realität impliziert: „Der sozialistische Realismus, wie ich ihn verstehe, ist eine Umgestaltung des Lebens mit den Mitteln der Kunst. Weil das Leben aber von der Arbeit bestimmt wird, sehe ich meine Aufgabe darin, die Arbeit mit Poesie zu umgeben, die Arbeit zu besingen. Die Liebe zu besingen ist leichter, die Arbeit zu besingen notwendiger." (Kritik in der Zeit, hg. K. Jarmatz, Halle, 1970, S. 137.)

[44] Merkur, 16, 1962, H. 10.

[45] Nachwort zu: Aus der Welt der Arbeit, Almanach der Gruppe 61 und ihrer Gäste, hg. v. Fritz Hüser u. a., . . . S. 379.

[46] MEW, 4, 462.

[47] Zur Kennzeichnung der so ausgeweiteten Klasse hat Friedrich Tomberg den Begriff „Proletarisierte Klasse" vorgeschlagen. (Mimesis der Praxis und abstrakte Kunst, Neuwied, Berlin, 1968, S. 105.)

[48] Hierzu Heinz Jung, Zur Diskussion um den Inhalt des Begriffs Arbeiterklasse . . . S. 678. H. Jung schätzt den Anteil der so verstandenen Arbeiterklasse an der Erwerbsbevölkerung auf 75%.

[49] Hierzu ausführlich: Herbert Marcuse, Der eindimensionale Mensch, S. 44 ff.

[50] Unter den Gesellschaftstheoretikern sind hier vor allem zu nennen (vgl. Lit.-verz.): Almasi, Kolakowski, Markowitsch, Vranicki, Schaff. Zum Problem „Entfremdung in sozialistischen Gesellschaften" vgl. das gleichnamige Kapitel in: J. Israel, Der Begriff Entfremdung.

[51] Vgl. Schaff: „Die Arbeit am Fließband etwa ist Arbeit am Fließband, unabhängig von der Gesellschaftsordnung und nur die Arbeitsbedingungen können sich unterscheiden." (Marxismus und das menschliche Individuum, ... S. 178.)

[52] Vgl. die ausführliche Darstellung bei J. Israel, ... S. 294 ff.

[53] Filosofskaja enaklepedija, Bd. 4, Moskau, 1967, S. 193; hier übernommen aus der Darstellung von N. Lobkowicz, a. a. O., S. 156 f.

[54] Dieter Wellershoff, Fiktion und Praxis, ... S. 23.

[55] Vgl. H. Marcuse, Über den affirmativen Charakter der Kultur, ... S. 62.

[56] Zitiert nach Julian Lehnecke, Arbeitswelt und Arbeiterdichtung, ... S. 176.

[56a] M. Schreiber betont in seinem Fließband-Gedicht gerade diese Frage. Die gleichzeitige Hinnahme des Fließbandes als selbstmächtige, zerstörerische Kraft äußert sich dann jedoch in grammatischen wie stilistischen Unklarheiten, die zuerst bewußt eingesetzt sind (die 3. Zeile läßt sich auf die vorherige wie auf die folgende Zeile beziehen, „Schrauben" werden konkret und übertragen — Daumenschrauben — vorgestellt), dann aber statt die geschilderte Situation schärfer zu erfassen, diese ins Verschwommene abgleiten lassen (nach Leere greifen, die Stunden zu Lohn zerreißen, zu etwas hinschreiben, Klischee: in die Röhre gucken, das Fließband zieht mich aus, etc.):

Fließband

Ich stehe am Fließband
wo es hinläuft
weiß der Teufel
ob die Schrauben, die ich drehe
für Wasserhähne
oder Daumen sind, Pausen
gibt es nicht, nur flatternde
Finger, die greifen nach Schrauben
und Leere, zerreißen
die Stunden zu Lohn.

Ich stehe am Fließband
und schweiße die Teile
zu Röhren zusammen
in die ich dann gucke
ich schweiße die Röhren
wer weiß wohin ich schweiße
die Sehnsucht ins Eisen ich schweiße
am Fließband die Bänder nehmen
den Atem mir weg
das Fließband das zieht mich
das zieht mich noch aus
dann fließ ich auf Bändern
dann nimmt mich das Fließband
und gießt mich ich fließe
dann aus.

(Aus der Welt der Arbeit, .. . S. 268.)

[57] Diese Reportage fand Eingang in viele Anthologien, u. a.: Aus der Welt der Arbeit: Almanach der Gruppe 61 und ihrer Gäste, ...; Lesebuch: Deutsche Literatur der sechziger Jahre, hg. K. Wagenbach, Berlin, 1969; Im Getriebe: Berichte, Erzählungen, Gedichte junger deutscher Autoren aus der industriellen Arbeitswelt, Hirschgraben Lesereihe, Ganzschriften für die Schule, Frankfurt, 1970. In selbständigen Veröffentlichungen Wallraffs erschien die Reportage in: H. G. Wallraff, Wir brauchen Dich, Als Arbeiter in deutschen Industriebetrieben, München, 1966; H. G. W., Industriereportagen: Als Arbeiter in deutschen Großbetrieben, Rowohlt Tb. Nr. 6732, Reinbek, 1970.

[57a] Vgl. Lukács' noch immer grundlegende Theorie der Reportage in dem Aufsatz „Reportage oder Gestaltung".

[57b] In diesem Sinne faßt P. Weiss ausdrücklich das dokumentarische Theater auf, wenn er erläutert: „Das dokumentarische Theater ist parteilich ... Für ein solches Theater ist Objektivität unter Umständen ein Begriff, der einer Machtgruppe zur Entschuldigung ihrer Taten dient." (Notizen zum dokumentarischen Theater, Dramen, 2, 1968, S. 469.)

[58] Zitiert nach: Gedichte von drüben II, hg. v. K. H. Brockerhoff, Bad Godesberg, 1968, S. 75 f.; Erstveröffentlichung in: Der Fluß der Dinge, 1964, [2]1965.

[59] E. Mandel, Marxistische Wirtschaftstheorie, Bd. 2, ... S. 868.

[60] Hierzu ausführlicher: E. Mandel, a. a. O., S. 715 ff.

[61] E. Mandel, a. a. O., S. 714.

[62] Sämtliche Werke, Bd. 32, Berlin, 1964, S. 7.

[63] Hierzu ausführlicher: E. Mandel, a. a. O., S. 724 ff.

[64] Nach Kahlaus Bericht über die Kritik in seinem Artikel „Des Dichters Selbstkritik", Neues Deutschland, 8. 11. 64, zitiert nach Brockerhoff, Einleitung zu „Gedichte von Drüben II", S. 6 f.

[65] Zitiert nach H. D. Sander, Geschichte der schönen Literatur in der DDR, ... S. 157 ff.

[66] Neues Deutschland, zitiert nach Brockerhoff, Einleitung zu „Gedichte von Drüben II", ... S. 7.

II. Der „Held der Arbeit" als literarisches Leitbild

[1] Dokumente, ... S. 562.

[2] Zitiert nach „A bis Z": ein Taschen- und Nachschlagebuch für den anderen Teil Deutschlands, hg. Bundesministerium f. Gesamtdeutsche Fragen, Bonn, [11]1969, S. 272. Der Titel wird, gemessen an dem reichen Orden- und Medaillensegen in der DDR, relativ selten verliehen (1961 bis 1968: jährlich an ca. 10 bis 15 Personen gegenüber z. B. dem Titel „Aktivist des Siebenjahres-Planes", 1967—1969: jährlich an ca. 80 000 Personen, die Zahlen nach „A bis Z", S. 78).

[3] W. Abendroth, Sozialgeschichte der europäischen Arbeiterbewegung, ... S. 129.

[4] Ebd. S. 129.

[5] Vgl. Lukács, Das Problem der Perspektive, a. a. O., S. 259.

[6] Vgl. Lenin, Parteiorganisation und Parteiliteratur.

[7] Rede auf dem ersten Unionskongreß der Sowjetschriftsteller, Marxismus und Literatur, hg. F. J. Raddatz, Bd. 1, S. 351.
[8] Vgl. P. Hacks, Das realistische Theaterstück, ndl, 1957, H. 11, S. 91.
[9] Vgl. hierzu E. Bloch, Liegt es am System?, in: E. B., Widerstand und Friede, ... S. 80.
[10] Vgl. Hegel, Ästhetik, Bd. 1, ... S. 317.
[11] Rede auf dem ersten Unionskongreß der Sowjetschriftsteller, a. a. O,. S. 351 f.
[12] Vgl. A. Seghers, Die große Veränderung und unsere Literatur, Dokumente, ... S. 415, Georg Lukács, Das Problem der Perspektive; Peter Hacks glaubt, diesem Darstellungsansatz „bei zu großer Ungunst des Besonderen" Berechtigung zuerkennen zu können (Das realistische Theaterstück, a. a. O., S. 91).
[13] H. G. Gadamer, Wahrheit und Methode, Tübingen, [2]1965, S. 70.
[14] Ursprung des deutschen Trauerspiels, ... S. 173 ff.
[15] Was hier als versuchende Tendenz erklärt wird, findet sich in Shdanows programmatischer Rede in der nachdrücklich betonten didaktischen Funktion der Literatur angesprochen.
[16] Marxismus und Literatur, Bd. 1, ... S. 347.
[17] Ebd. S. 339.
[18] Ebd. S. 340.
[19] Ebd. S. 343.
[20] Häufig abgedruckt, z. B. in: Dokumente ..., Marxismus und Literatur, Bd. 3, ... (Seitenzahlen nach dieser Ausgabe), oder: Kritik in der Zeit ...
[21] Mit Berufung auf die „grundlegenden Umwandlungen" des wirtschaftlichen und politischen Lebens wird als „entscheidende kulturpolitische Aufgabe" bestimmt, „einen radikalen Umschwung auf allen Gebieten des kulturellen Lebens zu erzielen" (96). Das Ziel dieses Umschwungs wird in z. T. wörtlicher Übernahme der Shdanow-Konzeption v. 1934 erläutert. Wie 1934 wird die Forderung nach erzieherischer Literatur, die sich mit aktuellen gesellschaftlichen Aufgaben auseinandersetzt, mit der thematischen Favorisierung des wegweisenden Arbeiters verbunden, der durch seine Arbeit seine eigene Befreiung und zugleich die Befreiung seiner Klasse einzulösen vermag (a. a. O., S. 103, ebenso in einer Rede Ulbrichts vom 31. 10. 51 in: Dokumente, ... S. 213).
[22] Sozialgeschichte der europäischen Arbeiterbewegung, ... S. 179.
[23] Vgl. z. B. A. Abusch, Der Schriftsteller und der Plan, ... S. 577 f.
[24] Ed. Claudius, Ruhelose Jahre, ... S. 354 f.
[25] Auf dieser Grundlage wird eine Bestimmung von Trivial- und Unterhaltungsliteratur z. B. versucht bei: L. Löwenthal, Literatur und Gesellschaft, 1967, R. Langenbucher, Der aktuelle Unterhaltungsroman, 1964, Trivialliteratur, hg. Schmidt Henkel, 1964.
[26] Vgl. Notizen zum 4. Dt. Schriftstellerkongreß, Ges. Werke, Bd. 19, ... S. 554.
[27] Vgl. Lukács' „Realismus-Aufsätze": Erzählen oder Beschreiben (Marxismus und Literatur, Bd. 1), Es geht um den Realismus (Das Wort 3, 6, 1938, Briefwechsel A. Seghers-G. Lukács, Internationale Literatur, 5, 1939, Essays über Realismus, Berlin, 1948 (auch Bd. 4 der Ges. Ausgabe).
[28] Vgl. insbes. den schon mehrfach erwähnten Aufsatz „Tendenz oder Parteilichkeit".

[29] Z. B. in: Einführung in die Ästhetischen Schriften von Marx und Engels, ... insbes. S. 43 ff. (erstmals Sinn und Form 5, 1, 1953).

[30] S. u. über die Voraussetzungen der Konzeption des Bitterfelder Weges.

[31] Der Schriftsteller und der Plan (1948), ... S. 575.

[32] Vgl. Rede in der Volkskammer am 31. 10. 51, abgedruckt in: Dokumente, ... S. 213—215. Ulbricht nennt als neue „herrliche Aufgabe" der Künstler u. a. „die Helden unseres Volkes so realistisch darzustellen, daß sie jeder Jugendliche als sein Vorbild betrachtet", um dann zu bemängeln: „Die Hauptschwäche in der Literatur, im Film, im neuen Schauspiel besteht gerade darin, daß die kleinbürgerlichen und reaktionären Gestalten treffend charakterisiert werden, aber die Helden des Volkes, die Kämpfer gegen den Faschismus, die Helden der Arbeit sind in vielen Fällen mit wenig Liebe und Verständnis dargestellt". (S. 213)

[32a] Vgl. hierzu die Artikel „Volkskorrespondent" in: A bis Z, Taschen- und Nachschlagebuch über den anderen Teil Deutschlands, ... und: Kulturpolitisches Wörterbuch, ...

[32b] Artikel „Volkskorrespondent" in: Kulturpolitisches Wörterbuch, ... S. 559.

[33] Eine Biographie Ed. Claudius' und eine Übersicht seiner Werke geben: W. Hartwig, Ed. Claudius, in: Literatur der DDR in Einzeldarstellungen, ... S. 223—243 und M. Reich-Ranicki, Deutsche Literatur in West und Ost, ... S. 288—292.

[34] „Vom schweren Anfang" in: Erzählungen, Bibliothek Fortschrittlicher dt. Schriftsteller, Berlin 1951. Die Erzählung wird in der DDR-Literaturgeschichte häufig — wohl aufgrund ihrer faktischen Verbürgtheit — als Reportage bezeichnet.

[35] „Menschen an unserer Seite", Halle, 1951 u. ö., zuletzt: Reclam Tb. 471, Leipzig, 1971 (Seitenangaben im Text beziehen sich auf die Reclam-Ausgabe).

[36] Vgl. zum folgenden Abschnitt: „Wider den mißverstandenen Realismus", Kap.: „Der kritische Realismus in der sozialistischen Gesellschaft".

[37] Vgl. die Bestimmung von „Tendenz" in: Lukács, „Tendenz oder Parteilichkeit".

[38] Wirtschaftstheorie Bd. 2, ... S. 714 passim.

[39] Die Fähigkeit, das Garbe-Thema in einer umfassenden historisch-sozialen Perspektive zu erkennen, zeigt hier wiederum Brecht, der für ein Garbe-Drama die Entwicklung des Helden bis zum 17. Juni vorsah.

[40] Ein verkürztes Verständnis „künstlerischer Lösung von Widersprüchen" läßt beispielhaft A. Abusch's Kritik erkennen: „... Natürlich gibt es häufig Widersprüche zwischen dem politischen Bewußtsein eines Menschen wie Hans Aehre und seiner Tat des Vorangehens in der Produktion, aber ist dieser Widerspruch in seinem Verhalten künstlerisch gelöst? Ist die Haltung der Arbeiter vor ihrer Gewinnung für die Aktivistenleistung nicht zu sehr schwarz in schwarz geschildert, so daß die Entwicklung des Neuen zu plötzlich kommt? ..." (Um die Gestaltung neuer Helden, 1951, in A. A.: Literatur im Zeitalter des Sozialismus, S. 617.) Wieweit in einflußreichen Institutionen des Literaturvertriebs die

Forderungen nach einem stilisierten Bild der Realität gingen, berichtet Claudius in seiner Autobiographie (Ruhelose Jahre, insbes. S. 373 ff.). Die Zuerkennung des Nationalpreises bewahrte Claudius vor den Folgen der literarisch vordergründigen, da auf die stoffliche Seite des Werkes sich beschränkenden, politisch-opportunistischen, gleichzeitig aber mit Macht ausgestatteten Kritik. Mit zunehmendem Abstand von der stalinistischen Kulturpolitik wuchs entsprechend die Anerkennung des Romans als maßstabsetzender neuer Anfang einer Literatur der Arbeitswelt in der DDR. (Vgl. Eb. Röhner, a. a. O., S. 33 ff., K. H. Jakobs, Das Wort des Schriftstellers: Über den Arbeiter in der Literatur, ndl, 10, 1972, S. 155 f.)

[41] Vgl. S. 63 f.

[42] Ruhelose Jahre, S. 356.

[43] Vgl. ebd., S. 354.

[44] Vgl. ebd.

[45] „Hans Garbe erzählt", erschienen 1952, abgedruckt in: DDR-Reportagen, . . . Seitenangaben im Text beziehen sich auf diese Ausgabe.

[46] Daß solche Verbindung nicht zufällig ist, zeigt ihr Auftreten auch unter ganz anderen historischen Voraussetzungen: allegorisches Auflösen der geschichtlich-gesellschaftlichen Realität und neues Mythen-Bilden entwickelt Fr. Schlegel als zwei Grundaufgaben in seinem Entwurf romantischer Poesie (vgl. das „Gespräch über die Poesie" in: Kritische Fr. Schlegel-Ausgabe, Hg. E. Behler, Bd. 2, München, Paderborn, Wien, 1967, S. 284—351).

[47] G. Lukács, Einführung in die Ästhetischen Schriften von Marx und Engels, a. a. O., S. 47.

[48] A. Abusch, Literatur und Wirklichkeit, OBerlin, (erstmals 1951) 1953, S. 325 f.

[49] Z. B. A. Abusch, Die Schriftsteller und der Plan, in: Literatur im Zeitalter des Sozialismus, . . . S. 577.

[50] „Der Kampf gegen Formalismus in Kunst und Literatur für eine fortschrittliche deutsche Kultur", a. a. O., S. 98.

[51] Solche Funktionsbestimmung könnte sich auf Lukács' Unterscheidung zweier Aufgaben im künstlerischen Schaffensprozeß berufen: „ . . . erstens das gedankliche Aufdecken und künstlerische Gestalten dieser Zusammenhänge [der gesellschaftlichen Wirklichkeit]; zweitens aber, und unzertrennbar davon, das künstlerische Zudecken der abstrahiert erarbeiteten Zusammenhänge . . ." (Es geht um den Realismus, . . . S. 70 f.)

[52] Vgl. Einführungskapitel Anm. 15.

[53] Die Schriftsteller und der Plan, a. a. O., S. 577.

[54] Ebd.

[55] Kritisch verkünden diese Aufgabe in einer noch restriktiven und in einer wieder zu stärkerer Restriktion tendierenden kulturpolitischen Situation z. B. A. Seghers, Die große Veränderung und unsere Literatur, Rede auf dem 4. Dt. Schriftsteller-Kongreß, 1956, in: Dokumente, . . S. 411 ff., und W. Bräunig, Notizen, in: Erkenntnisse und Bekenntnisse, . . . S. 46.

[56] „Tendenz" als außerkünstlerische Forderung, die in das geschlossene Kunstwerk eingearbeitet wird, gegenüber „Parteilichkeit", die Kunst und Moral als Resultate derselben gesellschaftlichen Praxis begreift. Vgl. G. Lukács, Tendenz oder Parteilichkeit, a. a. O.

[57] Rede vor der Volkskammer zur Vorlage des Gesetzes über den Fünfjahr-Plan, 31. 10. 1951, Dokumente, ... S. 213, vgl. hierzu auch Anm. 32 dieses Kapitels.

[58] A. Abusch, Aktuelle Fragen unserer Kulturpolitik (1950), Dokumente, ... S. 143.

[59] Die große Veränderung und unsere Literatur, Dokumente, ... S. 414 f.

[60] Notizen für die Rede auf dem 4. Dt. Schriftsteller-Kongreß 1956, a. a. O., S. 553.

[61] Hegel, Ästhetik, Bd. 1, ... S. 317.

[62] Vgl. hierzu W. Benjamin, Ursprung des deutschen Trauerspiels, ... S. 182 f.

[63] A. a. O., S. 554.

[64] Übersicht über die vorhandenen Entwürfe in: Bestandsverzeichnis des literarischen Nachlasses, Bd. 1, ... S. 395—396, auszugsweise Veröffentlichung in: W. Mittenzwei, Gestaltung und Gestalten im modernen Drama, ... S. 167 f., W. Hecht u. a., Bert Brecht: Leben und Werk, ... S. 172.

[65] Bestätigend notiert Brecht: „Es wäre der Stücktypus der Historien, d. h. es würde von keiner Grundidee ausgegangen" (Arbeitsjournal, 10. 7. 51, a. a. O., S. 958). Zur historischen Perspektive als Voraussetzung, das gesellschaftlich Neue darzustellen, äußerte Brecht ferner: „Unsere Schauspieler, genau wie unsere Schriftsteller mit wenigen Ausnahmen, darunter Strittmatter, beschreiben das Neue, das sich allenthalben begibt, wie sie beschreiben, daß es regnet." (Theater der Zeit, 3, 1962, S. 71 f., zitiert nach W. Mittenzwei, Gestaltung und Gestalten im modernen Drama, ... S. 169.)

[66] Vgl. Szenenplan, abgedruckt in: W. Mittenzwei, a. a. O., S. 168 f.

[67] Arbeitsjournal, 11. 7. 51, a. a. O., S. 959.

[68] Vgl. S. 39.

[69] So bei H. D. Sander, Geschichte der schönen Literatur in der DDR, ... S. 120.

[70] Vgl. Die Maßnahme, Kritische Ausgabe, Hg. R. Steinweg, ... S. 265.

[71] Zu Brechts Lehrstück-Theorie: Reiner Steinweg, Das Lehrstück — ein Modell des sozialistischen Theaters: Brechts Lehrstücktheorie in: alternative 78/79, Berlin 1971, S. 102—104 und ders., Das Lehrstück, Brechts Theorie einer politisch-ästhetischen Erziehung, Stuttgart, 1972.

[72] Vgl. insbes.: B. Brecht, Mißverständnisse über das Lehrstück, Ges. Werke Bd. 17, ... S. 1025—27.

[73] Ebd. S. 1027.

[74] „learning play" belegt R. Steinweg als Brechts englische Übersetzung von „Lehrstück", Das Lehrstück — ein Modell des sozialistischen Theaters, a. a. O., S. 104.

[75] Vgl. B. Brecht, Zur Theorie des Lehrstücks, Ges. Werke, Bd. 17, ... S. 1024 f. Mißverständnisse über das Lehrstück, Ges. Werke, Bd. 17, ... S. 1027. Als „Lehrstücke" in diesem Sinne bezeichnet Brecht: Das Badener Lehrstück vom Einverständnis, Die Ausnahme und Die Regel, Der Jasager und der Neinsager, Die Maßnahme und Die Horatier und die

Kuratier (Anmerkungen zu den Lehrstücken, Ges. Werke, Bd. 17, ... S. 1034).

[76] So hat etwa K. Rülicke als Äußerung Brechts zum Garbe-Thema festgehalten: „Garbe sei zwar ein Held, aber kein Shakespearescher. Im Stück müßten die Gesamtzusammenhänge der Gesellschaft zum Ausdruck kommen, die könne aber nicht Garbe ausdrücken, da er sie nicht kenne. Also brauche man Lieder dazu." (24. 5. 1951, zitiert nach: W. Mittenzwei, Gestaltung und Gestalten im modernen Drama, ... S. 167.)

[77] Z. B.: „Es braucht sich keineswegs nur um die Wiedergabe gesellschaftlich positiv zu bewertender Handlungen und Haltungen zu handeln; auch von der „möglichst großartigen" Wiedergabe asozialer Handlungen und Haltungen kann erzieherische Wirkung erwartet werden." (Zur Theorie des Lehrstücks, Ges. Werke, Bd. 17, ... S. 1024, vgl. Theorie der Pädagogien, ebd. S. 1023.)

[78] Unter diesem Begriff werden in der Literaturgeschichte der DDR „Der Lohndrücker" und „Die Korrektur" von Heiner Müller, „Die Feststellung" von Helmut Baierl und „Die Sorgen um die Macht" von P. Hacks zusammengefaßt. Vgl. z. B. Hermann Kähler, Gegenwart auf der Bühne, ... S. 18 ff.

[79] neue deutsche literatur, 1957, H. 5, S. 116, Seitenangaben im folgenden Text beziehen sich auf die Ausgabe in: Sozialistische Dramatik ...

[80] H. 10, S. 9.

[81] Den Handlanger Geschke läßt Heiner Müller Brechts „Fragen eines lesenden Arbeiters" variieren: „Der Aktivist kriegt eine Prämie. Die Steine haben wir geschleppt" (185). Die Fragen, die Brecht kritisch gegen bürgerliche Geschichtsschreibung notiert hatte, werden damit auch noch für den proletarischen Staat als berechtigt ausgewiesen. Gleichzeitig wird damit die Frage nahegelegt, was die Revolution gebracht habe.

[82] Arbeitsjournal, 11. 7. 51, ... S. 959. Vgl. S. 83.

[83] neue deutsche literatur, 1, 1953, H. 11, S. 112.

[84] Theater der Zeit, 1972, H. 10, S. 10.

[85] Vgl. Shdanow, Rede auf dem 1. Unionskongreß der Sowjetschriftsteller, a. a. O.

[86] Die große Veränderung und unsere Literatur, a. a. O.

[87] Das Problem der Perspektive, a. a. O.

[88] Tendenz oder Parteilichkeit, a. a. O.

[89] Vgl. Rede auf dem 1. Unionskongreß der Sowjetschriftsteller, a. a. O., S. 352.

[90] Rede auf dem 4. Dt. Schriftsteller-Kongreß und Notizen hierzu, a. a. O.

[91] Von der Größe unserer Literatur, a. a. O.

[92] Vgl. z. B., a. a. O., S. 286.

[93] Vgl. G. Lukács und der Revisionismus, OBerlin, 1960.

[94] „Vom möglichen Nutzen schlechter Literatur", in: Sonntag Nr. 25, 1956, Auszug in: Dokumente, ... S. 437 f.

[95] „Zur Gegenwartslage unserer Literatur", in: Sonntag Nr. 49, 1956, Auszug in: Dokumente, ... S. 449 f.

[96] Uraufführung am 23. 3. 1958 auf der Studio-Bühne Leipzig, Sept. 1958 am Maxim Gorki-Theater Berlin (dort 75 Aufführungen), insgesamt 6 Inszenierungen mit 158 Aufführungen.

[97] „Der Weg zur Sicherung des Friedens...", Auszug in: Dokumente, ... S. 543 f.

[98] Vgl. Dokumente, ... S. 534.

[99] Vgl. Henryk Keisch, Bericht über eine von der Abteilung Kultur beim ZK der SED einberufene Tagung über die „Entwicklung des sozialistischen Nationaltheaters", in: Dokumente, ... S. 565—567.

[100] Ebd. S. 567.

[101] P. Hacks, Über Langes „Marski", in: P. H., Das Poetische, ... S. 113.

[102] Erste Fassung: Der totale Mensch, 1962, nicht veröffentlicht, 2. Fassung: Kipper Paul Bauch, in: Forum, Nr. 18, 1966 und in: Deutsches Theater der Gegenwart, Bd. 2, Frankfurt, 1967, Spielfassung: Die Kipper, 1965, 3. Fassung: Die Kipper in: Sinn und Form, 1972, H. 1 und Aufbau-Verlag Berlin 1972, Uraufführung 1972.

[103] Provokation für mich, ... Gedichte, Halle, 1965.

[104] Abgedruckt in: Texte Texte, Prosa und Gedichte der Gruppe 61, Hg. Fr. Hüser, Recklinghausen 1969, Kap. Matthias Mander, Summa Bachzelt und andere Erzählungen, S. 12—16, Seitenangaben im Text beziehen sich auf diese Ausgabe.

[105] So noch zitiert in dem wegweisenden ZK-Beschluß: „Der Kampf gegen Formalismus in Kunst und Literatur ..." von 1951; vgl. Dokumente, ... S. 182.

[106] Ausführlicher hierzu Kap. III, 4, insbes. S. 180 ff.

III. Die Realität als Probe

[1] Als programmatische Festlegungen dieses Modells wurden erörtert: für die Sowjetunion: die Reden Shdanows und Gorkis auf dem 1. Unions-Kongreß der Sowjetschriftsteller, abgedruckt in: Marxismus und Literatur, ... Bd. 1. Für die DDR: der ZK-Beschluß von 1951: „Der Kampf gegen Formalismus in Kunst und Literatur ...", abgedruckt in: Marxismus und Literatur, ... Bd. 3 und Dokumente, ...

[2] So glaubt P. Hacks etwa in seinem Aufsatz „Das realistische Theaterstück" (neue deutsche literatur, 1957, H. 11) die Abstraktion vom Besonderen in dem von ihm sog. „sozialistischen Idealismus" (ebd. S. 91) rechtfertigen zu können — „bei zu großer Ungunst des Besonderen" — um dann um so nachdrücklicher gegen die Abstraktion vom Allgemeinen in einem neuen „Naturalismus" zu polemisieren.

[3] Realismus als kämpferische Methode, Ges. Werke, Bd. 19, ... S. 553.

[4] Vgl. die früher schon erläuterte Bemerkung H. Müllers zu seinem „Lohndrücker", das Drama versuche den Kampf zwischen Altem und Neuem nicht im Theater zum Abschluß zu bringen, sondern in das Publikum zu tragen, das ihn entscheide. (neue deutsche literatur, 5, 1957, H. 5, S. 116.)

[5] Vgl. B. Brecht, Volkstümlichkeit und Realismus, Ges. Werke, Bd. 19, ... S. 325 f.

[6] Referat Ulbrichts auf dem 5. Parteitag, in: Dokumente, ... S. 535 und Beschluß des 5. Parteitags, in: Dokumente, ... S. 539.

[7] Ulbricht, Referat auf der Bitterfelder-Konferenz, in: Dokumente, ... S. 553.

[8] Hierzu ausführliche Darstellung: Artikel „Arbeiterkorrespondentenbewegung" in: Lexikon sozialistischer deutscher Literatur.

[9] Referat auf der Bitterfelder-Konferenz, in: Dokumente, ... S. 555.

[10] Vgl.: „Ohne die klare Einsicht, daß nur durch eine genaue Kenntnis der durch die gesamte Entwicklung der Menschheit geschaffenen Kultur, nur durch ihre Umarbeitung eine proletarische Kultur geschaffen werden kann — ohne eine solche Einsicht werden wir diese Aufgabe nicht lösen ... Die proletarische Kultur muß die gesetzmäßige Weiterentwicklung jener Summe von Kenntnissen sein, die sich die Menschheit unter dem Joch der kapitalistischen Gesellschaft ... erarbeitet hat." (Die Aufgaben der Jugendverbände, in: V. J. Lenin, Über Kultur und Kunst, OBerlin, 1960, S. 357.)

[11] Vgl. Ulbricht, a. a. O., S. 554.

[12] Vgl. die einleitende Übersicht zum vorigen Kapitel.

[13] Der Begriff der „Ankunftsliteratur" wurde in der DDR im Ausgang von Brigitte Reimanns Roman „Ankunft im Alltag" (ersch. 1961) geprägt.

[14] Weite und Vielfalt der realistischen Schreibweise, Ges. Werke, 19, ... S. 349.

[15] Vgl. z. B. die Erläuterungen zu der als Vorbild propagierten Reportage von Regina Hastedt, Die Tage mit Sepp Zach, in: Dokumente, ... S. 554 f. oder die im Original gesperrt gedruckte Bemerkung: „Der Schriftsteller kann seine Aufgabe nur erfüllen, wenn er mitten im gesellschaftlichen Leben steht, daran teilnimmt und zu seinem Teil an der Weiterentwicklung des gesellschaftlichen Lebens mithilft. Anders ausgedrückt: das literarische Schaffen erfordert, daß der Schriftsteller sein eigenes Leben neu gestaltet. Das ist das Wichtigste!" (Dokumente, ... S. 560.)

[16] Die frühere Auffassung, die die Rolle des subjektiven Faktors vor allem in einem „richtigen" Eingliedern in die „Selbstbewegung der Wirklichkeit" erkannte, formulierte wegweisend G. Lukács' Aufsatz „Tendenz oder Parteilichkeit", a. a. O., S. 145 ff.

[17] Vgl. Hegels Äußerung über den sozialen Sinn des Prozesses, den der ältere bürgerliche Entwicklungsroman beschreibt: „Denn das Ende solcher Lehrjahre besteht darin, daß sich das Subjekt die Hörner abläuft, mit seinem Wünschen und Meinen sich in die bestehenden Verhältnisse und die Vernünftigkeit derselben hineinbildet, in die Verkettung der Welt eintritt und in ihr sich einen angemessenen Standpunkt erwirbt." (Ästhetik, Bd. 2, ... S. 216 f.)

[18] G. Lukács, Tendenz oder Parteilichkeit, a. a. O., S. 146.

[19] G. Janouch, Gespräche mit Kafka, Frankfurt, 1961 (Fischer Tb.), S. 100.

[20] Vgl. den gleichnamigen Aufsatz, a. a. O.

[21] Ebd., S. 259.

[22] Vgl. H. P. Gente, Versuch über Bitterfeld, in: alternative 7, 1964, S. 11.

[23] Vgl. Rolf Oerter, Moderne Entwicklungspsychologie, Donauwörth, 1969, S. 61.

[24] Vgl. Ulbrichts Bitterfelder Referat, a. a. O., S. 556.

[25] Der bedeutende Wandlungsprozeß, der in dieser Phase stattfindet, wird selbst schon in der Periodisierung der gesamtpolitischen Entwicklung der DDR aus der Sicht der SED einsichtig, die in diese Zeit mehrere Einschnitte legt: von 1951—1958: „Die Schaffung der Grundlagen des Sozialismus", 1958—1962: „Entfalteter Aufbau des Sozialismus und Sieg der sozialistischen Produktionsverhältnisse", ab 1963 (bis 1967) „Umfassender Aufbau des Sozialismus".

[26] Vgl. S. 41.

[27] Vgl. Ulbrichts Referat auf der 30. Tagung des ZK, abgedruckt in: Neues Deutschland, 3. 2. 1957.

[28] Vgl. hierzu die Diskussion über den „revisionistischen Charakter" des NÖSPL: Ph. Neumann, Der Sozialismus als eigenständige Gesellschaftsformation ... in: Kursbuch 23, 1971, K. H. Götze und J. Harrer, Anmerkungen zu einer Kursbuch-Polemik gegen die politische Ökonomie des Sozialismus und ihre Anwendung in der DDR, in: Das Argument 68, 1971.

[29] Vgl. hierzu E. Mandel, Marxistische Wirtschaftstheorie, ... S. 724 ff.

[30] Vgl. Rendez-vous mit der Zukunft — Mit Reportern des „Neuen Deutschland" durch 15 Republiken der Sowjetunion, Leipzig, 1972, Rez. neue deutsche literatur, 1972, H. 11.

[31] DDR-Reportagen: eine Anthologie, Hg. H. Hauptmann (Reclam), Leipzig, 1969, Vorwort S. 11.

[32] Friedensgeschichten: Erzählungen, OBerlin, 1950.

[33] So selbst von Ulbricht in dessen Bitterfelder Grundsatz-Referat, in: Dokumente, ... S. 554.

[34] Reportage oder Gestaltung, a. a. O., S. 154. Zur Theorie dokumentarischer Literatur ferner: Peter Weiss, Notizen zum dokumentarischen Theater, in: P. W.: Dramen 2, Frankfurt 1968, S. 464—472.

[35] Ebd. S. 155.

[36] E. Ottwalt, Tatsachenroman und Formexperiment, a. a. O., S. 162, zur Lukács-Ottwalt-Debatte vgl. H. Gallas, Marxistische Literaturtheorie, ... insbes. Kap. 4.

[37] Vgl. P. Weiss, Notizen zum dokumentarischen Theater, a. a. O., S. 468.

[38] Gute Übersicht über Kischs Werk mit ausführlicher Bibliographie: Artikel „E. E. Kisch" in: Lexikon sozialistischer deutscher Literatur, a. a. O., S. 284—288.

[39] Weitere Beispiele aus der Weimarer Zeit: K. Kläber, Fahrt nach Moskau, Linkskurve III, 1931, H. 5, L. Renn, Aus einer Reportage über ein traktorisiertes Dorf in Nordrußland, Linkskurve II, 1930, H. 1.

[40] 1952 empfiehlt beispielsweise A. Abusch den deutschen Schriftstellern die sowjetischen Reportagen über den Aufbau des Sozialismus als Vorbilder (vgl.: Aktuelle Fragen unserer Literatur, in: Dokumente, ... S. 228 f.) und noch 1972 wird in der Zeitschrift neue deutsche literatur „die umfassende Berichterstattung über die Sowjetunion und die anderen sozialistischen Länder" als „erstrangiges Anliegen" bestimmt (Rolf Schulze, Reporter auf Reisen, neue deutsche literatur, 1972, H. 11, S. 166).

[41] Aus: K. H. Jakobs, Einmal Tschingis-Khan sein, OBerlin 1964, abgedruckt in: Nachrichten aus Deutschland, ... S. 231—235, Zitate nach dieser Ausgabe.

[41a] MEW, Erg. Bd. 1, S. 517.

[41b] Vgl. ebd. S. 510 ff.

[41c] Vgl. Marx, Das Kapital, MEW 23, S. 193.

[42] Die Zeitschrift wird herausgegeben von der Presse-Abteilung der Botschaft der UdSSR, folgende Artikel werden hier betrachtet: Bogdan Smirnow, Ein Bau zwischen Wasser und Fels, SU — heute 15, 1970, H. 18, S. 4—7, Ludmilla Iwanowa, Jugendbaustelle Toktogul, SU — heute 18, 1973, H. 8, S. 8—11.

[43] SU — heute 15, 1970, H. 18, S. 4.

[44] Ersch. Rostock, 1961, hier zitiert nach dem abgedruckten Ausschnitt „Beginn auf der Werft" in: DDR-Reportagen, ... S. 187—213.

[45] Z. B. Eb. Röhner, Arbeiter in der Gegenwartsliteratur, ... S. 56 f., H. J. Bernhard, Fr. Fühmann in: Literatur der DDR, hg. H. J. Geerdts, S. 328, Kurt Hager, Rede vor dem Politbüro, 1963, in: Dokumente, ... S. 859, Ulbricht auf der 2. Bitterfelder Konferenz, 1964, in: Dokumente, ... S. 958.

[46] Artikel „Vielfalt, Weite, Weltniveau" in: Neues Deutschland, 24. 3. 64, auch in dem Sammelband: In eigener Sache, ... S. 34—46.

[47] In eigener Sache, ... S. 36.

[48] Ersch. OBerlin 1959.

[49] Vgl. S. 100 ff.

[50] In eigener Sache, ... S. 37.

[51] Z. B. H. D. Sander, Geschichte der schönen Literatur in der DDR, ... S. 221 f.

[52] Reportage oder Gestaltung, a. a. O., S. 155.

[53] Ebd.

[54] Vgl. W. Bräunig, Notizen, in: Erkenntnisse und Bekenntnisse, ... S. 46.

[55] K. Marx, F. Engels, Die deutsche Ideologie, MEW, Bd. 3, S. 2 f.

[56] Z. B. Maria Langner, Stahl, 1952; Hans Lorbeer, Die Sieben ist eine gute Zahl, 1953, Karl Mundstock, Helle Nächte, 1953, Hans Marchwitza, Roheisen, 1955, Harry Thürk, Die Herren des Salzes, 1956. Eine kritische Auseinandersetzung mit diesen Romanen aus der Sicht der DDR leistet Eb. Röhner, Arbeiter in der Gegenwartsliteratur, a. a. O., S. 38 ff.

[57] Eb. Röhner, a. a. O., S. 42.

[58] Vgl. Lukács, Tendenz oder Parteilichkeit, a. a. O., S. 145 f.

[59] Hervorzuheben sind neben dem hier gewählten Text: K. H. Jakobs, Beschreibung eines Sommers, 1961; Erik Neutsch, Spur der Steine, 1964.

[60] Geplanter Titel: „Der eiserne Vorhang", einige Kapitel wurden veröffentlicht in: Erkenntnisse und Bekenntnisse, a. a. O., und in: neue deutsche literatur 1964, H. 5, 1965, H. 10.

[61] Veröffentlicht in: neue deutsche Literatur, 1965, H. 10, abgedruckt in: Nachrichten aus Deutschland, ... Nachweise im Text nach dieser Ausgabe.

[62] Einen Überblick gibt hierzu: Jürgen Strutz, Auf dem Weg nach Bitterfeld: Schriftsteller „aus den eigenen Reihen", in: alternative 7,

1964. Zur Zielsetzung des Instituts vgl. Interview mit A. Kurella „Aufgaben und Arbeitsformen des Instituts für Literatur" in: Dokumente, ... S. 384 ff.

[63] Vgl. Notizen, in: Erkenntnisse und Bekenntnisse, ..., S. 46.

[64] Ebd.

[65] Ges. Werke, a. a. O., Bd. 8, S. 224 ff. Zur Deutung der Ballade insbes. P. P. Schwarz, Brechts frühe Lyrik: 1914—1922, Bonn, 1971, S. 120 ff.

[66] W. Bräunig, Nicht Schwierigkeiten — Ihre Überwindung!, in: Neues Deutschland, 15. 12. 65.

[67] Vgl. Rede vor dem Vorstand des dt. Schriftstellerverbandes, 12. 1. 66, in: Dokumente, ... S. 1126—1138 (auch: neue deutsche literatur, 1966, H. 2), hier S. 1127, und Gespräch mit Fr. Selbmann in: Neues Deutschland, 17. 12. 1965.

[68] Z. B.: „Die Schilderung des Verhaltens der Wismut-Kollegen auf dem ‚Rummelplatz' halte ich für literarisch verdichtete Einzelerscheinungen, aber keineswegs für typisch." (Roßner, Neues Deutschland, 7. 12. 65.) Nationalpreisträger H. Salomon, von dem W. Bräunig einige der eingearbeiteten Episoden erfahren hatte, glaubte, in einem offenen Brief betonen zu müssen: „Diese verantwortungslose Behandlung und Verwendung von Details muß zu einem unrealistischen Bild der damaligen Wirklichkeit führen." (Neues Deutschland, 17. 12. 65.)

[69] Vgl. die Diskussionsbeiträge auf dem 11. Plenum des ZK der SED von E. Honecker, P. Fröhlich, H. Sakowski in: Dokumente, ... S. 1076 bis 1171. Gespräch mit Fr. Selbmann, in: Neues Deutschland, 17. 12. 65. Die Kritik an Bräunig wirkte sich auch auf die weiteren Auseinandersetzungen mit dem Thema Wismut-Bergbau aus. So wurde der Film über dieses Thema, dessen Drehbuch P. Wiens geschrieben hatte, nie gezeigt.

[70] Vgl. hierzu: L. Marcuse, Obszön: Geschichte einer Entrüstung, München, 1962.

[71] Vgl. Adorno, Erpreßte Versöhnung, ... S. 212.

[72] Z. B. Bericht E. Honeckers auf dem 11. Plenum des ZK, abgedruckt in: Dokumente, ... S. 1078 f., Referat W. Ulbrichts, ebd. S. 1087 f., Diskussionsbeitrag P. Fröhlichs, ebd. S. 1095.

[73] Zusammenstellung der wesentlichen Texte in: Marxismus und Literatur, ... Bd. 2. Zur Brecht-Lukács-Debatte vgl. W. Mittenzwei, Marxismus und Realismus: Die Brecht-Lukács-Debatte, in: Das Argument 46, 1968, H. 1—2, und H. Gallas, Marxistische Literaturtheorie, ... insbes. Kap. 5.

[74] Vgl. Ziel „jeder großen Kunst" sei, „ein Bild von der Wirklichkeit zu geben, in welchem der Gegensatz von Erscheinung und Wesen, von Einzelfall und Gesetz, von Unmittelbarkeit und Begriff usw. so aufgelöst wird, daß beide im unmittelbaren Eindruck des Kunstwerks zur spontanen Einheit zusammenfallen, daß sie für den Rezeptiven eine unzertrennbare Einheit bilden". (Kunst und objektive Wahrheit, in: G. L., Probleme des Realismus, ... S. 13 f.)

[75] Vgl. B. Brecht, Volkstümlichkeit und Realismus, Ges. Werke, Bd. 19, S. 326.

[76] Erstmals in: „Der schwere Anfang", Junge Kunst, 1958, H. 4, wieder abgedruckt in der von Chr. Wolf herausgegebenen Anthologie „Pro-

ben junger Erzähler", Reclam-Verlag, Leipzig, 1961 (Zitate im Text nach dieser Ausgabe). Der abgedruckte Text war als Kapitel eines größeren Romans über den Wismut-Bergbau konzipiert. Der Roman („Sankt Urban") erschien erst 1968. Was im folgenden als charakteristisch für die Wirklichkeitsdarstellung des frühen Textes erarbeitet wird, kann prinzipiell auch auf den Roman übertragen werden. Die hier näher betrachtete Episode wurde auch in den Roman aufgenommen, steht dort allerdings an weniger exponierter Stelle, die Handlung der Episode wird von noch eindeutiger bestimmten Figuren getragen.

[77] Diskussionsbeitrag auf dem 11. Plenum des ZK, in: Dokumente, ... S. 1099.

[78] Ebd. S. 1098.

[79] Hegel, Ästhetik, Bd. 2, ... S. 216.

[80] Abgedruckt in: Der Bienenstock, Gesammelte Erzählungen, Bd. 3, OBln., 1963.

[81] Entsprechend wird auch in der Literaturkritik der DDR von „Romanen der Ankunft" gesprochen, vgl. D. Schlenstedt, Ankunft und Anspruch: Zum neueren Roman in der DDR, in: Sinn und Form, 18, 1966, S. 814—835.

[82] B. Brecht, Ges. Werke, Bd. 19, ... S. 236.

[83] G. Lukács, Das Problem der Perspektive, ... S. 259.

[84] Vgl. die schon öfters zitierte Rede auf dem 4. Dt. Schriftsteller-Kongreß 1956.

[85] Acht Jahre nach Seghers' Rede wiederholt Bräunig diese Kritik, sie damit zugleich weiterhin als notwendig erweisend, wenn er als Modell vieler literarischer Werke erläutert: „Der Held entwickelt sich in gerade ansteigender Linie. Zwar gerät er in Konflikte, sie berühren aber sein Eigentliches, seine vorgegebene Entwicklungslinie kaum oder gar nicht. Und nicht nur der Held wird in ein solches Wunschkorsett gezwängt, sondern die gesellschaftliche Problematik überhaupt. ... Wie soll der Held groß, wie kraftvoll und nacheifernswert werden, wenn er nichts zu bestehen hat, als winzige Konflikte, nichts zu entdecken, als längst gesicherte Auch-Wahrheiten, nichts zu lösen, als Randprobleme, an nichts sich zu bewähren, als am Gemäkel schmollender Krämer? ..." (Erkenntnisse und Bekenntnisse, ... S. 44.)

[86] Erstmals erschienen: Mitteldeutscher Verlag, Halle, 1963; zitiert wird nach der westlichen Lizenz-Ausgabe, Berlin, 1967.

[87] 1963 Heinrich-Mann-Preis, 1964 Nationalpreis.

[88] Die wichtigsten Beiträge dieser Diskussion sind zusammengefaßt in: Martin, Reso, Der geteilte Himmel und seine Kritiker, a. a. O.

[89] Ihrem zweiten Roman „Nachdenken über Christa T." gab Chr. Wolf als Motto das Becher-Zitat: „Was ist das: dieses Zu-sich-selber-Kommen des Menschen?"

[90] Die literarische Kritik in der DDR hat entsprechend gerade diesen Ansatz besonders hervorgehoben. Z. B. Hans Koch, in: Martin Reso, Der geteilte Himmel und seine Kritiker, ... S. 167.

[91] In: M. Reso, ... S. 190; mit Nachdruck weist auch F. J. Raddatz auf diesen Mangel der Literaturkritik in der DDR hin, vgl. Traditionen und Tendenzen, ... S. 383 passim.

[92] Chr. Wolf, Der Autor ist ein wichtiger Mensch, in: Stuttgarter Zeitung, 6. 11. 71, S. 50, auch in: ad lectores 9, Luchterhand Hauszeitschrift, 1969.

[93] Von 1959—1962 stand Chr. Wolf in Verbindung zu einer Brigade der Halle'schen Waggon-Fabrik.

[94] Vgl. D. Schlenstedt, Motive und Symbole in Chr. Wolfs Erzählung „Der geteilte Himmel", in: M. Reso, a. a. O., S. 181—226.

[95] Vgl. H. Kersten, Ole Bienkopp — Ein politischer Roman, in: alternative, 7, 1964, S. 16.

[96] Vgl. insbes. S. 94 und 99.

[97] Einwände gegen das „didaktische Theater" formulierten u. a.: A. Abusch, Zu einigen aktuellen Fragen des sozialistischen Theaters, in: Einheit, 12, 1957, H. 9, S. 1075 ff., W. Ulbricht und A. Kurella in ihren Referaten auf dem 4. Plenum des ZK der SED, 1959, abgedruckt in: Dokumente, ... S. 542 ff., ferner Henryk Keisch, Bericht über eine von der Abteilung Kultur beim ZK der SED einberufene Tagung über die „Entwicklung des sozialistischen Nationaltheaters" in: Dokumente, ... S. 565 ff.

[98] Heiner Müller, War „Die Korrektur" korrekturbedürftig? in: neue deutsche literatur, 1959, H. 1, S. 121.

[99] Vgl. hierzu K. Marx: „Religion, Familie, Staat, Recht, Moral, Wissenschaft, Kunst etc. sind nur besondere Weisen der Produktion und fallen unter ihr allgemeines Gesetz." (MEW, Erg.-Bd. 1, S. 537.)

[100] S. Anm. [97].

[101] Informationen über Lebensdaten und bisherige Werke in: H. Laube, Peter Hacks.

[102] U. a. sind hier zu nennen: Neues Deutschland vom 16. 10. 62, 27. 10. 62, 3. 11. 62, 10. 11. 62, 24. 11. 62, Zeitschrift „Forum", OBerlin vom 25. 10. 62 und 1. 11. 62, neue deutsche literatur, 1963, H. 1, H. 2 und H. 11, Theater der Zeit, 1962, H. 11, und 1963, H. 3, A. Kurella auf dem 6. Parteitag der SED, 21. 1. 63, in: Dokumente ... 820 ff., Stellungnahme der Parteizeitschrift „Einheit", Februar 1963, in: Dokumente ... 822 ff., K. Hager und W. Ulbricht auf einer Sitzung des Politbüros mit Schriftstellern und Künstlern, in: Dokumente, ... S. 859 ff., und 884 ff. Spätere Stellungnahmen aus der DDR in: H. Kähler, Gegenwart auf der Bühne, 1966; Theater in der Zeitenwende, 1972; R. Rohmer, P. Hacks, in: Literatur der DDR, hg. H. J. Geerdts, 1972. Eine Zusammenfassung der Diskussion gibt H. Kersten, Die Sorgen und die Macht — Der Konflikt zwischen P. Hacks und der SED, in: SBZ-Archiv, 1/2, 1963.

[103] Neues Deutschland, 17. 4. 63, auch in: Dokumente, ... S. 883.

[104] Zitiert wird nach der Suhrkamp-Ausgabe: P. Hacks, Fünf Stücke, Frankfurt, 1965.

[105] Zitiert nach: Theater in der Zeitenwende, Bd. 2, ... S. 95.

[106] Vgl. S. 111 f.

[107] Vgl. hierzu insbes. Lukács' Ottwalt-Kritik in: „Reportage oder Gestaltung".

[108] Probleme des Realismus, ... S. 13 f.

[109] Das realistische Theaterstück, ... S. 90—94.

[110] Z. B. Theater in der Zeitenwende, Bd. 2, ... S. 100.

[111] Jupp Müller in: Neues Deutschland, 27. 10. 62, Beilage Nr. 43, S. 2.

[112] W. Köhler in: Neues Deutschland, 16. 10. 62, S. 4.

[113] Der Begriff wird hier in dem von V. F. Pereverzev entwickelten Sinne gebraucht; vgl. V. F. P., Voraussetzungen der marxistischen Literaturwissenschaft, ... S. 23 ff.

[114] Von solchem Literaturverständnis zeugt beispielsweise die Stellungnahme des Sekretärs des Deutschen Schriftstellerverbandes zu Hacks' Drama; vgl. Dokumente, ... S. 824 f.

[115] G. Ebert, in: Neues Deutschland, 27. 10. 62, Beilage Nr. 43, S. 2; ähnlich gibt A. Seghers zu bedenken: „Es geht manchmal vielen Kritikern, auch vielen Zuhörern gegen den Strich, wenn auf der Bühne, was freudig und schön ist, nicht die ausschlaggebende Rolle zu spielen scheint. Sie glauben, in dem Stück von Hacks sei das Schlechte und Häßliche übermäßig betont. Ja, was möglichst rasch überwunden werden muß, wird stark betont." (Zitiert nach K. Völker, in: Theater hinter dem „eisernen" Vorhang, ... S. 66.)

[116] Vgl. hierzu insbes. das Kap. „Die Katharsis als allgemeine Kategorie der Ästhetik" in Lukács' „Eigenart des Ästhetischen".

[117] H. Redeker, Die Dialektik und der Bitterfelder Weg, ... S. 77. Einer kaum noch verschleierten Absage an das für Hacks prägende Vorbild des Brechtschen Theaters kommt die Kritik K. Hagers gleich: „Der Zuschauer sucht bei Hacks vergeblich Personen, die Eigenschaften von neuen Menschen tragen, deren Handlungen schön und nachahmenswert sind. Er wird vielmehr zum Beobachter des sozialistischen Entwicklungsprozesses in der DDR gemacht. Diese kritische Distanz wurde durch W. Langhoffs Inszenierung noch hervorgehoben." Entschiedener Widerstand wird gegen Hacks' Erklärung angemeldet, „er wolle so schreiben, daß die Leute ihr Bild von der Welt und sich ändern, deshalb müsse er seine Helden ‚verfremden' ..." (Neues Deutschland, 30. 3. 63, auch in: Dokumente, ... S. 867 f.) Ein bis in die einzelne Formulierung Lukács' Theorie entsprechendes Modell literarischer Wirkung hält H. Redeker dem Hacks'schen Drama entgegen. Wie Lukács spricht er von einer verändernden Wirkung des Kunstwerks auf das „Leben", nicht auf die Gesellschaft (a. a. O., S. 78), wie Lukács faßt er die Wirkung des Kunstwerks als spiegelbildliche Wiederholung der Identifikation des Künstlers mit der von ihm entworfenen Welt durch den — ohnmächtig dem Werk ausgelieferten — Rezipienten (a. a. O., S. 79 f.).

[118] Vgl. das Schlußwort des Prolog-Sprechers: „Das ist die Handlung, der sie jetzt folgen werden ... aber vorgetragen mit der Stimme des Dichters ..." (302).

[119] Vgl. die Rede des Delegierten der Brikettfabrik E. Thälmann (305), die Rede des Parteisekretärs des Braunkohlenwerks Roter Hammer (320), die Rede des Parteisekretärs der Glasfabrik (351 ff.), die Rede der zukünftigen Parteisekretärin Holdefleiss (360 f.), die Rede des Parteiinspekteurs Muser und die Antwort des Arbeiters Zidewang (362 ff.); Verssprache, aber nicht mehr am Blankvers orientiert, zeigen die abschließenden „Kommentare" eines Arbeiters, des alten und des neuen Parteisekretärs und des Betriebsleiters (378 u. 380 ff.).

[120] Theater der Zeit, 1961, H. 5. Hier zitiert nach: P. Hacks, Das Poetische, ... S. 47—53.

[121] A. a. O., S. 59 f.
[122] Ebd. S. 52 f.
[123] Vgl. Lukács, das Problem der Perspektive, ... S. 259.
[124] Z. B. Neues Deutschland, 16. 10. 62, Neues Deutschland, 24. 11. 62, Beilage Nr. 47, S. 2, Forum, 1. 11. 62.
[125] Z. B. H. Walter: Frankfurter Hefte, Januar 1966, S. 59 f.; H. D. Zimmermann (in: Sprache im technischen Zeitalter, 1966, H. 17/18, S. 142 f.) hat eine größere Zahl von Beispielen zusammengestellt, u. a.: Hacks' Vorliebe für Inversionen auch dort, wo dies nur gewaltsam möglich ist; unklare Bezüge wie: „Weil vom Fressen, sagt er, bei mir der Liebestrieb aufkommt, ein Freidenker" (309), „Wenn du es (gemeint ist ein Rad) stehen läßt, so findet es ein anderer, der einmal diesen Weg einschlägt, kann sein, etwas angerostet vom Oktobernebel, oder vom späten Tau des Morgens" (329). „Ich bin Parteisekretär der Glasfabrik. Mein Amt ist die Erziehung der Menschen und der Plan (= falscher Bezug). Aber der Hebel ist die Heizgasanlage (= falsche Metapher) ..." (316).
[126] A. a. O., S. 31 f.
[127] Ersch. in: neue deutsche literatur, 1957, H. 11; vgl. hierzu S. 157.
[128] Vgl. S. 101.
[129] Vgl. Versuch über das Theaterstück von Morgen, ... erstmals ersch. 1960, S. 40 f.; ausdrücklich weist Hacks in dieser Abhandlung auf den Vers: „Der dramatische Vers, oft mißbraucht u. zu Recht geschmäht als Vehikel beschönigender Ideale, geht wieder stolz durch die jüngsten Stücke, im Rhythmus des Fortschritts der Völker" (a. a. O., S. 33).
[130] Ebd. S. 38.
[131] Ersch. in: Sinn und Form, 1965, Zitat-Nachweise im Text folgen dieser Ausgabe.
[132] Girnus, Müller, Mittenzwei, Münz, Gespräch mit H. Müller, in: Sinn und Form, 1966, S. 30—47.
[133] Z. B. M. W. Schulz, Spur der Steine, in: Kritik in der Zeit.
[134] Rede auf dem Internationalen Schriftsteller-Kolloquium über „die Literatur in beiden deutschen Staaten" in Ostberlin, 1.—5. 12. 1964; zitiert nach: Dokumente, ... S. 1010.
[135] Über alle thematische Verschiedenheit hinweg verbindet sich hierin „Der Bau" mit dem gleichzeitigen entstandenen Drama „Philoktet", zu dem H. Müller u. a. anmerkte: „Die Handlung ist Modell, nicht Historie. Haltungen zu zeigen, nicht Bedeutungen. ... Die Reflektion der Vorgänge durch die Figuren, gedanklich und emotionell, hat ebenfalls Zitatcharakter. ..." (Drei Punkte zu „Philoktet", ... S. 306.)
[136] Girnus, Mittenzwei, Müller, Münz, Gespräch mit H. Müller, ... S. 35.
[137] Vgl. S. 103 f.
[138] Gespräch mit H. Müller, ... S. 38.
[139] Ebd. S. 41.
[140] Vgl. u. a.: Girnus, Mittenzwei, Müller, Münz, Gespräch mit H. Müller; E. Honecker, Bericht an das 11. Plenum des ZK 1965, in: Dokumente, ... S. 1077; Theater in der Zeitenwende, Bd. 2, ... S. 265—267.
[141] Veröffentlicht in: Sinn und Form, 1965, Nachdruck in: Spectaculum 12.
[142] Abgedruckt in: Theater der Zeit, 1970, H. 3.

[143] Sechs Punkte zur Oper, ... S. 18.
[145] Vgl. S. 100 f.
[145] Girnus, Mittenzwei, Müller, Münz, Gespräch mit H. Müller, ... S. 37.
[146] Angaben aus: Kuluturpolitisches Wörterbuch, Stichwort „Künstlerisches Schaffen". Erfolgsmeldungen über die entstandene „Massenbewegung" wurden auf dem 5. Deutschen Schriftsteller-Kongreß (25.—30. 5. 61) ausgegeben, ebenso auf dem 6. Parteitag der SED (15.—21. 1. 63) und selbstverständlich auf der 2. Bitterfelder Konferenz (24./25. 4. 64); vgl. jeweils Auszüge aus Reden in: Dokumente, ...
[147] Hervorgetreten durch das Schauspiel „Der Millionenschmidt" (1962), das als beliebtes Beispiel für die erfolgreiche „Talentsuche" durch die Bitterfelder Konzeption fungiert.
[148] Z. B. „Ich schreibe ... Arbeiter greifen zur Feder": Bd. 1, 1961, 10 000 Exemplare, Bd. 2, 1962, 5000 Exemplare, Bd. 3 ff., 1963 ff., je 3000 Exemplare.
[149] Tiefe und Breite in der Literatur ... in: Dokumente, ... S. 725 f.
[150] Ebd. S. 762.
[151] Ebd. S. 725.
[152] A. Abusch, Fr. Wolf — vom Empörer zum Kämpfer und Gestalter (1951) in: A. A.: Literatur im Zeitalter des Sozialismus, ... S. 468.
[153] Beispielhaft für diese regelmäßig wiederholte These formuliert W. Ulbricht auf der 2. Bitterfelder Konferenz: „Für uns sind nicht die Widersprüche ‚an sich' interessant. Eine Literatur und Kunst, die bloß Widersprüche feststellen will, geht in die Irre. Interessant und erregend ist die Lösung der Widersprüche in der bewußten, organisierten Arbeit von Partei, Staatsführung und Volksmassen." (Dokumente, ... S. 961.)
[154] Beispielhaft für viele spätere Stellungnahmen entwickelt O. Gotsche solch ein Verständnis von Volksverbundenheit in dem Aufsatz: Das Leben des Volkes — Quelle der sozialistischen Literatur, in: Dokumente, ... S. 572 f.
[155] Vgl. Lukács, Tendenz oder Parteilichkeit, ... S. 145 f.
[156] Vgl. S. 101.
[157] So wird beispielsweise im „Handbuch für schreibende Arbeiter" festgestellt: „Diese neue historische Qualität der Literatur ist Ausdruck der neuen historischen Qualität unseres gesellschaftlichen Lebens. Unsere Literatur braucht nämlich nicht mehr Goethes pädagogische Provinz und auch nicht die Faustische Vision. Sie kann in der Realität beobachten, wie der jahrtausendealte Widerspruch zwischen Individuum und Gesellschaft zu Grabe getragen wird und wie sich in wachsendem Maße eine Übereinstimmung der individuellen und gesellschaftlichen Interessen herausbildet." (A. a. O., S. 40.)
[158] Zur ausführlicheren Orientierung vgl.: P. Kühne, Arbeiterklasse und Literatur, 1972, H. W. Jäger, Beschreiben um zu verändern. Hinweis auf den „Werkkreis Literatur der Arbeitswelt", 1971, P. Kühne, E. Schöfer, Schreiben für die Arbeitswelt, 1970; Keith Bullivant, Gruppe 61 nach zehn Jahren, 1972.
[159] Zitiert nach P. Kühne, ... S. 249. Dort auch vollständiger Abdruck des Programms.
[160] P. Kühne, ... S. 68.

[161] Auf der Grundlage solchen Kunstverständnisses fällt die Modifikation des Kunstprogramms, die 1971 erfolgte, wenig ins Gewicht. Das neue Programm spezifiziert den Gegenstand: statt „industrielle Arbeitswelt" steht jetzt „Sachverhalte der Ausbeutung"; dieser Gegenstand war aber auch im alten Programm nicht ausgeschlossen. Die neu betonte Orientierung an Zielgruppen, die nicht am Literaturmarkt teilhaben, bleibt, wie auch bei den Werkkreisen, vorerst Programm.

[162] Z. B. M. v. d. Grün, Waldläufer und Brückensteher, in: Aus der Welt der Arbeit, Almanach der Gruppe 61 und ihrer Gäste, Neuwied, 1966, K. E. Everwyn, Einer Meise erweist man keine letzte Ehre, in: Texte Texte, Prosa und Gedichte der Gruppe 61, Recklinghausen, 1969, G. Wallraff, Industriereportagen, Reinbek, 1970.

[163] B. Brecht, Volkstümlichkeit und Realismus, ... S. 325.

[164] Veröffentlicht in: Wer bist du, der du schreibst? ... S. 10.

[165] A. a. O., S. 48.

[166] Wer bis du, der du schreibst? ... S. 11.

[167] In dieser Funktionsbestimmung wurde das Brigadetagebuch in der DDR empfohlen; ein Artikel der Parteizeitschrift „Einheit" (1960, H. 2), stellt beispielsweise fest: „Groß ist der Beitrag, den die schreibenden Arbeiter für die Herausbildung des sozialistischen Bewußtseins und der sozialistischen Moral leisten. Eine solche bewußtseinsbildende und erzieherische Aufgabe haben z. B. in den sozialistischen Brigaden die Brigadetagebücher." Vgl. zum Brigadetagebuch als literarischer Form ferner: das entsprechende Kapitel im Handbuch für schreibende Arbeiter und: Ursula Langspach, Sinn und Zweck des Brigadetagebuchs, in: Dokumente, ... S. 639.

[168] Handbuch für schreibende Arbeiter, ... S. 48.

[169] Ebd. S. 53.

[170] Vgl. S. 112.

[171] U. Langspach, Sinn und Zweck des Brigadetagebuchs, in: Dokumente, ... S. 693.

[172] Gerti Junghans, Auszug aus dem Tagebuch der Brigade „Fortschritt", VEB Braunkohlewerk „Erich Weinert".

[173] Als literarisches Beispiel könnte in diesem Zusammenhang auf das in der BRD erschienene Betriebstagebuch von Helmut Creutz verwiesen werden („Gehen oder kaputtgehen", Frankfurt, 1973, Fischer-Tb.), das analytische Schärfe und, vom Gesichtspunkt der Wirkung aus, Glaubwürdigkeit so lange bewahrt, als der Autor sich ganz aus seiner Perspektive und der Perspektive seiner Kollegen mit den berichteten Vorfällen auseinandersetzt, das aber in verschwommene Sprache und pauschalisierende Erklärungen überwechselt, sobald der Autor von einem „höheren" Standpunkt der Gesamtgesellschaft aus zu argumentieren sucht.

[174] Soweit hier Erfahrungen der Entfremdung und der Ausbeutung in Frage kommen, könnte dies im einzelnen an der Aneignung der „sozialen Topoi" untersucht werden, die in den Klassenkämpfen des zweiten Deutschen Reiches und der Weimarer Republik ausgebildet wurden und das gesellschaftspolitische Bewußtwerden der Arbeiterklasse weitervermitteln. Zum Begriff „soziale Topik" vgl. H. Popitz, Das Gesellschaftsbild des Arbeiters, ... S. 86 ff. und Oskar Negt, Soziale Phantasie und exemplarisches Lernen, ... S. 62 ff.

[175] Vgl. insbes.: Lu Märten, Wesen und Veränderung der Formen (Künste), W. Benjamin, Der Autor als Produzent.

[176] H. Koch, Fünf Jahre nach Bitterfeld, in: Dokumente, ... S. 943.

[177] H. Koch, Die „Deubner Blätter" oder wo beginnt Kunst? ... S. 13.

[178] U. Langspach, Sinn und Zweck des Brigadetagebuchs, in: Dokumente, ... S. 693.

IV. Der abgegrenzte Raum der Arbeitswelt

[1] Diskussionsbeitrag Chr. Wolfs auf dem elften Plenum des ZK, in: Dokumente, ... S. 1099.

[2] Vgl. „Aus der Rede Ulbrichts auf der 11. Tagung des ZK der SED", in: DDR-Geschichte und Bestandsaufnahme, ... S. 281. Auf harte Auseinandersetzung im ökonomischen Bereich unmittelbar vor dem elften Plenum des ZK deutet auch der Selbstmord des stellvertretenden Ministerpräsidenten und Vorsitzenden der Staatlichen Planungskommission E. Apel, zwei Wochen vor Beginn des elften Plenums und am gleichen Tag, an dem in Ost-Berlin ein Handelsabkommen zwischen der Sowjetunion und der DDR für die Jahre 1966 bis 1970 unterzeichnet wurde.

[3] Rede auf dem siebten Parteitag der SED 1967, in: Dokumente, ... insbes. S. 1251 u. 1259.

[4] Zitiert nach: H. Weber, Die sozialistische Einheitspartei Deutschlands 1946—1971, ... S. 91.

[5] Ebd. S. 92.

[6] Protokoll des siebten Parteitags der SED, Bd. I, OBerlin 1967, S. 25 ff.

[7] Protokoll der fünften Sitzung des Staatsrats der DDR v. 30. 11. 67, a. a. O., 1967, S. 12.

[8] Vgl. z. B. W. Mittenzwei, Das Bild des Revolutionärs in der Literatur; W. M. fordert, „das Alltägliche als das Außergewöhnliche [zu] erweisen" (a. a. O., S. 43).

[9] Vgl. die Vorträge beider Autoren auf der Kafka-Konferenz in Liblice 1963, abgedruckt in: Franz Kafka aus Prager Sicht, Berlin 1967, ferner E. Fischer, F. Kafka, Sinn und Form 1962, E. Fischer, Entfremdung, Dekadenz, Realismus, Sinn und Form 1962, R. Garaudy, „D'un réalisme sans Rivages", Paris 1963. Auf Fischers Thesen versuchten u. a. H. Koch (Fünf Jahre nach Bitterfeld, 1964, in: Dokumente, ... S. 945 u. 948) und E. Pracht, W. Neubert (Zu aktuellen Grundfragen des sozialistischen Realismus in der DDR, 1966, in: Dokumente, ... S. 1166) zu antworten. Dem Politbüro-Mitglied und Chef-Theoretiker der französischen KP glaubte Ulbricht selbst entgegentreten zu müssen (Über die Entwicklung einer volksverbundenen sozialistischen Nationalkultur, Rede auf der zweiten Bitterfelder Konferenz, in: Dokumente, ... S. 981). Zur Diskussion über Entfremdung im Sozialismus allg. vgl. S. 43 ff.

[10] Vgl. z. B. A. Kurella, Der Frühling, die Schwalben und Franz Kafka, in: Kritik in der Zeit, ... S. 532—544.

[11] Vgl. z. B. A. Koch, Fünf Jahre nach Bitterfeld, in: Dokumente, ... S. 948.

[12] Vgl. Rede auf der II. Bitterfelder Konferenz, in: Dokumente, ... S. 968, 971, 982.

[13] Vgl. Probleme des Realismus, Rundtischgespräch unter Leitung von A. Große, in: Weimarer Beiträge, 15, 1969, H. 3, insbes. S. 492.

[14] Z. B. in Orientierung an Ulbrichts Rede auf dem 7. Parteitag der SED 1967: A. Abusch, Die nationale Repräsentanz unserer sozialistischen Kultur, in: Dokumente, ... S. 1275 f., W. Mittenzwei formuliert u. a.: „Der Gegenstand, den es heute zu bewältigen gilt, ist die gesellschaftliche Entwicklung und Persönlichkeitsbildung der Individuen auf systemeigenen sozialistischen Grundlagen, in der Verbindung von entwickeltem gesellschaftlichem System und wissenschaftlich-technischer Revolution." (Das Bild des Revolutionärs in der sozialistischen Literatur, ... S. 23.)

[15] Veröffentlicht in: neue deutsche literatur 12, 1970, u. Theater der Zeit, 4, 1971, als selbständige Buchveröffentlichung, Halle, 1972.

[16] K. Hager, Die entwickelte sozialistische Gesellschaft, in: Einheit, 11, 1971, S. 1212.

[17] Vgl. E. Honecker, Bericht des ZK an den 8. Parteitag, Berlin, 1971, S. 7.

[18] Zitiert nach: Fritz Selbmann, Über zwei Parteitage, in: neue deutsche literatur, 1971, H. 8, S. 9 f.

[19] Vgl. Einleitungskapitel, Anm. 26.

[20] Vgl. Ph. Neumann, Der Sozialismus als eigenständige Gesellschaftsformation ..., in: Kursbuch 23, S. 103 ff. und die Entgegnung von: K. H. Goetze, J. Harrer, Anmerkungen zu einer Kursbuch-Polemik gegen die politische Ökonomie des Sozialismus und ihre Anwendung in der DDR, in: Das Argument, 68, 1971, S. 810 ff.

[21] K. H., Die entwickelte sozialistische Gesellschaft, in: Einheit, 11, 1971, S. 1217.

[22] Vgl. z. B. A. Shdanow, Rede auf dem 1. Unionskongreß der Sowjetschriftsteller und , hieran anschließend, der Beschluß des ZK der SED von 1951 „Der Kampf gegen Formalismus in Kunst und Literatur für eine fortschrittliche deutsche Kultur".

[23] Z. B. G. Lukács in: Wider den mißverstandenen Realismus, ... S. 98.

[24] Fragen der Redaktion, in: Forum 8, 1966, auch in: Kritik in der Zeit, ... S. 690. Die damit eingeleitete Diskussion beschreibt ausführlich F. J. Raddatz, Tradition und Tendenzen, ... S. 167 ff.

[25] Z. B. in: W. M. Das Bild des Revolutionärs in der sozialistischen Literatur.

[26] E. Bloch, Das Prinzip Hoffnung, ... S. 257 f.

[27] Vgl. S. 57 ff.

[28] Vgl. G. W. Hegel, Ästhetik, ... S. 317.

[29] Vgl. Ursprung des deutschen Trauerspiels, ... S. 173.

[30] Lukács verwendet diesen Begriff in seiner Auseinandersetzung mit dem sozialen Sinn des Prozesses, den der bürgerliche Entwicklungsroman beschreibt (Wider den mißverstandenen Realismus, ... S. 122). Adorno hat den Begriff dann polemisch gegen Lukács selbst gewendet (Th. Adorno, Erpreßte Versöhnung, ... insbes. S. 220 f.).

[31] Vgl. G. Lukács, Ästhetik in 4 Teilen, Teil III, ... S. 34 f. In falscher qualitativer Gleichsetzung mit Kitsch wird die Idylle in der Literaturtheorie der DDR gedeutet und entsprechend als Form literarischer Auseinandersetzung mit der gegenwärtigen Wirklichkeit verworfen (vgl. z. B. W. Mittenzwei, Das Bild des Revolutionärs in der sozialistischen Literatur, ... S. 36 f.).

[32] Neues Deutschland, 18. 12. 71.

[33] Zitiert wird nach dem Abdruck dieser Erzählung in der Anthologie: Fahrt mit der S-Bahn, Erzähler der DDR, München 1971, dtv-Tb. Nr. 778.

[34] Neben „Ein Dienstag im September" (1969): „Schulzenhofer Kramkalender" (1966), „3/4 hundert Kleingeschichten" (1972).

[35] Vgl. z. B. W. Neubert, Unsere Konflikte in unserer Literatur, neue deutsche literatur, 1970, H. 1 (Zitat S. 9).

[36] H. Plavius, Wahr erzählen, nicht wahrsagen, in: neue deutsche literatur, 1970, H. 7, S. 21.

[37] Im „Neuen Deutschland" (4. 3. 1970) wurde u. a. kritisiert: „Das enge, unbewegliche Bild von den sozialistischen Beziehungen in unserer Gesellschaft, mit dem sich Strittmatter hier leider begnügt, ermöglicht es nicht, die erzählerischen Verfahren und die Gedanken in Fluß zu bringen, die erst den ausschlaggebenden Grund für satirische Verurteilung von Charaktern unschöpferischen Verhaltens abgeben und die Erbitterung und das Gelächter über sie hervorrufen." Nachdem die sowjetische Zeitschrift Ogonjok die Erzählung als eines der besten Werke des Jahres 1969 ausgezeichnet hatte, wurde auch in der DDR eine positive Deutung versucht (über die genannte Studie von H. Plavius hinaus z. B. in: R. Rindfleisch, W. Strittmatter, ... S. 266 f.).

[38] Zitiert wird nach dem Abdruck dieser Erzählung in der Anthologie: Fahrt mit der S-Bahn, Erzähler der DDR, München, 1971, dtv-Tb. Nr. 778.

[39] Vgl. W. Bräunig, Prosa schreiben. Anmerkung zum Realismus, ... u. W. Mittenzwei, das Bild des Revolutionärs in der sozialistischen Literatur, ...

[40] W. Bräunig, Notizen, ... S. 44.

[41] E. Simons, Das Andersmachen von Grund auf, in: Dokumente, ... S. 1558 (auch in: Weimarer Beiträge, 1969, Sonderheft).

[42] F. J. Raddatz gibt weitere Beispiele der wachsenden Bedeutung, die die See-Metapher in der jüngeren Literatur der DDR erhält. Er deutet die Metapher dabei als „Schlüsselbegriff für die Problematik, die sich aus der dialektischen Spannung zwischen Individuum und Gesellschaft ergibt" (F. J. R., Traditionen und Tendenzen, ... S. 389 f.).

[43] Eine ähnliche Abgrenzung gegenüber dem Politischen (Thema deutsche Teilung) gibt Chr. Wolf in ihrer Idylle „Juni-Nachmittag" (1966, abgedruckt in: „Fahrt mit der S-Bahn"). Das Motiv des Knalls beim Durchbrechen der Schallmauer „immer über uns" erscheint hier schon vorgebildet (vgl. a. a. O., S. 233).

[44] Abgedruckt in: G. Kunert, Die Beerdigung findet in aller Stille statt, München, 1968 (Reihe Hanser, Bd. 11); die Zitate im Text folgen dieser Ausgabe.

[45] Vgl. S. 198.

[46] Fragen der Redaktion, ... S. 690.

[47] Forum 1966, Nr. 10, S. 23.

[48] Z. B.: Kunerts Gedichte trügen zu wenig zur „sozialistischen Profilierung unserer Weltanschauungsrichtung bei" (Kollektiv des Instituts für deutsche Literaturgeschichte der Universität Leipzig, Lyrik in dieser Zeit, ... S. 854), Kunert wende die Kritik des Mißbrauchs von Wissenschaft und Technik, die im Kapitalismus richtig sei, fälschlicherweise auch auf den Sozialismus an (H. Haase, Was kann Lyrik leisten?, in: Dokumente, ... S. 1285), Kunert dämonisiere die Technik, erhebe lösbare Widersprüche zu unveränderlichen Tatsachen und zeige so letztlich undialektische Auffassungen (K. Werner, G. Kunert, in: Literatur der DDR, hg. H. J. Geerdts, ... S. 536 ff.). Erstaunlicherweise übernimmt F. J. Raddatz diese Deutung — wenn auch positiv gewendet — da er gleichfalls in Kunerts Texten Resignation als bestimmende Erfahrung erkennt und ihnen statischen Charakter zuspricht (Tradition und Tendenzen, ... S. 175 f.).

Literaturverzeichnis

Abendroth, Wolfgang. Sozialgeschichte der europäischen Arbeiterbewegung. Frankfurt, ⁸1972.

A bis Z: ein Taschen- und Nachschlagebuch über den anderen Teil Deutschlands. Hg. vom Bundesministerium für gesamtdeutsche Fragen. Bonn, ¹¹1969.

Abusch, Alexander. Aktuelle Fragen unserer Kulturpolitik (Neues Deutschland, 14. 6. 1950), in: Dokumente, ... S. 140 ff.

—. Aktuelle Fragen unserer Literatur (1952), in: Dokumente, ... S. 226 ff.

—. Bruno Schönlank (1927), in: A. Abusch, Literatur im Zeitalter des Sozialismus: Beiträge zur Literaturgeschichte 1921—1966, OBerlin, Weimar, 1967.

—. Die nationale Repräsentanz unserer sozialistischen Kultur (1967), in: Einheit, 1967, H. 4/5, auch in: Dokumente, ... S. 1269 ff.

—. Die Schriftsteller und der Plan (1948), in: A. A., Literatur im Zeitalter des Sozialismus, a. a. O.

—. Friedrich Wolf — vom Empörer zum Kämpfer und Gestalter (1951), in: A. A., Literatur im Zeitalter des Sozialismus, a. a. O.

—. Literatur und Wirklichkeit. OBerlin, 1953.

—. Um die Gestaltung neuer Helden (1951), in: A. A., Literatur im Zeitalter des Sozialismus, a. a. O.

Adorno, Theodor W. Erpreßte Versöhnung: zu G. Lukács: „Wider den mißverstandenen Realismus", in: Begriffsbestimmung des literarischen Realismus, hg. von R. Brinkmann, Darmstadt, 1969.

Almasi, M. Alienation und Socialism, in: Marxism and Alienation, hg. von H. Aptheker, New York, 1965.
Anderle, Hans Peter, Mitteldeutsche Erzähler: eine Studie mit Proben und Portraits. Köln, 1965.
Arbeiterkorrespondentenbewegung, Artikel in: Lexikon sozialistischer deutscher Literatur, photomechanischer Nachdruck, Gravenhage, 1973.
Aus der Welt der Arbeit: Almanach der Gruppe 61 und ihrer Gäste. Hg. von F. Hüser und Max von der Grün. Neuwied, Berlin, 1966.

Becher, Johannes R. Von der Größe unserer Literatur: Rede zur Eröffnung des 4. deutschen Schriftstellerkongresses 1956, in: Dokumente, ... S. 395 ff., auch in: J. R. Becher, Von der Größe unserer Literatur: Reden und Aufsätze, Leipzig, 1971.
Benjamin, Walter. Der Autor als Produzent, in: W. Benjamin, Versuche über Brecht, Frankfurt, 1966.
—. Ursprung des deutschen Trauerspiels. Berlin, 1928.
Bernhard, Hans Joachim. Franz Fühmann, in: Literatur der DDR in Einzeldarstellungen, hg. H. J. Geerdts, Stuttgart, 1972.
Bloch, Ernst. Das Prinzip Hoffnung. 2 Bde. Frankfurt, 1959.
Bloch, Ernst. Liegt es am System?, in: E. Bloch, Widerstand und Friede: Aufsätze zur Politik, Frankfurt, 1968.
Braun, Volker. Die Kipper. OBerlin, Weimar, 1972, auch in: Sinn und Form, 1972, H. 1.
—. Kipper Paul Bauch, in: Forum, 18, 1966, auch in: Deutsches Theater der Gegenwart, Bd. 2, Frankfurt, 1967.
Bräunig, Werner. (Der eiserne Vorhang, ausgewählte Kapitel) in: Erkenntnisse und Bekenntnisse, Halle, 1964.
—. Gewöhnliche Leute. Halle, 1969, auch in: Fahrt mit der S-Bahn: Erzähler der DDR, München, 1971.
—. Notizen, in: Erkenntnisse und Bekenntnisse, a. a. O.
—. Rummelplatz (Kapitel zu: Der eiserne Vorhang), in: neue deutsche literatur, 1965, H. 10, wieder abgedruckt in: Nachrichten aus Deutschland, hg. H. Brenner, Reinbek, 1967.
—. Prosa schreiben: Anmerkungen zum Realismus. Halle, 1968.
Brecht, Bertolt. Arbeitsjournal, Hg. von W. Hecht. 3 Bde., Frankfurt, 1973.
—. Die Maßnahme. Krit. Ausgabe, hg. von R. Steinweg. Frankfurt, 1972.
—. Mißverständnisse über das Lehrstück, in: B. Brecht, Gesammelte Werke, Bd. 17, Frankfurt, 1967.
—. (Realismus als kämpferische Methode. Notizen für die Rede auf dem Schriftstellerkongreß), in: B. B., Ges. Werke, Bd. 19, Frankfurt, 1967.
—. Rede auf dem IV. deutschen Schriftstellerkongreß, in: B. B., Ges. Werke, Bd. 19, a. a. O.
—. Theorie der Pädagogien, in: B. B., Ges. Werke, Bd. 17, a. a. O.
—. Volkstümlichkeit und Realismus, in: B. B., Ges. Werke, Bd. 19, a. a. O.
—. Weite und Vielfalt realistischer Schreibweise, in: B. B., Ges. Werke, Bd. 19, a. a. O.
—. Zur Theorie des Lehrstücks, in: B. B., Ges. Werke, Bd. 17, a. a. O.

Bertold Brecht Archiv: Bestandsverzeichnis des literarischen Nachlasses. Bd. 1, Stücke, bearbeitet von H. Ramthun. OBerlin, Weimar, 1969.
Brettschneider, Werner, Zwischen literarischer Autonomie und Staatsdienst: die Literatur in der DDR. Berlin, 1972.
Bullivant, Keith. Gruppe 61 nach 10 Jahren, in: Basis: Jahrbuch für deutsche Gegenwartsliteratur, Bd. 3, Frankfurt, 1972.

Claudius, Eduard. Menschen an unserer Seite. Leipzig, 1971 (Erstveröffentlichung, Halle, 1951).
—. Ruhelose Jahre: Erinnerungen. Halle, 1968.
—. Vom schweren Anfang, in: Erzählungen, Bibliothek Fortschrittlicher deutscher Schriftsteller, OBerlin, 1951.

Das uns Gemäße: Lyrik — Anthologie schreibender Arbeiter. OBerlin, 1970.
Der Tag hat 24 Stunden: Lyrik und Prosa schreibender Arbeiter. OBerlin, 1972.
Deubner Blätter: Arbeitsmaterialien des Zirkels schreibender Arbeiter BKW „Erich Weinert". Bd. 1 u. 2., Halle, 1961 u. 1964, Bd. 3, OBerlin, 1966.
DDR 1945—1970: Geschichte und Bestandsaufnahme. Hg. von E. Deuerlein. München, [3]1971.
DDR-Reportagen: eine Anthologie. Hg. von H. Hauptmann. Leipzig, 1969.
DDR-Wirtschaft. Hg. vom Institut für Wirtschaftsforschung. Frankfurt, 1971.
Deutschsprachige Literatur im Überblick (Verfasserkollektiv). Leipzig, 1971.
Dokumente zur Kunst, Literatur und Kulturpolitik der SED. Hg. von E. Schubbe. Stuttgart, 1972 (abgekürzt: Dokumente, . . .).

Erkenntnisse und Bekenntnisse. Vowort von O. Gotsche. Halle, 1964.

Fehervary, Helen. Heiner Müllers Brigadestücke, in: Basis: Jahrbuch für deutsche Gegenwartsliteratur, Bd. 2, Frankfurt, 1971.
Flores, John. Poetry in East Germany. New Haven, London, 1971.
Fragen der Redaktion, in: Forum, 8, 1966, auch in: Kritik in der Zeit, hg. von K. Jarmatz, Halle, 1970.
Franke, Konrad. Die Literatur der Deutschen Demokratischen Republik. Kindlers Literaturgeschichte der Gegenwart. München, 1971.
Fühmann, Franz. Beginn auf der Werft, in: DDR-Reportagen, a. a. O. (= Auszug aus: F. F., Kabelkran und Blauer Peter, Rostock, 1961).

Gallas, Helga. Marxistische Literaturtheorie: Kontroversen im Bund proletarisch revolutionärer Schriftsteller. Neuwied, Berlin, 1971.
Gedichte von drüben II: Lyrik und Propagandaverse aus Mitteldeutschland. Hg. von K. H. Brockerhoff. Bad Godesberg, 1968.
Gente, Hans Peter. Versuch über „Bitterfeld", in: alternative 7, 1964.
Girnus, Mittenzwei, Müller, Münz. Gespräch mit Heiner Müller, in: Sinn und Form, 1966, H. 1.

Götze, Karl Heinz, Harrer, Jürgen. Anmerkungen zu einer Kursbuchpolemik gegen die politische Ökonomie des Sozialismus und ihre Anwendung in der DDR, in: Das Argument, 68, 1971.
Gotsche, Otto. Das Leben des Volkes — Quelle der sozialistischen Literatur (1959), in: Dokumente, ... S. 567 ff., auch in: Einheit, 1959, H. 8.

Haase, Horst. Was kann Lrik leisten?, in: Dokumente, ... S. 1279 ff., auch in: neue deutsche literatur, 1967, H. 5.
Habermas, Jürgen. Vom sozialen Wandel akademischer Bildung, in: J. Habermas, Theorie und Praxis, Neuwied, Berlin, [4]1971.
Hacks, Peter. Das realistische Theaterstück, in: neue deutsche literatur, 1957, H. 11.
—. Fünf Stücke. Frankfurt, 1965.
—. Über den Vers in Müllers Umsiedlerin — Fragment, in: P. Hacks, Das Poetische, Frankfurt, 1972 (Erstveröffentlichung: Theater der Zeit, 1961, H. 5).
—. Über Langes „Marski", in: P. H., Das Poetische, Frankfurt, 1972 (Erstveröffentlichung: Theater heute, 6, 1965).
—. Versuch über das Theaterstück von morgen, in: P. H., Das Poetische, a. a. O.
Hager, Kurt. Die entwickelte sozialistische Gesellschaft, in: Einheit, 11, 1971.
Handbuch für schreibende Arbeiter. Hg. von U. Steinhaußen, D. Faulseit und J. Bonk. OBerlin, 1969.
Hastedt, Regina. Die Tage mit Sepp Zach. OBerlin, 1959.
Hecht, Werner, Bunge, Hans-Joachim, Rülicke-Weiler, Käthe. Bertolt Brecht: Leben und Werk. OBerlin, 1963.
Hegel, G. W. F. Ästhetik. Hg. von Fr. Bassenge. OBerlin, [2]1965.
—. Vorlesungen über die Ästhetik, in: G. W. F. H., Sämtliche Werke, Jubiläumsausgabe, Bde. 12 und 13, Stuttgart, 1953.
Heym, Stephan. Rede auf dem internationalen Schriftstellerkolloquium über die Literatur in beiden deutschen Staaten in OBerlin, in: Dokumente, .. . S. 1010.
Höppner, Joachim. Über die deutsche Sprache und die beiden deutschen Staaten, in: Weimarer Beiträge, 9, 1963, H. 3.
Honecker, Erich. Bericht des ZK an den VIII. Parteitag. OBerlin, 1971.

Ich schreibe ...: Arbeiter greifen zur Feder. Bde. 1—4, OBerlin, Halle, 1960—64.
In eigener Sache: Briefe von Künstlern und Schriftstellern. Ausgew. und hg. von E. Kohn im Auftrag des Ministeriums für Kultur in der DDR. Halle, 1964.

Jäger, Hans Wolf. Beschreiben, um zu verändern: Hinweis auf den „Werkkreis Literatur der Arbeitswelt", in: Jahrbuch für internationale Germanistik, III, 1, 1971.
Jakobs, Karl Heinz. Bericht vom Grunde des Meeres, in: Nachrichten aus Deutschland, a. a. O. (Erstveröffentlichung, K. H. J., Einmal Tschingis-Khan sein: ein anderer Versuch, Kirgisien zu erobern, OBerlin, 1964.)
—. Beschreibung eines Sommers. OBerlin, 1961.

Jakobs, Karl Heinz. Das grüne Land: Reportagen. OBerlin, 1961.
—. Das Wort des Schriftstellers: über den Arbeiter in unserer Literatur, in: neue deutsche literatur, 20, 1972, H. 10.
—. Eine Pyramide für mich. OBerlin, 1971.
Jung, Heinz. Zur Diskussion um den Inhalt des Begriffs „Arbeiterklasse" und zu Strukturveränderungen in der westdeutschen Arbeiterklasse, in: Das Argument, 61, 1970.

Kähler, Hermann. Gegenwart auf der Bühne: die sozialistische Wirklichkeit in den Bühnenstücken der DDR von 1956—1963/64. OBerlin, 1966.
Kahlau, Heinz. Der Fluß der Dinge: Gedichte. OBerlin, 1964.
Der Kampf gegen Formalismus in Kunst und Literatur für eine fortschrittliche deutsche Kultur: Entschließung des Zentralkomitees der SED auf der Tagung am 15., 16. und 17. März 1951, in: Marxismus und Literatur, hg. von F. J. Raddatz, a. a. O., Bd. 3, auch in: Dokumente, . . . S. 178 ff.
Karl Marx Städter Skizzen. Bd. III. OBerlin, 1969.
Keisch, Henryk. Bericht über eine auf der Abteilung Kultur beim ZK der SED einberufene Tagung über die „Entwicklung des sozialistischen Nationaltheaters", in: Dokumente, . . . S. 565 ff. (Erstveröffentlichung: Neues Deutschland, 4. 6. 1959.)
Kersten, Heinz. Ole Bienkopp — Ein politischer Roman, in: alternative, 7, 1964.
Köhler, Erich. Ideal und Wirklichkeit im höfischen Roman. Tübingen, ^{2}1970.
Koch, Hans. Die „Deubner Blätter" oder wo beginnt Kunst?, in: H. Koch, Unsere Literaturgesellschaft, OBerlin, 1965.
—. Fünf Jahre nach Bitterfeld, in: Dokumente, . . . S. 941 ff. (Erstveröffentlichung: neue deutsche literatur, 1964 H. 4.)
Körnchen Gold: Anthologie schreibender Arbeiter. OBerlin, 1969.
Kolakowski, Leszek. Der Mensch ohne Alternative. München, 1960.
Kritik in der Zeit: der Sozialismus, seine Literatur, ihre Entwicklung. Hg. von Klaus Jarmatz. Halle, 1970.
Kühne, Peter. Arbeiterklasse und Literatur. Frankfurt, 1972.
Kühne, Peter, Schöfer, Erasmus. Schreiben für die Arbeitswelt, in: Akzente, 1970.
Kulturpolitisches Wörterbuch. Hg. von H. Bühl, D. Heinze, H. Koch, F. Staufenbiel. OBerlin, 1970.
Kunert, Günter. Die Waage, in: G. Kunert, Die Beerdigung findet in aller Stille statt: Erzählungen, München, 1968.
Kurella, Alfred. Der Frühling, die Schwalben und Franz Kafka: Bemerkungen zu einem literarischen Kolloquium, in: Kritik in der Zeit, a. a. O. (Erstveröffentlichung: Sonntag, 31, 1963.)

Langenbucher, Wolfgang R. Der aktuelle Unterhaltungsroman: Beitrag zur Geschichte und Theorie der massenhaft verbreiteten Literatur. Bonn, 1964.
Langspach, Ursula. Sinn und Zweck des Brigadetagebuchs, in: Dokumente, . . . S. 693.

Laschen, Georg. Lyrik in der DDR. Frankfurt, 1971.
Laube, Horst. Peter Hacks. Velber, 1972.
Lehnecke, Julian. Arbeitswelt und Arbeiterdichtung. Versuche in beiden Teilen Deutschlands, in: Deutsche Studien, 1, 1963.
Lenin, Wladimir Iljitsch. Die Große Initiative (1919), in: W. I. Lenin, Werke, hg. vom Institut für Marxismus-Leninismus beim ZK der SED, Bd. 29, OBerlin, 1961.
—. Parteiorganisation und Parteiliteratur (1905), in: Parteilichkeit der Literatur oder Parteiliteratur?, hg. von H. Ch. Buch, Reinbek, 1972.
—. Über die Gewerkschaften, die gegenwärtige Lage und die Fehler Trotzkis (1920), in: W. I. L., Werke, a. a. O., Bd. 32, OBerlin, 1961.
—. Über Kultur und Kunst. OBerlin, 1960.
Lexikon deutschsprachiger Schriftsteller. Von den Anfängen bis zur Gegenwart. 2 Bde., Leipzig, 1968/69.
Lexikon sozialistischer deutscher Literatur: von den Anfängen bis 1945. Monographisch-biographische Darstellungen. Photomechanischer Nachdruck. Gravenhage, 1973.
Literatur der DDR in Einzeldarstellungen. Hg. von H. J. Geerdts. Stuttgart, 1972.
Löwenthal, Leo. Literatur und Gesellschaft. Neuwied, Berlin, 1967.
Lukács, Georg. Ästhetik in vier Teilen: in Übereinstimmung mit dem Autor gekürzte Ausgabe von F. Fehér. 4 Bde. Neuwied, Darmstadt, Berlin, 1972.
—. Das Problem der Perspektive: Rede auf dem 4. deutschen Schriftstellerkongreß, in: G. L., Schriften zur Literatursoziologie, hg. von P. Ludz, Neuwied, 1961.
—. Die Eigenart des Ästhetischen, in: G. L., Werke, Bd. 11 und 12, Neuwied, Berlin, 1963.
—. Einführung in die ästhetischen Schriften von Marx und Engels, in: Marxistische Literaturkritik, hg. von V. Zmegac, Bd. Homburg v. d. H., 1970.
—. Es geht um den Realismus, in: Marxismus und Literatur, hg. von F. J. Raddatz, Bd. 2, Reinbek, 1969.
—. Probleme des Realismus. OBerlin, 1955.
—. Reportage oder Gestaltung?, in: Die Linkskurve, 4, 1932, H. 7 und 8 (auch in: Marxismus und Literatur, hg. von F. J. Raddatz, a. a. O., Bd. 2).
—. Schriften zur Literatursoziologie. Ausgew. und eingel. von Peter Ludz. Neuwied, 1961.
—. Tendenz oder Parteilichkeit?, in: Die Linkskurve, 4, 1932, H. 6 (auch in: Marxismus und Literatur, hg. von F. J. Raddatz, a. a. O., Bd. 2).
—. Wider den mißverstandenen Realismus. Hamburg, 1958.
Georg Lukács und der Revisionismus: eine Sammlung von Aufsätzen. OBerlin, 1960.
Lu Märten. Wesen und Veränderung der Formen (Künste): Resultate historisch-materialistischer Untersuchungen. Frankfurt, 1924.
Lyrik in dieser Zeit. Verf. vom Kollektiv für Literaturgeschichte der Karl Marx Universität Leipzig, in: Kritik in der Zeit, hg. von K. Jarmatz, a. a. O. (auch in: neue deutsche literatur, 1968, H. 11).

Mandel, Ernest. Marxistische Wirtschaftstheorie. 2 Bde. Frankfurt, 1972 (franz. Originalfassung 1962).
Manifest des VII. Parteitages der SED an die Bürger der DDR, in: H. Weber, Die sozialistische Einheitspartei Deutschlands 1946—1971, Hannover, 1971 (auch in: Dokumente, . . . S. 1261 ff.).
Mander, Matthias. Summa Bachzelt und andere Erzählungen, in: Texte Texte, Prosa und Gedichte der Gruppe 61, hg. von F. Hüser, Recklinghausen, 1969.
Marcuse, Herbert. Der eindimensionale Mensch. Berlin, 1968.
—. Über den affirmativen Charakter der Kultur, in: Kultur und Gesellschaft I, Frankfurt, 1965.
Marcuse, Ludwig. Obszön: Geschichte einer Entrüstung. München, 1962.
Marković, Mihailo. Dialektik der Praxis. Frankfurt, 1968.
—. Humanism and Dialectic, in: Socialist Humanism, hg. von E. Fromm, New York, 1965.
Marx, Karl. Das Kapital, in: Karl Marx, Fr. Engels, Werke (abgek. MEW), Bd. 23, OBerlin (Nachdruck), 1972.
—. Ökonomisch-philosophische Manuskripte, in: MEW Erg. Bd. 1, OBerlin, 1968.
—. Zur Kritik der Politischen Ökonomie, in: MEW Bd. 13, OBerlin, 1961.
Marx, Karl, Engels, Friedrich. Die Deutsche Ideologie, in: MEW Bd. 3, OBerlin, 1958.
—. Manifest der Kommunistischen Partei, in: MEW Bd. 4, OBerlin, 1959.
—. Werke (= MEW). Hg. vom Institut für Marxismus-Leninismus beim ZK der SED. Bd. 1 ff. OBerlin, 1957 ff.
Marxismus und Literatur: eine Dokumentation in 3 Bänden. Hg. von F. J. Raddatz. Reinbek, 1969.
Marxistisch-Leninistisches Wörterbuch der Philosophie. Hg. von G. Klaus und M. Buhr. 3 Bde. Reinbek, 1972 (= unveränderter Nachdruck von: Philosophisches Wörterbuch, 2 Bde., Leipzig, 1964).
—. Vom möglichen Nutzen schlechter Literatur, in: Dokumente, . . . S. 437 f. (Erstveröffentlichung: Sonntag Nr. 25, 1956).
—. Zur aktuellen literarischen Situation, in: Die deutsche Literatur der Gegenwart, hg. von M. Durzak, Stuttgart, 1971.
Mayer, Hans. Zur Gegenwartslage unserer Literatur, in: Dokumente, . . . S. 449 f. (Erstveröffentlichung: Sonntag Nr. 49, 1956, ferner in: H. M., Zur deutschen Literatur der Zeit, Reinbek, 1967).
Mittenzwei, Werner. Das Bild des Revolutionärs in der Literatur, in: Revolution und Literatur: zum Verhältnis von Erbe, Revolution und Literatur, hg. von W. Mittenzwei u. R. Weisbach, Frankfurt, 1972.
—. Gestaltung und Gestalten im modernen Drama. OBerlin, Weimar, ²1969.
—. Marxismus und Realismus: die Brecht-Lukács Debatte, in: Das Argument 46, 1968.
Müller, Heiner. Der Bau, in: Sinn und Form, 17, 1965.
—. Libretto zu Lanzelot, in: Theater der Zeit, 1970, H. 3.
—. Der Lohndrücker, in: Sozialistische Dramatik: Autoren der DDR, Nachwort von K. H. Schmidt, OBerlin, 1968 (Erstveröffentlichung in: neue deutsche literatur, 1957, H. 5).

Müller, Heiner. Philoktet, in: Sinn und Form, 17, 1965 (auch in: Spectaculum 12, 1969).
—. Drei Punkte zu Philoktet, in Spectaculum 12, Frankfurt, 1969, S. 306 f.
—. 6 Punkte zur Oper, in: Theater der Zeit, 1970, H. 3, S. 18 f.
—. War „Die Korrektur“ korrekturbedürftig?, in: neue deutsche literatur, 1959, H. 1.
Musil, Robert. Tagebücher, Aphorismen, Essays und Reden. Hg. von A. Frisé. Hamburg, 1965.

Nachrichten aus Deutschland: Lyrik, Prosa, Dramatik. Eine Anthologie der neuen DDR-Literatur, hg. von H. Brenner. Reinbek, 1967.
Negt, Oskar. Soziologische Phantasie und exemplarisches Lernen: zur Theorie und Praxis der Arbeiterdichtung. Frankfurt, [2]1971.
Neubert, Werner. Unsere Konflikte in unserer Literatur, in: neue deutsche literatur, 1970, H. 1.
Neumann, Philipp. Der „Sozialismus als eigenständige Gesellschaftsformation“: zur Kritik der politischen Ökonomie des Sozialismus und ihrer Anwendung in der DDR, in: Kursbuch 23, 1971.
Neutsch, Erik. Haut oder Hemd, in: neue deutsche literatur 12, 1970 (auch in: Theater der Zeit, 4, 1971 und Halle, 1972).
—. Spur der Steine. Halle, 1964.
Nossack, Hans Erich. Strickwaren für Neger — ist unsere Literatur arbeiterfremd?, in: Merkur 16, 1962, H. 10.

Ottwalt, Ernst. Tatsachenroman und Formexperiment, in: Marxismus und Literatur, hg. F. J. Raddatz, a. a. O., Bd. 2.

Parteilichkeit der Literatur oder Parteiliteratur? Materialien zu einer undogmatischen marxistischen Ästhetik. Hg. von Hans Chr. Buch. Reinbek, 1972.
Pereverzev, Valerian. Voraussetzungen der marxistischen Literaturwissenschaft, in: Marxistische Literaturkritik, hg. von V. Zmegac, Bd. Homburg v. d. H., 1970.
Plavius, Heinz. Wahr erzählen, nicht wahrsagen, in: neue deutsche literatur, 1970, H. 7.
Plechanow, G. W. Kunst und Literatur. OBerlin, 1955.
Pollmann, Leo. Literaturwissenschaft und Methode. 2 Bde. Frankfurt, 1971.
Popitz, Heinrich, Bahrdt, Hans Paul, Jüres, E. August, Kesting, Hanno. Das Gesellschaftsbild des Arbeiters: soziologische Untersuchungen in der Hüttenindustrie. Tübingen, [3]1957.
Pracht, Erwin und Neubert, Werner. Sozialistischer Realismus: Positionen, Probleme, Perspektiven. OBerlin, 1970.
—. Zu aktuellen Grundfragen des sozialistischen Realismus in der DDR (1966), in: Dokumente, . . . S. 1144 ff.

Raddatz, Fritz J. Traditionen und Tendenzen: Materialien zur Literatur der DDR. Frankfurt, 1972.

Raddatz, Fritz J.: Zur Entwicklung der Literatur in der DDR, in: Die deutsche Literatur der Gegenwart: Aspekte und Tendenzen, hg. von M. Durzak, Stuttgart, 1971.
Reich-Ranicki, Marcel. Deutsche Literatur in West und Ost: Prosa seit 1945. Reinbek, 1970.
Reimann, Brigitte. Ankunft im Alltag. OBerlin, 1961.
Rendez-vous mit der Zukunft: mit Reportern des „Neuen Deutschland" durch 15 Republiken der Sowjetunion. Leipzig, 1972.
Reso, Martin. Der geteilte Himmel und seine Kritiker: Dokumentation mit einem Nachwort des Herausgebers. Halle, 1965.
Rindfleisch, Ruth. Erwin Strittmatter, in: Literatur der DDR in Einzeldarstellungen, hg. von H. J. Geerdts, a. a. O.
Röhner, Eberhard. Arbeiter in der Gegenwartsliteratur. OBerlin, 1967.
Rohner, Rolf. Struktur und Idee: zum vorgelegten Text von H. Müllers „Der Bau", in: Theater der Zeit 21, 1966, H. 6.
Rothe, Friedrich. Sozialistischer Realismus in der DDR-Literatur, in: Poesie und Poetik, hg. von W. Kuttenkeuler, Stuttgart, 1973.
Rothe, Wolfgang. Industrielle Arbeitswelt und Literatur, in: Definitionen: Essays zur Literatur, hg. von A. Frisé. Frankfurt, 1963.
Rudolph, Hermann. Die Gesellschaft der DDR — eine deutsche Möglichkeit? München, 1972.
Rühle, Jürgen. Literatur und Revolution. München, Zürich, 1963.

Sander, Hans Dietrich. Geschichte der schönen Literatur in der DDR. Freiburg, 1972.
Schaff, Adam. Marxismus und das menschliche Individuum. Wien, Frankfurt, Zürich, 1965.
Schlenstedt, Dieter. Ankunft und Anspruch: zum neueren Roman in der DDR, in: Sinn und Form, 18, 1966.
Schönlank, Bruno. Der gespaltene Mensch: Chorwerk. Berlin, 1927.
Schulz, Max Walter. Spur der Steine. Roman von Erik Neutsch — Eine Betrachtung, in: Kritik in der Zeit, hg. von J. Jarmatz, a. a.O.
Seghers, Anna. Der Mann und sein Name, in: A. S., Der Bienenstock: Gesammelte Erzählungen, OBerlin, 1963.
—. Die große Veränderung und unsere Literatur (Rede auf dem 4. deutschen Schriftstellerkongreß), in: Dokumente, ... S. 411 ff.
—. Friedensgeschichten, in: A. S., Der Bienenstock, a. a. O.
—. Tiefe und Breite in der Literatur (Rede auf dem 5. deutschen Schriftstellerkongreß), in: Dokumente, ... S. 722 ff.
Shdanow, Andrei A. Rede auf dem ersten Unionskongreß der Sowjetschriftsteller (1934), in: Marxismus und Literatur, hg. von F. J. Raddatz, a. a. O., Bd. 1.
Simons, Elisabeth. Das andersmachen von Grund auf: Die Hauptrichtung der jüngsten erzählenden DDR-Literatur, in: Dokumente, ... S. 1549 ff. (Erstveröffentlichung: Weimarer Beiträge, 1969, Sonderheft).
Sowjetsystem und demokratische Gesellschaft. Freiburg, Basel, Wien, Bd. 1 ff., 1968 ff.
Staiger, Emil. Die Zeit als Einbildungskraft des Dichters: Untersuchungen zu Gedichten von Brentano, Goethe und Keller. Zürich, 1953.

Steinweg, Reiner. Das Lehrstück, Brechts Theorie einer politisch-ästhetischen Erziehung. Stuttgart, 1972.
—. Das Lehrstück — ein Modell des sozialistischen Theaters: Brechts Lehrstücktheorie, in: alternative 78/79, Berlin, 1971.
Strittmatter, Erwin. Ein Dienstag im September: 16 Romane im Stenogramm. OBerlin, Weimar, 1969.
—. Kraftstrom (aus: Ein Dienstag im September, a. a. O.).
—. Ole Bienkopp. OBerlin, Weimar, 1964 (westdt. Ausgabe: Gütersloh, 1965).
Strutz, Jürgen. Auf dem Weg nach Bitterfeld: Schriftsteller „aus den eigenen Reihen", in: alternative, 7, 1964.

Theater in der Zeitenwende: zur Geschichte der Dramen und des Schauspieltheaters in der DDR 1945—68, im Auftrag des Instituts für Gesellschaftswissenschaften beim ZK der SED unter Leitung von W. Mittenzwei. 2 Bde. OBerlin, 1972.
Thomas, Rüdiger. Modell DDR: die kalkulierte Emanzipation. München, 1972.
Tomberg, Friedrich. Mimesis der Praxis und abstrakte Kunst. Neuwied, Berlin, 1968.
Trivialliteratur. Aufsätze, hg. von G. Schmidt-Henkel, H. Enders, Fr. Knilli und W. Maier. Berlin, 1964.
Trommler, Frank. Von Stalin zu Hölderlin: über den Entwicklungsroman in der DDR, in: Basis, Jahrbuch für deutsche Gegenwartsliteratur, II, 1971.

Ulbricht, Walter. Der Weg zur Sicherung des Friedens und zur Erhöhung der materiellen und kulturellen Lebensbedingungen des Volkes, in: Dokumente, ... S. 542 ff. (auch: OBerlin, 1959).
—. Die Bedeutung des Werkes „Das Kapital" von Karl Marx für die Schaffung des entwickelten gesellschaftlichen Systems des Sozialismus in der DDR und den Kampf gegen das staatsmonopolistische Herrschaftssystem in Westdeutschland, in: Neues Deutschland vom 13. 9. 1967.
—. Die gesellschaftliche Entwicklung in der Deutschen Demokratischen Republik bei der Vollendung des Sozialismus, Referat auf dem VII. Parteitag der SED 1967, in: Dokumente, ... S. 1251 ff.
—. Fragen der Entwicklung der sozialistischen Literatur und Kultur. Rede auf der 1. Bitterfelder Konferenz 1959, in: Dokumente, ... S. 552 ff.
—. Rede zur Vorlage des Gesetzes über den Fünfjahresplan (31. 10. 1951), in: Dokumente, ... S. 213 ff.
—. Über die Entwicklung einer volksverbundenen sozialistischen Nationalkultur, Rede auf der 2. Bitterfelder Konferenz 1964, in: Dokumente, ... S. 956 ff.
—. Zum ökonomischen System des Sozialismus in der DDR. 2 Bde. OBerlin, 1968.
Um uns die Stadt: eine Anthologie neuerer Großstadtdichtung, hg. von R. Seitz und H. Zucker. Berlin, 1931.

Verflixte Gedanken: Prosa Schreibender Arbeiter, hg. im Auftrag des Bundesvorstandes des FDGB. OBerlin, 1970.
Viertel, Martin. Sankt Urban. OBerlin, 1968.
—. Wismut, in: Proben junger Erzähler, ausgewählte deutsche Prosa, hg. von Chr. Wolf. Leipzig, 1961.
Völker, Klaus. Die Stücke von Hacks, Müller und Baierl, in: Theater hinter dem „eisernen Vorhang“, hg. von R. Grimm. Basel, Freiburg, Wien, 1964.
Vranicki, Predrad. Socialism and the Problem of Alienation, in: Socialist Humanism, hg. von E. Fromm, New York, 1965.

Weber, Hermann. Die sozialistische Einheitspartei Deutschlands 1946 bis 1971. Hannover, 1971.
—. Von der SBZ zur „DDR“. 2 Bde. Hannover 1966/67.
Wellershoff, Dieter. Der Kompetenzzweifel der Schriftsteller, in: Merkur 1970 II.
—. Fiktion und Praxis, in: D. W., Literatur und Veränderung, Köln, Berlin, 1969.
Wer bist du, der du schreibst? Lyrik schreibender Arbeiter. Hg. von J. Müller. OBerlin, 1972.
Werner, Klaus. Günter Kunert, in: Literatur der DDR in Einzeldarstellungen, hg. von H. J. Geerdts, a. a. O.
Weiss, Peter. Notizen zum dokumentarischen Theater, in: P. W., Dramen 2, Frankfurt, 1972.
Wolf, Christa. Der Autor ist ein wichtiger Mensch, in: Stuttgarter Zeitung (6. 11. 1971).
—. Der geteilte Himmel. Halle 1963 (westdeutsche Ausgabe: Berlin, 1967).
—. Diskussionsbeitrag auf dem 11. Plenum des ZK 1965, in: Dokumente, . . . S. 1098 ff.
—. Nachdenken über Christa T. Halle, 1968 (westdt. Ausgabe: Darmstadt, 1969).